BESTSELLER

John Grisham (Jonesboro, Arkansas, 1955) se dedicaba a la abogacía antes de convertirse en un escritor de éxito mundial. Desde que publicó su primera novela, en 1988, ha escrito casi una por año. Todas sin excepción han sido best sellers y algunas incluso han resultado ser una magnífica fuente de guiones cinematográficos. Entre sus obras destacan los siguientes títulos, todos ellos convertidos también en películas de éxito: *Tiempo de matar, La tapadera, El informe Pelícano, El cliente, Cámara de gas, Legítima defensa* y *El jurado*. Sus últimas obras publicadas en España son: *La apelación, El profesional, La trampa, La confesión, Los litigantes, El estafador, La herencia, El secreto de Gray Mountain, Un abogado rebelde, El soborno, El caso Fitzgerald* y las novelas juveniles de la serie Theodore Boone. John Grisham vive con su esposa y sus dos hijos, a caballo entre Virginia y Mississippi.

Para más información, visite la página web del autor: www.jgrisham.com

También puede seguir a John Grisham en Facebook:
John Grisham

Biblioteca

JOHN GRISHAM

El Rey de los Pleitos

Traducción de
Fernando Garí Puig

DEBOLS!LLO

Papel certificado por el Forest Stewardship Council®

Penguin
Random House
Grupo Editorial

Título original: *The King of Torts*

Primera edición: diciembre de 2013
Tercera reimpresión: abril de 2021

© 2003, Belfry Holdings, Inc.
© 2009, Penguin Random House Grupo Editorial, S. A. U.
Travessera de Gràcia, 47-49. 08021 Barcelona
© 2009, Fernando Garí Puig, por la traducción
Diseño de la cubierta: Penguin Random House Grupo Editorial / Yolanda Artola
Fotografía de la cubierta: © Jupiter Images

Printed in Spain – Impreso en España

ISBN: 978-84-8346-995-8
Depósito legal: B-22.654-2010

Compuesto en Zero pre impresión, S. L.

Impreso en Prodigitalk, S. L.

P 86995 B

1

Los disparos de las balas que penetraron en la cabeza de Pumpkin fueron oídos nada menos que por ocho individuos. Tres de ellos cerraron las ventanas instintivamente, echaron el cerrojo de sus puertas y se retiraron a la seguridad —o al menos a la reclusión— de sus pequeños apartamentos. Otros dos, con experiencia en aquella clase de asuntos, salieron corriendo del vecindario tan deprisa o más que el propio pistolero. Uno —el fanático del reciclaje del barrio, que rebuscaba latas de aluminio en el fondo de un cubo de basura cuando, muy cerca, oyó el seco estallido del tiroteo cotidiano— saltó a refugiarse tras un montón de cajas de cartón hasta que cesaron los disparos, tras lo cual se asomó al callejón, donde vio los restos de Pumpkin.

Los dos restantes lo presenciaron casi todo. Se hallaban sentados en unas cajas de leche de plástico, en la esquina de Lamont con Georgia, delante de una tienda de licores, y estaban parcialmente ocultos a la vista por un coche aparcado; de modo que el pistolero, que había echado un breve vistazo a su alrededor antes de seguir a Pumpkin por el callejón, no los vio. Ambos declararon a la policía que habían visto al chico de la pistola meterse la mano en el bolsillo y sacar el arma, que estaban seguros de haberla visto: una pistola negra y pequeña. Unos segundos más tarde, oyeron los disparos, aunque no los vieron impactar en la cabeza de Pumpkin. Un segundo más tarde, el chico de la pistola salió a toda prisa del callejón y, por alguna razón, corrió hacia ellos. Iba agachado, como un perro asustado, más culpable que el mismísimo demonio. Calzaba unas zapatillas de baloncesto rojas y amarillas que le iban cuatro o cinco tallas demasiado grandes y que resonaban en el pavimento en su huida.

Cuando el chico pasó ante ellos seguía sosteniendo en la mano el revólver, seguramente un 38, y vaciló al verlos y comprender que habían visto demasiado. Durante un terrorífico segundo, pareció que iba a levantar el arma para eliminar a aquellos dos testigos, que consiguieron saltar de sus cajas de leche y salir corriendo en un enloquecido revuelo de brazos y piernas. Luego desapareció.

Uno de ellos abrió la puerta de la tienda de licores y gritó que alguien llamara a la policía, que acababa de producirse un tiroteo.

Treinta minutos más tarde, la policía recibió un aviso de que un joven, cuya descripción correspondía a la del individuo que había liquidado a Pumpkin, había sido visto en dos ocasiones por la calle Nueve, pistola en mano y comportándose de un modo aún más extraño que los demás transeúntes. Había intentado atraer al menos a una persona para llevarla a un solar abandonado, pero la potencial víctima había logrado escapar y dar parte del incidente.

La policía localizó a su hombre una hora más tarde. Se llamaba Tequila Watson, negro, varón, de veinte años, con los habituales antecedentes por drogas. Sin familia propiamente dicha. Sin dirección. El último lugar donde había dormido había sido en una unidad de rehabilitación de la calle W. En alguna parte había conseguido hacerse con una pistola, y si había robado a Pumpkin también había tirado el dinero, las drogas o cualquiera que fuese el botín conseguido. Sus bolsillos estaban tan limpios como su mirada. La policía estaba segura de que Tequila no se hallaba bajo el efecto de ninguna droga cuando lo detuvieron. Tras un rápido y rudo interrogatorio en la calle, fue esposado y metido en el asiento trasero de un coche de policía de Washington D. C.

Lo condujeron de vuelta a la calle Lamont, donde improvisaron un encuentro con los dos testigos, y lo llevaron al callejón donde había dejado a Pumpkin.

—¿Has estado alguna vez en este lugar? —le preguntó uno de los policías.

Tequila no dijo nada, y se limitó a contemplar con aire ausente el charco de sangre fresca en el sucio pavimento. Los dos testigos fueron llevados discretamente al callejón, hasta un lugar desde donde podían ver a Tequila.

—Es él —dijeron los dos a la vez.

—Lleva la misma ropa, las mismas zapatillas de baloncesto. Todo igual salvo la pistola —aclaró uno.

—Es él —afirmó el otro.

—No hay duda.

Tequila fue devuelto al coche y encarcelado. Lo acusaron de asesinato y lo encerraron sin posibilidad de fianza. Ya fuera por experiencia o por miedo, Tequila no dijo una palabra a la policía, ni siquiera cuando lo interrogaron, lo presionaron y finalmente lo amenazaron; nada que pudiera incriminarlo, nada que pudiera ser de ayuda. Ni la menor explicación de por qué había asesinado a Pumpkin, ni el menor comentario de la historia entre ellos dos, si es que había alguna. Uno de los detectives más veteranos anotó en el expediente que el asesinato parecía más fortuito de lo normal.

Nadie pidió hacer una llamada telefónica. No se mencionó a ningún abogado ni a un fiador. Tequila parecía aturdido, pero contento de estar encerrado en una celda abarrotada y con la mirada perdida en el suelo.

Pumpkin carecía de un padre que pudiera ser identificado, pero su madre trabajaba de vigilante de seguridad en los sótanos de un gran bloque de oficinas de la avenida New York. A la policía le llevó tres horas determinar el verdadero nombre de su hijo —Ramón Pumphrey—, averiguar su dirección y hallar un vecino dispuesto a contarles si tenía madre.

Adelfa Pumphrey se hallaba sentada tras un mostrador situado justo en la entrada del sótano, en principio controlando toda una serie de pantallas de televisión. Era una mujer corpulenta y gruesa, enfundada en un uniforme caqui demasiado ceñido, con una pistola al cinto y expresión del más completo desinterés. Los policías que fueron a verla habían hecho aquello cientos de veces. Le comunicaron la noticia y fueron a buscar a su supervisor.

En una ciudad donde los jóvenes se mataban entre ellos diariamente, las carnicerías habían acabado por encallecer el pellejo de la gente y endurecer sus corazones. Todas las madres conocían a alguna otra que había perdido a su hijo; cada pérdida acercaba la muerte un paso más, y todas ellas eran conscientes de que cualquier día podía ser el último. Unas madres habían visto cómo otras madres sobrevivían al horror. Sentada tras el mostrador, con el rostro entre las manos, Adelfa pensó en su hijo, en su cuerpo sin vida yaciendo en cualquier rincón de la ciudad, examinado por extraños.

Entonces juró vengarse de quien lo había asesinado.

Maldijo al padre por haber abandonado al chico.

Lloró por su criatura.

Y supo que sobreviviría; que, de algún modo, lograría sobrevivir.

Adelfa acudió a los juzgados para asistir a la presentación del acta de acusación. La policía le contó que el punk que había asesinado a su hijo tenía previsto hacer su primera comparecencia, un simple trámite rutinario en el que se declararía inocente y solicitaría un abogado. Se sentó en las filas de atrás de la sala, con su hermano a un lado y un vecino al otro, secándose las lágrimas con un pañuelo. Quería ver al chico. Y también quería preguntarle por qué; sin embargo, sabía que nunca tendría semejante oportunidad.

Hicieron entrar a los acusados como si fueran ganado para una subasta. Todos eran negros, todos iban vestidos con monos de color naranja y esposados, todos eran jóvenes. Una lástima.

Dada la naturaleza especialmente violenta de su delito, además de las esposas, Tequila llevaba los tobillos atados con una cadena que le subía hasta las muñecas. Aun así, cuando entró en la sala arrastrando los pies junto a los demás acusados, su aspecto resultaba bastante inofensivo. Miró rápidamente a su alrededor para ver si reconocía a alguien entre los presentes o si había algún conocido que estuviera allí por él. Lo sentaron en una hilera de sillas. Por último, uno de los alguaciles se le acercó y le dijo:

—El chico al que mataste... Su madre está sentada ahí al fondo. Es la del vestido azul.

Cabizbajo, Tequila se dio la vuelta lentamente y miró directamente a los ojos, enrojecidos e hinchados, de la madre de Pumpkin; pero solo durante un segundo. Adelfa observó fijamente al delgaducho muchacho vestido con el mono que le iba demasiado grande y se preguntó dónde estaría su madre, cómo lo habría criado, si tendría padre y —lo más importante— cómo y por qué su camino se había cruzado con el de su hijo. Ambos eran de la misma edad que los demás, adolescentes o veinteañeros. La policía le había dicho que, al menos a primera vista, no se trataba de un asesinato por drogas; sin embargo, no acaba de creerlo. Las drogas estaban presentes en todos los niveles de la vida en la calle. Bien que lo sabía. Pumpkin había consumido crack y marihuana, y lo habían detenido en una ocasión, pero solo por tenencia. Nunca había sido violento. Los polis decían que parecía un homicidio fortuito. El hermano de Adelfa decía que todos los homicidios eran fortuitos, pero todos respondían a un motivo.

En un lado de la sala había una mesa en la que se reunía la autoridad. Los policías hablaban en voz baja con los fiscales, que hojeaban los expedientes y los informes en un valiente intento de que no faltara nada al papeleo. Al otro lado se hallaba la mesa a la que los abogados defensores iban y venían a medida que la fila de acusados iba pasando. El juez empezó a despachar rápidamente varias sentencias por drogas, una por robo a mano armada, una por agresión sexual, más por drogas y un buen número por violación de la condicional. A medida que los iban llamando por sus nombres, los acusados se acercaban al estrado, ante el que se mantenían en silencio mientras los expedientes pasaban de mano en mano. Luego eran devueltos a sus celdas.

—¡Tequila Watson! —llamó uno de los alguaciles.

Otro agente lo ayudó a ponerse en pie, y Watson se acercó a pequeños pasos, arrastrando y haciendo sonar sus cadenas.

—Señor Watson, está usted acusado de asesinato —declaró el juez en voz bien alta—. ¿Qué edad tiene?

—Veinte años —repuso Tequila, mirando al suelo.

La acusación de asesinato había resonado en toda la sala provocando un momentáneo silencio. Los otros acusados vestidos de color naranja lo miraron con admiración. Los abogados y los policías sentían curiosidad.

—¿Puede pagarse un abogado?

—No.

—Ya lo suponía —masculló el juez, mirando hacia la mesa de los letrados defensores. La Oficina del Turno de Oficio (OTO), la red de seguridad de los delincuentes sin recursos, rastrillaba diariamente el fértil campo del Tribunal Penal Superior de Washington. El 70 por ciento de los expedientes pendientes de juicio eran encomendados a abogados de oficio designados por el tribunal, y normalmente solía haber siempre media docena de ellos dando vueltas por la sala con sus trajes baratos y sus gastados mocasines, cargando con sus carteras rebosantes de papeles. Sin embargo, en ese preciso momento, solo había uno presente, el honorable Clay Carter II, que se había acercado para echar un vistazo a un par de casos mucho menos graves y que, dándose cuenta de que estaba solo, deseaba de repente salir a toda prisa de la sala. Miró a derecha e izquierda y comprendió que su señoría lo miraba a él. ¿Dónde se habían metido los demás abogados de oficio?

La semana anterior, el señor Carter había dado por concluido un caso de asesinato, uno que se había prolongado casi tres años y que por fin había quedado cerrado después de que su cliente fuera enviado a una prisión de la que nunca saldría, al menos no oficialmente. Clay Carter se sentía bastante satisfecho al ver al fin a su cliente entre rejas, y aliviado al no tener más casos de asesinato sobre la mesa.

Pero eso, evidentemente, iba a cambiar.

—Señor Carter... —dijo el juez.

No se trataba de una orden, sino de una invitación para que se acercara al estrado e hiciera lo que se esperaba de todo abogado de oficio: defender al cliente asignado fuera cual fuese la acusación. El señor Carter no podía mostrar debilidad, especialmente con los policías y los fiscales observándolo. Tragó saliva, descartó cualquier vacilación y se acercó al estrado como si se dispusiera a solicitar allí mismo y en ese instante un juicio con jurado. Tomó el expediente de manos del juez, repasó rápidamente su más bien breve contenido haciendo caso omiso de la mirada suplicante de Tequila Watson y dijo:

—Vamos a presentar una declaración de inocencia, señoría.

—Gracias, señor Carter. ¿Podemos suponer que va a hacerse cargo del caso?

—Por el momento, sí —contestó Carter, que ya estaba planeando todo tipo de excusas para endilgar el caso a cualquier otro abogado de la OTO.

—Muy bien, gracias —dijo el juez abriendo la carpeta del siguiente caso.

Abogado y cliente se reunieron en la mesa de la defensa durante unos minutos. Carter anotó toda la información que Tequila quiso darle, que no fue mucha, y le prometió que iría a verlo a la cárcel al día siguiente para entrevistarlo con más tiempo. Mientras hablaban en voz baja, la mesa se llenó con un grupo de jóvenes letrados de la OTO, colegas de Carter que parecían haber surgido de la nada.

Carter se preguntó si todo aquello había sido una trampa. ¿Se habían esfumado de la sala al saber que un acusado de asesinato estaba a punto de comparecer? En los últimos cinco años él también había puesto en práctica trucos semejantes. Evitar los casos más peliagudos era una especie de arte entre los miembros de la OTO.

Cogió su maletín y se marchó a toda prisa por el pasillo central, dejando atrás las filas llenas de angustiados familiares, pasando ante Adelfa Pumphrey y su pequeño grupo de apoyo, hasta que salió al vestíbulo, abarrotado de más delincuentes acompañados por sus madres, novias y abogados. En la OTO había algunos abogados que aseguraban que solo vivían para el caos del palacio de justicia H. Carl Moultrie, para la presión de los juicios, para el ambiente de peligro que se respiraba al compartir el espacio con tantos individuos violentos, para el doloroso conflicto entre las víctimas y sus agresores, para el número irremediablemente elevado de juicios pendientes y para cumplir con su vocación de proteger a los pobres y a los desamparados, asegurándoles así un trato justo por parte de la policía y del resto del sistema.

Si alguna vez Clay Carter había soñado con hacer carrera en la OTO, no recordaba cuándo había sido. Faltaba una semana para que se cumpliera su quinto año de trabajo allí, y esperaba que pasara sin que nadie lo celebrara ni se diera cuenta. A sus treinta y un años, Clay estaba quemado, encerrado en un despacho que se avergonzaba de mostrar a sus amigos, buscando una salida sin tener ningún lugar adonde ir y, por si fuera poco, teniendo que cargar con otro caso de absurdo asesinato; un caso que se le hacía más pesado con cada minuto que pasaba.

En el ascensor se maldijo por haberse dejado atrapar. Había sido una pifia de novato. Llevaba demasiado tiempo allí para meterse en semejante encerrona, especialmente en una preparada en un terreno tan familiar.

Lo dejo, esta vez juro que lo dejo, se repitió, como había hecho casi a diario durante el último año.

En el ascensor había otras dos personas. Una era una secretaria de alguno de los juzgados, cargada con un montón de carpetas; el otro, un caballero de unos cuarenta años, vestido de diseño negro: vaqueros, camiseta, chaqueta y botas de piel de cocodrilo. Sostenía un diario que parecía leer a través de unas pequeñas gafas situadas en la punta de su larga y elegante nariz. En realidad, lo que el hombre hacía era estudiar a Clay, que permanecía completamente ajeno a la situación. ¿Por qué motivo iba alguien a fijarse en sus compañeros de ascensor en un sitio como aquel?

Si Clay Carter hubiera estado alerta en lugar de pensativo, habría reparado en que el atuendo de aquel caballero era demasiado elegante para tratarse de un acusado, pero excesivamente informal para ser un abogado. No llevaba nada salvo el periódico, lo cual resultaba curioso porque el palacio de justicia H. Carl Moultrie no era precisamente conocido como un lugar de lectura. Tampoco tenía aspecto de juez, de funcionario ni de víctima; pero Clay no se fijó en él.

2

En una ciudad que contaba con 76.000 abogados, la mayoría
de ellos reunidos en grandes bufetes situados a tiro de piedra
del Capitolio —ricas y poderosas organizaciones donde los
socios más brillantes cobraban sueldos obscenamente altos,
donde los congresistas más ineptos percibían lucrativos ingresos por apoyar a influyentes grupos de presión y donde
los letrados de más relumbrón se presentaban con sus propios agentes—, la Oficina del Turno de Oficio ocupaba por
su categoría los rangos más bajos. Era realmente la Tercera
División.

Algunos de sus letrados eran fanáticos entregados a la defensa de los pobres y los oprimidos, y para ellos el trabajo no
representaba un trampolín para acceder a cargos de mayor
prestigio. Al margen de lo poco que cobraban o de lo limitado de su presupuesto, disfrutaban con la solitaria indepen-
dencia que les brindaba su trabajo y con la satisfacción de saber que estaban protegiendo a los más desfavorecidos.

Otros abogados de oficio se decían que el suyo era un trabajo temporal, la clase de feroz entrenamiento que necesitaban para ascender a niveles más prometedores: aprender los
trucos del oficio, mancharse las manos y ver y hacer cosas que
ningún socio de ningún bufete llegaría a ver o a hacer jamás,
hasta que un día, un bufete con verdadera visión de futuro los

fichara y recompensara así sus esfuerzos. Una experiencia judicial ilimitada, un profundo conocimiento de los jueces, de los funcionarios y la policía; capacidad de distribuir la carga de trabajo, destreza para tratar con los clientes más difíciles, eran solo parte de las ventajas que los abogados de oficio podían ofrecer al cabo de unos pocos años de ejercicio.

La OTO tenía 80 abogados en nómina, y todos ellos trabajaban en dos abarrotadas y sofocantes plantas del edificio de Servicios Públicos de Washington, una estructura de hormigón claro conocida como «El cubo», situado en la avenida Massachusetts, cerca de Thomas Circle. Repartidos en el laberinto de cubículos que llamaban «oficinas» había también unas cuarenta secretarias que cobraban un sueldo de miseria y unas tres docenas de auxiliares jurídicos. El director era una mujer llamada Glenda que pasaba la mayor parte del tiempo encerrada en su despacho porque allí se sentía a salvo.

El sueldo inicial del letrado de oficio era de 36.000 dólares. Los aumentos eran mínimos y tardaban en aplicarse. El abogado de mayor antigüedad, un arrugado anciano de cuarenta y tres años, ganaba 57.000 dólares y llevaba diecinueve años amenazando con marcharse. La carga de trabajo resultaba aplastante porque la ciudad estaba perdiendo su guerra contra el crimen. Las reservas de delincuentes sin recursos parecían inagotables. Glenda llevaba ocho años presentado anualmente un presupuesto en el que solicitaba diez abogados más y una docena adicional de auxiliares; en los últimos cuatro, no solo no le habían hecho caso, sino que le habían reducido la asignación. En esos momentos, su lucha se centraba en decidir a qué auxiliares despedía y cuántos abogados sometía a un régimen de trabajo de media jornada.

Como la mayoría de sus compañeros de la OTO, Clay Carter no había entrado en la facultad de derecho pensando en dedicarse, ni por un momento, a defender a indigentes. En absoluto. En aquella época —en el instituto y después, cuando entró en la facultad—, su padre tenía un bufete en Washington. Clay había trabajado allí a tiempo parcial durante varios años, y había contado con su propio despacho. Sus sueños de entonces habían sido ilimitados: padre e hijo litigando juntos y ganando dinero a montones.

Sin embargo, el bufete se hundió cuando él cursaba el último año de carrera, y su padre tuvo que abandonar la ciudad. Aquello era otra historia. Clay se convirtió en abogado de oficio porque no encontró otro empleo de última hora al que aferrarse.

Le había costado tres años de esfuerzos y maniobras tener su propio despacho, un minúsculo cubículo que no tuviera que compartir con otro colega o con algún auxiliar. Tenía el tamaño de un cuarto trastero de una casa de las afueras y carecía de ventanas. La mesa ocupaba casi la mitad de la superficie disponible. El despacho que había tenido en el bufete de su padre había sido cuatro veces mayor y con vistas al monumento a Washington. Y aunque había intentado olvidarse de aquellas vistas, no había logrado borrarlas de su mente. Después de cinco años, había días en que se sentaba a su mesa y miraba fijamente unas paredes que parecían cerrarse sobre él, mientras se preguntaba cómo había hecho para saltar de aquel despacho a ese.

Arrojó el expediente de Tequila Watson a su muy limpio y muy ordenado escritorio y se quitó la chaqueta. En un entorno tan lamentable como aquel, lo más fácil habría sido no preocuparse por el orden y dejar que los papeles, carpetas y expedientes se amontonaran sin orden ni concierto por todo el despacho para, después, echar la culpa al exceso de trabajo y a la falta de personal. Sin embargo, su padre era de los que creían que una mesa ordenada era señal de una mente organizada. Siempre decía que cuando uno no podía encontrar un documento en menos de treinta segundos, empezaba a perder dinero. Otra de sus normas era responder sin demora las llamadas recibidas, y Clay había aprendido a seguirla.

Así pues, para diversión de sus atareados colegas, Clay

Carter se mostraba puntilloso en lo tocante a su despacho y a su mesa. El diploma de la Universidad de Derecho de Georgetown, con su elegante marco, colgaba en el centro de la pared. Durante sus dos primeros años en la OTO se había resistido a mostrarlo por temor a que sus compañeros le preguntaran por qué alguien salido de Georgetown se conformaba con el sueldo base. Por la experiencia, se decía a sí mismo, estoy aquí por la experiencia —juicios todos los meses, y juicios contra fiscales duros y ante jurados igualmente duros—, por el entrenamiento de base que ningún bufete puede brindarme. El dinero llegaría después, cuando se hubiera convertido en un abogado joven y encallecido por las batallas libradas hasta entonces.

Contempló la delgada carpeta con el expediente de Watson y se preguntó cómo iba a hacer para pasárselo a otro. Lo cierto era que estaba cansado de los casos arduos, del fantástico entrenamiento que suponían y de toda la basura con la que había tenido que conformarse en su condición de abogado de oficio mal pagado.

Sobre su mesa había seis notas de llamadas recibidas: cinco relacionadas con el trabajo; otra, de Rebecca, su novia de toda la vida. Fue a ella a quien llamó primero.

—Estoy muy atareada —le informó ella tras el habitual intercambio de frases amables.

—Tú me has llamado —contestó Clay.

—Sí, pero solo puedo hablar un minuto. —Rebecca trabajaba de ayudante de un congresista de segunda fila que presidía uno de tantos inútiles subcomités; pero, dado que ocupaba la presidencia, contaba con una oficina adicional que se veía obligado a ocupar con personal como Rebecca, que se pasaba todo el día atareada preparando la siguiente ronda de unas audiencias a las que no acudiría nadie. Había sido su padre quien había movido los hilos para procurarle aquel empleo.

—Yo también estoy bastante liado —comentó Clay—. Acaban de endosarme otro caso de asesinato —aclaró, con cierto tono de orgullo, como si ser el abogado de Tequila Watson fuera una especie de honor.

Ese era el juego al que jugaban: ¿Quién está más ocupado? ¿Quién es el más importante? ¿Quién trabaja más? ¿Quién soportaba mayor presión?

—Mañana es el cumpleaños de mi madre —explicó ella, haciendo una pequeña pausa, como si Clay tuviera que estar al corriente. No lo estaba y le importaba bien poco. La madre de Rebecca no le gustaba—. Nos ha invitado a cenar en el club.

Un mal día que no hacía sino empeorar.

Dio la única respuesta que podía dar, y rápidamente, además.

—Sí, claro.

—A las siete. Con chaqueta y corbata.

—Faltaría más.

Antes me iría a cenar con Watson a la cárcel, se dijo.

—Bueno, tengo que dejarte —dijo ella—. Te quiero.

—Y yo a ti.

Fue la típica conversación entre ellos dos, apenas unas cuantas palabras antes de salir corriendo a salvar el mundo. Clay contempló la foto de ella que tenía en la mesa. Desde el principio, su historia de amor se había topado con dificultades suficientes para liquidar una docena de matrimonios: en una ocasión, su padre había demandado al padre Rebecca, y quién había ganado y quién perdido nunca había quedado claro del todo. Los parientes de ella aseguraban que sus orígenes se hallaban entre las familias de más rancio abolengo de Alexandria; él era un hijo del ejército y había crecido entre cuarteles y puestos militares. Ellos eran republicanos; él, no. Al padre de Rebecca lo apodaban «Excavadora Bennett» por su incansable dedicación a construir urbanizaciones de tres al cuarto en los barrios periféricos del norte de Virginia que rodeaban Washington. Clay las aborrecía y pagaba discretamente la cuota de un par de grupos ecologistas que luchaban contra esa clase de promotores urbanísticos. La madre de Rebecca era una agresiva arribista que aspiraba a que sus dos hijas se casaran con gente de dinero de verdad. Clay, por su parte, hacía once años que no veía a su madre. Además, carecía de ambiciones sociales de cualquier tipo y, por si fuera poco, no tenía un céntimo.

Durante casi cuatro años, su relación había sobrevivido a pesar de las broncas mensuales, la mayoría de ellas orquestadas por la madre de Rebecca, y había seguido adelante a fuerza de amor, pasión y la determinación de llevarla a buen puerto fueran cuales fuesen las adversidades. Sin embargo, Clay empezaba a notar cierta fatiga en Rebecca, un silencioso distanciamiento fruto del paso del tiempo y de las constantes presiones familiares. Ella tenía veintiocho años y no aspiraba a una carrera. Lo que deseaba era un marido y unos hijos y mucho tiempo para pasarlo en el club de golf, malcriando a los niños, jugando al tenis y yendo a comer con su madre.

De repente, Paulette Tullos apareció como caída del cielo y lo sobresaltó.

—Te has pillado los dedos, ¿verdad? —preguntó con una sonrisa burlona—. ¿Con otro caso de asesinato?

—¿Cómo? ¿Estabas allí? —preguntó Clay.

—Lo vi todo. Lo vi venir y vi cómo ocurría. No pude hacer nada, colega.

—Gracias. Te debo una.

Le habría ofrecido asiento, pero en el despacho faltaban las sillas. No había espacio. Además, tampoco eran necesarias porque todos los clientes estaban en la cárcel. Sentarse a charlar no formaba parte de la rutina cotidiana de la OTO.

—¿Qué posibilidades crees que tengo de librarme de este caso?

—Pocas o ninguna. ¿A quién pensabas pasárselo?

—Había pensado en ti.

—Lo siento. Ya tengo dos casos de asesinato entre manos. Dudo que Glenda te ayude.

Paulette era su mejor amiga en la OTO. Era hija del sector más humilde de la ciudad y se había abierto camino con uñas y dientes a través del instituto y de los cursos nocturnos de la universidad. Parecía destinada a una vida de clase media hasta que conoció a cierto caballero griego, aficionado a las jovencitas negras, que se casó con ella y la instaló con todo tipo de comodidades en el nordeste de Washington antes de volverse a Europa, donde prefería vivir. Paulette sospechó que él tenía allí otras esposas, pero no le dio importancia. Disfrutaba de una holgada posición económica y rara vez estaba sola. Al cabo de diez años, el arreglo seguía funcionando sin problemas.

—Oí que los fiscales hablaban —prosiguió ella—. Según ellos, se trataba de otro asesinato callejero, pero esta vez con un móvil dudoso.

—No es precisamente una novedad.

—Es que no parece que hubiera móvil de ninguna clase.

—Siempre hay un móvil, ya sea dinero, drogas, sexo o un par de Nike nuevas.

—Pero el chico era un chaval bastante tranquilo y no tenía antecedentes de violencia, ¿no?

—La primera impresión rara vez es la verdadera, Paulette; deberías saberlo.

—A Jermaine le cayó un caso muy parecido hace un par de días. Sin móvil aparente.

—No lo sabía.

—¿Por qué no hablas con él? Es joven y ambicioso. Quién sabe, hasta es posible que puedas endilgarle el caso.

—Pues voy a verlo ahora mismo.

Jermaine había salido; pero, por alguna razón, la puerta del despacho de Glenda estaba entreabierta. Clay llamó con los nudillos y entró sin esperar respuesta.

—¿Tiene un minuto? —preguntó, sabiendo que Glenda detestaba perder un solo minuto con cualquier miembro de su personal. Hacía un trabajo aceptable dirigiendo la OTO, distribuyendo el trabajo, ajustándose al presupuesto y —lo más importante— siguiendo las consignas políticas del ayuntamiento. Sin embargo, no le gustaba la gente y prefería hacer su trabajo a puerta cerrada.

—Claro —contestó bruscamente y sin la menor convicción. Estaba claro que no le agradaba aquella intrusión, pero esa era precisamente la clase de recibimiento que Clay esperaba.

—Esta mañana estaba en la sección de lo penal en el momento menos oportuno y me han encasquetado un caso de asesinato, un caso que preferiría ahorrarme, la verdad. Acabo de terminar con el caso Traxel que, como sabe, ha durado casi tres años. Necesito descansar de asesinatos. ¿Qué me dice de pasarlo a uno de nuestros jóvenes?

—¿Está usted suplicando, Carter? —preguntó Glenda arqueando las cejas.

—Desde luego. Cárgueme durante unos meses con todos los robos y las drogas que quiera. Es lo único que pido.

—¿Y quién sugiere usted que se ocupe de...? ¿Cómo se llama el acusado del caso?

—Tequila Watson.

—Eso, Tequila Watson. ¿Quién cree que debería llevar el caso, señor Carter?

—Me da igual. Lo único que quiero es un respiro.

Glenda se recostó en su asiento, como una especie presidente del consejo especialmente sabio y mordió el extremo del lápiz.

—¿Y no es eso precisamente lo que todos queremos, señor Carter? A todos nos gustaría un respiro.

—¿Sí o no?

—Tenemos ochenta letrados aquí, señor Carter, y la mitad de ellos están cualificados para ocuparse de casos de asesinato. Todos tienen al menos un par de casos. Páselo a cualquiera de sus colegas, si puede, pero no cuente conmigo para que reasigne el caso.

Mientras se dirigía a la puerta, Clay se volvió y dijo:

—La verdad es que, si fuera tan amable de considerarlo, un aumento me vendría muy bien.

—El año que viene, señor Carter, el año que viene.

—Y también un auxiliar.

—El año que viene.

El expediente de Tequila Watson no se movió de la muy limpia y ordenada mesa de Jarrett Clay Carter II, abogado.

3

El edificio era, al fin y al cabo, una cárcel. A pesar de que había sido construido recientemente y de que su inauguración constituyó motivo de orgullo para un buen número de capitostes de la ciudad, seguía siendo una cárcel. A pesar de haber sido diseñado por los más avanzados expertos en materia de protección urbana y dotado con los últimos artilugios en cuestión de seguridad, seguía siendo una cárcel; eficiente, segura, humanitaria y pensada de cara al siglo siguiente, quedó saturada desde el día mismo de su inauguración. Desde fuera, parecía un enorme ladrillo puesto de canto, sin ventanas, sin esperanzas, lleno de delincuentes y del personal necesario para vigilarlos. Para que algún funcionario se sintiera mejor, había recibido la denominación de «Centro de Justicia Penal», un moderno eufemismo usado habitualmente por los arquitectos en ese tipo de proyectos. Pero seguía siendo una cárcel.

También era el terreno de juego habitual de Clay Carter. Allí se reunía con la mayoría de sus clientes, después de que hubieran sido detenidos y antes de que los soltaran bajo fianza, si es que lograban reunir el dinero para pagarla. Muchos no lo conseguían. Muchos eran detenidos por delitos sin violencia y, al margen de que fueran culpables o inocentes, permanecían encerrados hasta la vista del juicio. Tigger Banks había pasado ocho meses entre rejas por un robo que no había cometido. Durante ese tiempo, perdió los dos trabajos a tiempo parcial que tenía. Perdió su apartamento. Perdió su dignidad. La última llamada que Clay recibió de él fue la estremecedora súplica de un chaval pidiendo dinero. Volvía a estar enganchado al crack, volvía a patearse las calles y a buscarse problemas.

No había penalista en la ciudad que no hubiera tenido su propio Tigger Banks, todos ellos con un triste final y sin que se pudiera hacer nada por ellos. El costo de un año de internamiento era de 41.000 dólares. ¿Por qué tenía tantas ganas el sistema de quemar ese dinero?

Clay estaba cansado de esas preguntas y cansado de los Tigger que jalonaban su trayectoria profesional; cansado de la cárcel y de los amargados guardias que lo saludaban en la entrada del sótano usada por la mayoría de los abogados. También estaba cansado del olor de aquel lugar y de los estúpidos procedimientos de rutina organizados por unos cuantos quisquillosos funcionarios, que se habían empollado el manual que explicaba cómo lograr que una cárcel siguiera siendo segura. Era miércoles y las nueve de la mañana, pero para Clay todos los días eran iguales. Se acercó a la ventanilla corredera situada bajo el rótulo ABOGADOS. Allí, después de asegurarse de haberle hecho esperar lo suficiente, la funcionaria de turno la abrió sin pronunciar palabra. Tampoco hacía falta que dijera nada, porque ella y Clay llevaban cinco años cruzándose miradas de odio sin saludarse siquiera. Firmó en el libro de registro, se lo devolvió, y ella cerró la ventanilla, que era a prueba de balas para protegerla de los abogados chiflados.

Glenda había pasado dos años intentando poner en marcha un sencillo procedimiento de llamada previa para que los abogados de la OTO —y de paso cualquier otro— pudieran, avisando con una hora de antelación, tener a sus clientes preparados en algún lugar cercano a la sala de reuniones. Había sido una petición sencilla, y sin duda había sido su propia sencillez la que la había condenado al fracaso en aquel infierno burocrático.

Había una hilera de sillas adosadas a la pared donde se suponía que los letrados debían sentarse a esperar mientras sus solicitudes eran enviadas a paso de caracol a algún funcionario del piso de arriba. A las nueve de la mañana siempre había unos cuantos abogados aguardando mientras manoseaban los expedientes, hablando en voz baja por el móvil o haciendo caso omiso unos de otros. En sus inicios profesionales, Clay había llevado gruesos libros de leyes para leerlos y subrayarlos con la intención de impresionar a sus colegas con su dedicación. En ese momento, sacó el *Post* y lo abrió por la sección de deportes. Como de costumbre, echó un vistazo al reloj para ver cuánto tiempo iba a tener que esperar a Tequila Watson.

Veinticuatro minutos. No estaba mal.

Un guardia lo condujo por un pasillo hasta una habitación, espaciosa y alargada, dividida por una gruesa separación de plexiglás, y le señaló el cuarto reservado contando desde el fondo. Clay tomó asiento. A través del plástico blindado vio que el otro lado estaba desierto. Más esperas. Sacó los papeles de su maletín y empezó a pensar en las preguntas que haría a Tequila. El reservado de su derecha estaba ocupado por un abogado sumido en una silenciosa pero tensa conversación con su cliente, a quien Clay no podía ver.

El guardia se acercó y, como si estuviera haciendo algo prohibido, le susurró al oído.

—Su chico ha tenido una mala noche —dijo, mirando las cámaras de seguridad.

—Muy bien —contestó Clay.

—A las dos de la madrugada se echó encima de un chaval y le pegó una buena tunda. Armó una buena bronca, e hicieron falta seis tíos para reducirlo. Está hecho una pena.

—¿Tequila?

—Sí, Watson. Envió al otro desgraciado al hospital. Van a lloverle unos cuantos cargos adicionales.

—¿Está seguro? —preguntó Clay, mirando por encima del hombro.

—Lo tenemos todo grabado en vídeo.

Fin de la conversación.

Ambos alzaron la vista cuando hicieron pasar a Tequila. Entró escoltado por dos guardias, que lo sujetaban por los brazos, y llevaba puestas las esposas. La costumbre era quitarlas a los reos para que pudieran charlar cómodamente, pero con Tequila no iba a ser así. Los guardias lo sentaron y retrocedieron unos pasos, pero sin alejarse demasiado.

Tenía el ojo izquierdo casi cerrado de tan amoratado e hinchado, y con restos de sangre seca. El derecho lo tenía abierto, pero con la pupila de un rojo brillante. Llevaba un apósito en la frente y una tirita en la barbilla. Tenía los labios y las mejillas tan tumefactos que, por un momento, Clay dudó de si se trataba realmente de su cliente. Alguien, en alguna parte, había dado una verdadera paliza al infeliz que se sentaba a menos de un metro de distancia, al otro lado de la pantalla de plexiglás.

Clay descolgó el auricular negro del teléfono intercomunicador e hizo un gesto a Tequila para que lo imitara. Este se lo llevó al oído torpemente, con ambas manos.

—¿Tú eres Tequila Watson? —preguntó Clay, sin dejar de mirarlo a los ojos.

Watson asintió muy lentamente, como si unos cuantos huesos rotos le dieran vueltas todavía por su cabeza.

—¿Te ha visto un médico?

Otro asentimiento. Sí.

—¿La poli te hizo esto?

Meneó la cabeza sin vacilar. No.

—¿Te lo hicieron los tipos con los que estabas en la celda?

Un gesto afirmativo. Sí.

Costaba imaginar a Tequila Watson, con sus setenta kilos, repartiendo estopa en una celda abarrotada de Washington D. C.

—¿Conocías al tío ese?

Otro movimiento lateral. No.

Hasta ese momento, Watson no había utilizado el teléfono, y Clay empezaba a cansarse del lenguaje de gestos.

—¿Puedes explicarme exactamente por qué le pegaste una paliza a ese chaval?

Con gran esfuerzo, los hinchados labios se entreabrieron.

—No lo sé —logró articular lenta y dolorosamente.

—Fantástico, Tequila. Eso sí que me da algo con lo que trabajar. ¿Qué me dices de la defensa propia? ¿El tío ese fue por ti? ¿El primer golpe te lo lanzó él?

—No.

—¿Estaba colgado o borracho?

—No.

—¿Tenía una actitud amenazante? ¿Te insultó?

—Estaba dormido.

—¿Dormido?

—Sí.

—¿Y qué pasó, roncaba demasiado o qué? Bueno, olvídalo.

El abogado apartó la vista para escribir algo en el cuaderno de notas. Clay anotó la fecha, el lugar, la hora y el nombre de su cliente. Luego hizo una lista de los hechos importantes. Tenía un centenar de preguntas almacenadas en su memoria, y después de esas, un centenar más. Pocas veces variaban en las entrevistas iniciales: solo los elementos básicos de la miserable biografía de su cliente y cómo había llegado hasta allí. La verdad se guardaba como una piedra preciosa que únicamente se pasaba al otro lado del plexiglás cuando el cliente no se sentía amenazado. Normalmente, las preguntas relacionadas con la familia, las amistades o el trabajo se contestaban sin demasiados problemas y con bastante sinceridad. Sin embargo, las relacionadas con el delito, se convertían en materia de mercadeo. Todos los penalistas sabían que era mejor no insistir en ellas durante las primeras entrevistas. Los detalles había que buscarlos en otra parte, investigar sin la ayuda del cliente. La verdad podía esperar.

No obstante, Tequila parecía diferente. Hasta ese momento no había temido la verdad. Clay decidió ahorrar muchas, muchas horas de su preciado tiempo. Se acercó un poco y bajó la voz.

—Dicen que mataste a un chico, que le metiste cinco balazos en la sesera.

La tumefacta cabeza asintió levemente.

—Ramón Pumphrey, también conocido como Pumpkin. ¿Lo conocías?

Gesto afirmativo. Sí.

—¿Y le disparaste? —La voz de Clay era casi un susurro. Los guardias estaban dormidos, pero la pregunta era de las que ningún abogado plantea jamás, al menos nunca en la cárcel.

—Sí, le disparé —contestó Tequila con un hilo de voz.

—¿Cinco veces?

—Creo que fueron seis.

Estupendo, se dijo Clay. Ya tenemos caso para el juicio. Sesenta días y tendré este asunto resuelto. Una rápida negociación extrajudicial: una declaración de culpabilidad a cambio de la perpetua.

—¿Un asunto de drogas?

—No.

—¿Le robaste?

—No.

—A ver, Tequila. Tienes que ayudarme. Seguro que tenías un motivo, ¿no?

—Lo conocía.

—¿Eso es todo, que «lo conocías»? ¿Es tu mejor excusa?

Asintió, pero no dijo más.

—Una chica, ¿no? Lo pillaste con una chica. Tú tienes novia, ¿verdad?

Meneó la cabeza. No.

—¿El tiroteo tuvo algo que ver con el sexo?

No.

—Habla conmigo, Tequila. Soy tu abogado. Soy la única

persona en este planeta que, en estos momentos, está trabajando para ayudarte. Tienes que darme algo con lo que pueda trabajar.

—Solía comprar drogas a Pumpkin.

—Ahora sí que te escucho. ¿Cuánto hace de eso?

—Unos años.

—De acuerdo. ¿Te debía dinero o droga? ¿Te debía alguna cosa?

—No.

Clay respiró hondo y, por primera vez, se fijó en las manos de Tequila. Las tenía llenas de cortes y tan hinchadas que apenas se veían los nudillos.

—¿Peleas a menudo?

Quizá un gesto de asentimiento, quizá una negativa.

—Ya no.

—Pero peleabas.

—Cosas de críos. En una ocasión me peleé con Pumpkin.

Por fin. Clay respiró hondo nuevamente y cogió el bolígrafo.

—Muchas gracias por su ayuda, señor. ¿Puedes decirme cuándo, exactamente, fue la última vez que te peleaste con Pumpkin?

—Hace mucho tiempo.

—¿Qué edad tenías?

Un encogimiento de hombros en respuesta a una pregunta estúpida. Clay sabía por experiencia que sus clientes apenas tenían sentido del tiempo. Podían haber robado el día antes o haberlos detenido hacía un mes; sin embargo, bastaba con escarbar un poco más allá y todo se tornaba confusión. La vida en la calle era una lucha para sobrevivir diariamente, sin tiempo para reminiscencias y sin nada en el pasado por lo que sentir nostalgia. Tampoco tenía futuro, de modo que ese punto de referencia también resultaba desconocido.

—Chavales —repuso Tequila, limitándose a contestar con una sola palabra, lo cual seguramente era una costumbre, con la cara hecha polvo o no.

—¿Qué edad tenías?

—No sé, puede que unos doce.

—¿Estabas en el colegio?

—Jugábamos a baloncesto.

—¿Fue una pelea sucia, con cortes, huesos rotos y esas cosas?

—No. Los mayores la interrumpieron.

Clay dejó un momento el auricular y resumió mentalmente su defensa: «Señoras y señores del jurado, mi cliente disparó al señor Pumphrey (que estaba desarmado) cinco o seis veces a quemarropa, con una pistola robada y en un sucio callejón por dos razones: una, porque lo reconoció; y dos, porque se había peleado con él en el colegio, ocho años antes. Puede que no parezca gran cosa, señoras y señores del jurado, pero todos sabemos que en Washington D. C. estas dos razones pueden ser tan buenas como cualquier otra».

Volvió a llevarse el auricular al oído y preguntó:

—¿Veías a menudo a Pumpkin?

—No.

—¿Cuándo fue la última vez que lo viste antes del tiroteo?

Otro encogimiento de hombros. De nuevo el problema con el tiempo.

—¿Lo veías una vez a la semana?

—No.

—¿Una vez al mes?

—No.

—¿Dos veces al año?

—Puede.

—Cuando lo viste, anteayer, ¿discutiste con él? Tequila, por favor, tienes que ayudarme. Hago todo lo posible por averiguar los detalles.

—No discutimos.

—¿Por qué fuiste al callejón?

Tequila dejó el auricular y empezó a mover la cabeza adelante y atrás, muy lentamente, como si tratara de resolver algún problema. Estaba claro que sufría. Las esposas parecían magullarle las muñecas. Volvió a coger el auricular.

—Le diré la verdad. Tenía un arma y me entraron ganas de matar a alguien. A cualquiera, eso era lo de menos. Salí del Camp y empecé a andar sin rumbo fijo, buscando únicamente a alguien a quien disparar. Estuve a punto de cargarme a un coreano que estaba en la puerta de su tienda, pero había demasiada gente por los alrededores. Entonces vi a Pumpkin. Lo conocía. Hablamos un momento. Le dije que, si quería, yo tenía un poco de crack. Entonces fuimos al callejón y allí le disparé. No sé por qué. Solo sé que quería matar a alguien.

Cuando se hizo evidente que la historia se había acabado, Clay preguntó:

—¿Qué es el «Camp»?

—Un centro de rehabilitación. Allí estaba yo.

—¿Cuánto tiempo llevabas en él?

Otra vez el problema del tiempo. Pero la respuesta fue una verdadera sorpresa.

—Ciento quince días.

—¿Llevabas limpio ciento quince días?

—Sí.

—¿Y seguías limpio cuando te cargaste a Pumpkin?

—Sí. Y todavía lo estoy. Ciento quince días.

—¿Habías disparado contra alguien alguna vez?

—No.

—¿Dónde conseguiste el arma?

—La robé de casa de mi primo.

—¿El Camp es un sitio cerrado?

—Sí.

—¿Y tú te escapaste?

—Me habían dado un par de horas. Cuando has cumplido los cien días puedes salir un par de horas y volver.

—Así pues, saliste del Camp, fuiste a casa de tu primo, le robaste la pistola, empezaste a deambular por las calles buscando a alguien a quien cargarte y encontraste a Pumpkin. ¿Es eso?

Tequila asintió al final de la frase.

—Eso fue lo que pasó. No me pregunte por qué. No lo sé. Sencillamente no lo sé.

Puede que hubiera un rastro de lágrimas en el enrojecido ojo derecho de Tequila, quizá provocado por el sentimiento de culpabilidad y por el remordimiento; pero Clay no podía estar seguro. Sacó unos papeles de su maletín y los deslizó por la abertura.

—Firma donde veas las marcas rojas. Volveré en unos días.

Tequila hizo caso omiso de los papeles.

—¿Qué va a pasarme? —quiso saber.

—Hablaremos de eso más adelante.

—¿Cuándo podré salir de aquí?

—Puede que dentro de bastante.

4

Los que dirigían Deliverance Camp no veían la necesidad de huir de los problemas. No hacían el menor esfuerzo por alejarse de la zona de guerra donde conseguían sus bajas. No se trataba de una tranquila clínica en el campo, ni de un discreto centro privado en plena ciudad. Sus miembros salían de las calles y a ellas volvían algún día.

El Camp daba a la calle West con North West, y desde allí se podían ver las casas pareadas de dos plantas, todas tapiadas, que los traficantes de crack todavía utilizaban de vez en cuando. También se divisaba el solar abandonado de una vieja gasolinera. Allí, los camellos se reunían con los mayoristas y hacían negocios sin preocuparse de quién pudiera estar observándolos. Según estadísticas extraoficiales de la policía, aquel solar arrojaba un número de cadáveres rellenos de plomo mayor que cualquier otro lugar de la ciudad.

Clay condujo despacio por la calle West, con el seguro de las puertas bajado y ambas manos en el volante, mirando a derecha e izquierda y esperando escuchar en cualquier momento el inevitable ruido de disparos. En aquel gueto, un tipo blanco resultaba una diana irresistible fuera la hora que fuese.

Deliverance Camp era un viejo almacén, abandonado tiempo atrás por quien lo hubiera utilizado con ese propósito, declarado en ruinas por la ciudad y posteriormente subastado por una módica cantidad a una organización sin ánimo de lucro que le vio posibilidades. Se trataba de una imponente mole cuyos rojos ladrillos habían sido pintados de un apagado color marrón y cuya parte inferior había recibido una capa adicional gracias a los grafiteros del barrio. Su fachada recorría toda la calle y daba la vuelta hasta ocupar toda la manzana. Las puertas y ventanas exteriores habían sido tapiadas y pintadas, haciendo innecesaria cualquier tipo de verja o alambrada. Cualquiera que deseara escapar de allí necesitaría un martillo, un escoplo y todo un día de duro trabajo ininterrumpido.

Clay aparcó su Honda Accord directamente delante del edificio y se planteó si largarse a toda prisa o apearse del coche. Encima de las grandes puertas dobles de la entrada había un pequeño rótulo donde se leía: DELIVERANCE CAMP. PRIVADO. PROHIBIDA LA ENTRADA. Como si alguien pudiera desear entrar o fuera a darse un paseo por su interior. Por los alrededores merodeaba la colección habitual de personajes callejeros: unos cuantos tipos jóvenes y duros que sin duda llevaban encima droga y armas suficientes para mantener a raya a la policía, un par de borrachos que iban dando tumbos apoyados el uno en el otro y lo que parecía ser un grupo de familiares de internos esperando entrar para visitarlos. Por razones de trabajo, Clay había visitado la mayoría de los lugares menos deseables de Washington D. C. y adquirido una destreza considerable cuando se trataba de no parecer asustado. «Soy abogado. Estoy aquí por trabajo. Apartaos de mi camino. No habléis conmigo.» En los casi cinco años que llevaba en la OTO, nunca le habían disparado.

Cerró el Accord y lo dejó aparcado junto a la acera. Mientras lo hacía, se dijo tristemente que difícilmente alguno de los matones que deambulaban por allí sentiría el menor interés por su pequeño automóvil. Tenía doce años, y casi 200.000 kilómetros en el contador. Por mí, os lo podéis llevar, se dijo.

Contuvo la respiración e hizo caso omiso de las miradas de curiosidad de los pandilleros, mientras pensaba que no debía de haber otro rostro blanco como el suyo en varios kilómetros a la redonda. Apretó el botón que había junto a la puerta y una voz restalló en el intercomunicador.

—¿Quién es?

—Me llamo Clay Carter. Soy abogado y tengo una cita a las once con el señor Talmadge X. —Pronunció el nombre con claridad a pesar de que estaba convencido de que debía de tratarse de un error. Había pedido por teléfono a la secretaria que le deletreara el apellido del señor Talmadge, y ella le había contestado, no sin cierta brusquedad, que no había apellido que deletrear, sino que era una simple equis, le gustara o no.

—Un momento —respondió la voz.

Clay se dispuso a esperar. Clavó los ojos en la puerta que tenía delante, haciendo un desesperado esfuerzo por olvidarse de lo que lo rodeaba. Era consciente de cierto movimiento a su izquierda, cerca de él.

—Dime, tío, ¿eres un picapleitos? —La pregunta había salido de los labios de un joven negro, en un tono lo bastante chillón y alto para que los demás la oyeran.

Clay se volvió y contempló las estrambóticas gafas negras de su inquisidor.

—Exacto —contestó con la mayor frialdad posible.

—¡Tú no eres abogado, tío! —repuso el joven.

Tras él empezaban a reunirse unos pandilleros que lo miraban con mala cara.

—Pues me temo que lo soy —dijo Clay.

—Tú no puedes ser abogado, tío.

—Ni hablar —coreó uno de los demás.

—¿Estás seguro de que eres abogado, tío?

—Claro —contestó Clay, siguiéndoles la corriente.

—Entonces, si lo eres, ¿por qué conduces una mierda de chatarra como esa?

Clay no supo qué le molestó más, si las carcajadas que se oyeron o la verdad de aquellas palabras. Para acabar de arreglarlo, se le ocurrió decir:

—Es mi mujer la que lleva el Mercedes.

—Tú no tienes mujer. No llevas anillo de casado.

Clay se preguntó en qué otras cosas se habrían fijado. Seguían riendo cuando se oyó un chasquido y la puerta se abrió. En lugar de correr adentro a refugiarse, se las arregló para entrar con la mayor naturalidad posible. La zona de recepción era un búnker con el suelo de hormigón, paredes de bloques de cemento y puertas de hierro, desprovisto de ventanas, con un techo bajo y una pocas luces. De todo salvo sacos terreros y ametralladoras. Tras una larga mesa metálica de un feo color gris había una recepcionista atendiendo dos teléfonos. Sin mirar a Clay, le dijo:

—Estará aquí en un minuto.

Talmadge X era un tipo enjuto y fibroso de unos cincuenta años. No le sobraba un gramo de grasa, ni tampoco asomaba la menor sonrisa en su arrugado y envejecido rostro. Tenía unos ojos grandes que reflejaban el dolor del tiempo vivido en las calles. Era tan negro como blanco su atuendo: una camisa de algodón impecablemente almidonada y pantalón a juego. Las botas militares negras brillaban a la perfección, lo mismo que su calva, donde no se veía un solo pelo.

Señaló la única silla que parecía haber en su improvisado despacho y cerró la puerta.

—¿Trae papeles? —preguntó bruscamente.

Evidentemente, el arte de la conversación no se contaba entre sus talentos.

Clay le entregó los documentos necesarios, todos con los indescifrables garabatos de Tequila Watson, y mientras Talmadge X los leía de cabo a rabo, se fijó en que no llevaba reloj de pulsera ni parecían gustarle los de otro tipo. Estaba claro que el tiempo se quedaba en la calle.

—¿Cuándo firmó esto?

—Llevan fecha de hoy. He hablado con él hace un par de horas, en la cárcel.

—¿Y es usted oficialmente su abogado de oficio? —preguntó Talmadge X.

Aquel hombre había pasado más de una vez por el aparato de justicia penal.

—Sí. He sido nombrado por el tribunal y designado por la Oficina del Turno de Oficio.

—¿Glenda sigue allí?

—Sí.

—Hace tiempo que nos conocemos.

Aquello era todo lo que conseguiría como conversación.

—¿Estaba usted al corriente del tiroteo? —preguntó Clay, sacando un cuaderno de notas de su maletín.

—No hasta que me llamó usted hace una hora. Sabíamos que se había marchado el martes y que no había vuelto, sabíamos que algo había ido mal; pero, a decir verdad, siempre esperamos que las cosas vayan mal. —Sus palabras eran escuetas y precisas. Sus ojos parpadeaban a menudo, pero su mirada no se extraviaba—. Cuénteme lo que ocurrió.

—Todo esto es confidencial, ¿de acuerdo? —dijo Clay.

—Soy su consejero y también soy su pastor. Usted es su abogado. Todo lo que se diga en esta habitación no saldrá de estas cuatro paredes. ¿Le parece?

—Conforme.

Clay le contó con todo detalle la información que había logrado reunir hasta ese momento, incluyendo la versión de Tequila de los acontecimientos. Técnica y éticamente, se suponía que no debía revelar a terceros nada de lo que su cliente le hubiera desvelado, pero ¿a quién podía importarle eso? Talmadge X sabía más de Tequila Watson de lo que Clay podría llegar a averiguar.

A medida que fue avanzando en el relato, y los hechos se desplegaban ante Talmadge, este acabó por apartar la mirada y cerró los ojos. Al fin alzó la cabeza hacia el techo, como si quisiera preguntar a Dios por qué había ocurrido todo aquello. Parecía sumido en sus pensamientos y profundamente turbado.

—¿En qué puedo ayudarlo? —dijo cuando Clay hubo acabado.

—Me gustaría ver su expediente. Tequila me dio su autorización.

La carpeta descansaba en la mesa, ante Talmadge.

—Eso puede esperar —contestó—. Primero hablemos un poco. ¿Qué quiere saber?

—Empecemos con Tequila. ¿De dónde proviene?

Talmadge volvió a mirarlo fijamente, dispuesto a cooperar.

—De las calles, del mismo sitio de donde vienen todos. Nos lo enviaron de Servicios Sociales porque era un caso desesperado. No tenía familia propiamente dicha. Nunca había conocido a su padre, y su madre había muerto de sida cuando él tenía tres años. A partir de ahí fue criado por diversas tías, pasando de familia en familia, de hogar de acogida en hogar de acogida, hasta que empezó a meterse en problemas y acabó en el reformatorio. Abandonó el colegio. Un caso típico para nosotros. ¿Está usted familiarizado con Deliverance Camp?

—No.

—Nos ocupamos de los casos difíciles, de los yonquis recalcitrantes. Los encerramos durante unos cuantos meses y los sumergimos en un entorno de campamento militar. Somos ocho, ocho consejeros, y todos somos adictos. Adicto una vez, adicto para siempre. Pero es algo que uno tiene que saber. Cuatro de nosotros somos ahora pastores. Cumplí trece años por robos y drogas, pero encontré a Jesús. En fin, nuestra especialidad son los jóvenes adictos al crack a los que nadie puede ayudar.

—¿Solo al crack?

—El crack es la droga con mayúsculas, señor. Es barato,

abundante y durante unos minutos te desconecta de cualquier cosa. Una vez empiezas, es imposible dejarlo.

—Tequila no supo decirme gran cosa de sus antecedentes.

Talmadge abrió el expediente y hojeó las páginas.

—Eso fue seguramente porque no se acuerda. Estuvo años completamente colgado. Aquí está. Tiene un bonito historial de antecedentes juveniles: robos diversos, robos de coches, lo que hacemos todos cuando buscamos dinero para comprar droga. A los dieciocho cumplió cuatro meses por hurto en una tienda. El año pasado lo trincaron por posesión. Tres meses. No es un mal historial tratándose de uno de los nuestros. No hay nada violento.

—¿Cuántos delitos graves?

—No veo ninguno.

—Supongo que será de alguna ayuda —dijo Clay—. Eso espero, al menos.

—Suena como si nada fuera a ayudar.

—Me dijeron que hubo dos testigos. No tengo demasiadas esperanzas, la verdad.

—¿Ha confesado a la policía?

—No. Me contaron que se cerró como una almeja cuando lo arrestaron y que no ha abierto la boca desde entonces.

—Eso no es lo habitual.

—Lo sé —repuso Clay.

—Me huelo que va a caerle una perpetua sin condicional —dijo Talmadge, la voz de la experiencia.

—Eso creo yo también.

—¿Sabe, señor Carter?, para nosotros eso no es el fin del mundo. En muchos sentidos, la vida en la cárcel es mejor que la vida en las calles de esta ciudad. Tengo un montón de amigos que la prefieren. Lo triste es que Tequila era uno de los pocos que podrían haberlo conseguido.

—¿Por qué?

—El chaval tiene cabeza. Cuando conseguimos tenerlo

limpio y sano, empezó a sentirse satisfecho consigo mismo. Por primera vez en su vida adulta estaba sobrio. No sabía leer, de modo que le enseñamos. Le gustaba dibujar, así que estimulamos su afición con arte. Por aquí no acostumbramos a perder la cabeza por nadie, pero Tequila nos hizo sentir orgullosos. Incluso pensaba en cambiarse el nombre, por razones obvias.

—Dice que no pierden la cabeza...

—Mire, señor Carter, aquí perdemos al sesenta y seis por ciento. Nos llegan enfermos como perros, colgados como perchas, con el cuerpo y los sesos fritos de tanto crack, desnutridos; a veces, medio muertos de hambre, con llagas en la piel y el pelo que se les cae. Nos llegan los peores yonquis de Washington. Y nosotros los acogemos, los limpiamos, los alimentamos, los engordamos y los sometemos a un entrenamiento básico en el que se levantan a las seis, friegan sus cuartos y esperan la inspección. Luego viene el desayuno y, a continuación, el lavado de cerebro con un grupo de consejeros duros como el granito y que saben de qué hablan porque han pasado por lo mismo que ellos. Nada de gilipolleces, y perdone mi lenguaje. No engañamos a nadie porque nosotros mismos hemos sido los engañados. Al cabo de un mes, están limpios y se sienten muy orgullosos. No echan de menos el mundo exterior porque ahí fuera no les espera nada bueno: ni trabajo ni familia. Nadie los quiere. Es fácil lavarles el cerebro, y nosotros no les damos respiro. Pasados tres meses, dependiendo del paciente, es posible que empecemos a dejarlos salir a la calle durante una o dos horas al día. Nueve de cada diez vuelven deseosos de regresar a sus cuartuchos. Los tenemos con nosotros todo un año, señor Carter. Doce meses, ni un día menos. Intentamos reeducar a algunos de ellos, a veces les enseñamos a manejar ordenadores. Trabajamos de lo lindo para encontrarles un empleo. Si llegan a graduarse lo celebramos por todo lo alto. Luego se marchan, y al cabo de uno o dos años vuelven a estar colgados del crack y camino de la cloaca.

—¿Y vuelven a aceptarlos entonces?

—Raras veces. Si saben que pueden volver, es más probable que la pifien.

—¿Y qué pasa con el tercio restante?

—Esa es la razón de que sigamos aquí, señor Carter. Por eso soy consejero. Esos chavales, como yo, sobreviven en el mundo y lo hacen con una dureza que nadie más es capaz de entender. Todos hemos estado en el infierno y hemos salido de él, y sabemos que es un camino horrible. Muchos de los supervivientes se dedican a trabajar con otros adictos.

—¿A cuántos puede acoger al mismo tiempo?

—Tenemos ochenta camas, y están todas ocupadas. Disponemos de espacio para el doble, pero nunca tenemos fondos suficientes.

—¿De dónde sacan el dinero?

—El ochenta por ciento son fondos federales sobre los que no tenemos ninguna garantía de continuidad de un año a otro. El resto lo mendigamos entre fundaciones privadas. Estamos demasiado ocupados para poder recaudar grandes sumas.

Clay pasó página y tomó nota.

—¿Hay algún familiar con el que pueda hablar?

Talmadge X repasó el expediente y meneó la cabeza.

—Puede que en alguna parte viva una tía, pero no espere gran cosa. Aunque la encuentre, no sé cómo podrá serle de ayuda.

—No podrá. Pero siempre resulta agradable contar con un familiar con quien mantener el contacto.

Talmadge siguió repasando el expediente como si algo le rondara por la cabeza. Clay sospechó que buscaba anotaciones o datos para eliminarlos antes de entregárselo.

—¿Cuándo podré verlo? —preguntó.

—¿Que le parece mañana? Primero me gustaría revisarlo.

Clay se encogió de hombros. Si Talmadge decía que mañana, pues mañana sería.

—Bueno, señor Carter, lo que no entiendo es el móvil de Tequila. Explíquemelo.

—No puedo. Es usted quien tiene que explicármelo. Lo ha tenido aquí durante cuatro meses. El chico no tiene un historial de violencia ni de armas, tampoco propensión a las peleas. En realidad casi parece un paciente modélico. Usted lo ha visto y lo sabe todo de él. Explíquemelo.

—Sí, he visto de todo —contestó Talmadge con una tristeza mayor reflejada en los ojos—, pero esto, nunca. A este chico le daba miedo la violencia. Aquí no toleramos peleas, pero los chicos son lo que son y siempre hay pequeños rituales de iniciación. Tequila era uno de los débiles. Es imposible que saliera de aquí, robara una pistola, escogiera una víctima al azar y la asesinara. Y también es imposible que se abalanzara sobre un compañero de celda y lo enviara al hospital. Sencillamente no lo creo.

—Entonces ¿qué debo decir al jurado?

—¡Qué jurado! Este es un caso de petición de culpabilidad, y usted lo sabe. Se acabó Tequila. Pasará el resto de sus días en la cárcel. Estoy seguro de que conoce a un montón de gente allí.

Se produjo un largo silencio en la conversación, un silencio que no pareció molestar a Talmadge X, que cerró la carpeta y la dejó a un lado. La reunión estaba a punto de concluir, pero Clay era el visitante. Había llegado el momento de marcharse.

—Volveré mañana. ¿A qué hora le va bien?

—Después de las diez —dijo Talmadge X—. Lo acompañaré a la puerta.

—No es necesario —repuso Clay, entusiasmado con semejante compañía.

Los pandilleros parecían haber aumentado y estar esperando que el abogado saliera de Deliverance Camp. Estaban sentados y apoyados en el Accord, que seguía de una pieza. Fuera cual fuese la diversión que hubieran planeado, la olvidaron nada más ver a Talmadge X, que los ahuyentó con un simple gesto de cabeza. Clay se marchó a toda prisa, ileso y temiendo el regreso al día siguiente.

Recorrió ocho manzanas hasta enfilar por la calle Lamont y llegar a la esquina con la avenida Georgia, donde se detuvo un momento para echar un rápido vistazo a su alrededor. No faltaban los callejones donde pegar un tiro a alguien, y no le apetecía buscarse problemas. Volvería un poco más tarde acompañado por Rodney, uno de los auxiliares negros de la OTO que conocía bien las calles. Juntos husmearían por allí y harían algunas preguntas.

5

El Potomac Country Club de McLean, en Virginia, había sido fundado hacía casi cien años por un grupo de acaudalados ciudadanos que no habían logrado ser admitidos en otros clubes parecidos. Los ricos lo soportan casi todo salvo el rechazo. Los proscritos aportaron sus considerables recursos al Potomac y acabaron construyendo el club más refinado de Washington. Luego consiguieron atraer a unos cuantos senadores que eran socios de los clubes rivales, crearon unos cuantos torneos de prestigio y, en un abrir y cerrar de ojos, el Potomac adquirió la debida respetabilidad. Cuando alcanzó el número de socios suficiente para autofinanciarse, empezó la obligada costumbre de rechazar a los demás. A pesar de que carecía de la solera de los clubes más antiguos, se parecía y se comportaba igual que ellos.

Sin embargo, difería de ellos en un aspecto importante: el Potomac nunca había ocultado el hecho de que cualquiera con el dinero suficiente podía acceder a la categoría de socio. Nada de listas de espera, comités de estudio y votaciones secretas de la junta. Si alguien era un recién llegado o si se había convertido de repente en millonario, tenía a su alcance el prestigio y la posición siempre que su chequera fuera lo bastante abultada. Como resultado de todo ello, el Potomac contaba con el mejor campo de golf, las mejores instalaciones de tenis, las piscinas más estupendas y la casa-club más imponente: todo lo que un ambicioso club podría desear.

En opinión de Clay, Bennett van Horn seguramente había firmado el cheque más cuantioso posible. Fueran cuales fuesen sus pretensiones, los padres de Clay no tenían dinero y en ningún caso habrían sido aceptados en el Potomac. Hacía dieciocho años, su padre había demandado a Bennett por un caso de fraude inmobiliario en Alexandria. En aquella época, Bennett era un agente inmobiliario fanfarrón con un montón de deudas y muy pocas propiedades libres de cargas. No era socio del Potomac Country Club, aunque en esos momentos se comportaba como si hubiera nacido en sus instalaciones.

Excavadora Bennett se había hecho rico en los años ochenta, cuando empezó a invadir las ondulantes colinas de la campiña de Virginia. Cerró un montón de contratos, encontró los socios necesarios. No inventó el estilo «arrasa y construye» de las promociones urbanísticas del extrarradio, pero sí lo perfeccionó. Levantó centros comerciales en paradisíacas colinas. Erigió una urbanización cerca de un antiguo y venerado campo de batalla. Arrasó un antiguo pueblo para que hiciera sitio a uno de sus proyectos: apartamentos, casas pareadas, mansiones grandes, mansiones no tan grandes, un parque en el centro con un estanque de aguas cenagosas, dos pistas de tenis y un encantador centro comercial que tenía un formidable aspecto sobre plano pero que nunca llegó a construirse. Irónicamente, aunque dicha ironía se le escapaba por completo, Bennett insistía en bautizar sus infumables proyectos con los nombres del paisaje que destruía: Rolling Meadows, Whispering Oaks, Forest Hills, etc. Después se asoció con otros artistas de la aberración urbanística y ejercieron todo tipo de presiones sobre los legisladores del estado de Richmond para que destinaran más fondos para carreteras y así poder construir más urbanizaciones y aumentar el tráfico. Tuvo tanto éxito que acabó convirtiéndose en una figura de la escena política y su ego creció exponencialmente.

A principios de los noventa, la empresa de Bennett, el BVH Group, creció rápidamente, generando beneficios por encima del ritmo de amortización de los créditos. Él y su esposa, Barb, se compraron una casa en el mejor barrio de McLean, se hicieron socios del Potomac Country Club y se convirtieron en figuras destacadas mientras hacían lo necesario para crear la ilusión de que siempre habían sido gente de dinero.

En 1994, según los expedientes que obraban en poder de la Comisión del Mercado de Valores que Clay había examinado diligentemente y de los que guardaba copia, Bennett decidió sacar a bolsa su empresa y recaudó 200 millones de dólares. Planeaba destinar el dinero a cancelar créditos, pero, también y más importante, a «invertir en el ilimitado futuro de Virginia». En otras palabras, en más excavadoras y en más aberraciones urbanísticas. Solo el hecho de pensar en Bennett con tanto dinero debió de entusiasmar a los distribuidores de Caterpillar. También debería haber horrorizado a las autoridades locales, pero dormían.

Con el asesoramiento de un banquero especialista en inversiones seguras, las acciones de BVHG subieron de 10 dólares a 16,50 dólares cada una, lo cual no estuvo mal pero no cumplió con las expectativas de su fundador y director general. La semana anterior a la salida a bolsa, Bennett había declarado a *Daily Profit*, un tabloide especializado en economía local: «Los chicos de Wall Street están convencidos de que alcanzarán los 40 dólares por acción». En el mercado de operaciones realizadas fuera del parquet, las acciones bajaron lentamente hasta estabilizarse estrepitosamente alrededor de los seis dólares. De forma harto temeraria, y a diferencia de la mayoría de los promotores, Bennett había rehusado a deshacerse de parte de sus acciones y se aferró a sus cuatro millones de acciones mientras veía cómo su valor de mercado pasaba de 66 millones a prácticamente cero.

Todos los días laborables, y por el simple placer de hacerlo, Clay comprobaba el precio de un y solo un valor: BVHG. En esos momentos cotizaba a un precio de 0,87 dólares por acción.

«¿Qué tal van tus acciones?», era el humillante comentario que Clay nunca se veía con ánimo de hacer.

—Quizá esta noche —masculló por lo bajo mientras entraba con el coche en el Potomac Country Club.

Dado que se vislumbraba un posible matrimonio en un futuro más o menos inmediato, los defectos de Clay eran el blanco de legítimas críticas en las cenas familiares. Los de Van Horn no, desde luego.

—Enhorabuena, Bennett, tus acciones han aumentado doce centavos en los últimos dos meses —dijo en voz alta, expresando sus pensamientos—. Sigues yendo a por todas, ¿eh? ¿Para cuándo un Mercedes nuevo?

Para ahorrarse la propina del aparcacoches, Clay aparcó el Accord en un estacionamiento situado tras las pistas de tenis. Mientras caminaba hacia la casa-club se ajustó la corbata y siguió mascullando para sus adentros. Aborrecía aquel lugar con toda su alma. Lo aborrecía por lo gilipollas que eran los socios, lo aborrecía porque no podía ser socio y lo aborrecía porque era el territorio favorito de los Van Horn y ellos deseaban que se sintiera en él como un intruso. Por enésima vez ese día —y lo mismo que cualquier otro día— se preguntó por qué había tenido que enamorarse de una chica con unos padres tan inaguantables. Si hubiera tenido algún plan, este habría sido fugarse con Rebecca a Nueva Zelanda, lo más lejos posible de la OTO y de su familia política.

La glacial mirada de la recepcionista le dijo a las claras: «Usted no es socio del club, pero, aun así, lo llevaré a su mesa».

—Sígame —le ordenó ella con una falsa sonrisa.

Clay no dijo nada, tragó saliva, miró al frente e intentó olvidarse del nudo que se le había hecho en las tripas. ¿Cómo iba a disfrutar de la cena en un entorno como aquel? Rebecca y él habían comido en el club en un par de ocasiones, una con los padres de ella y otra solos. El sitio era caro; y la cocina, bastante buena. En cualquier caso, Clay se alimentaba de chóped, de modo que no era ningún experto y lo sabía.

Bennett no estaba. Clay dio un rápido abrazo a la señora Van Horn —un ritual que desagradaba a ambos— y la felicitó con un «feliz cumpleaños» tirando a patético antes de dar un rápido beso en la méjilla a Rebecca.

Les habían dado una mesa en un buen sitio, con vistas al *green* del hoyo 18. Un sitio privilegiado porque desde allí uno podía disfrutar viendo a los demás socios hundirse en las profundidades del búnker o fallar sus *putts* de un metro.

—¿Dónde está el señor Van Horn? —preguntó Clay, confiando en que tuviera un compromiso fuera de la ciudad o, mejor aún, se encontrara hospitalizado, víctima de una grave enfermedad.

—No tardará en llegar —explicó Rebecca.

—Ha pasado el día en Richmond, reunido con el gobernador —añadió la señora Van Horn para rematar.

Desde luego, eran infatigables. A Clay le entraron ganas de alzar los brazos y exclamar: «¡Me rindo, me rindo! ¡Reconozco que sois más importantes que yo!».

—¿En qué está trabajando? —preguntó educadamente, sorprendido nuevamente por su habilidad para fingir verdadero interés. Clay sabía perfectamente por qué la Excavadora había ido a Richmond. El estado no tenía un céntimo y no podía permitirse la construcción de nuevas carreteras en el norte de Virginia, donde Bennett y los de su calaña exigían que se construyeran. Los votos estaban en esa zona. La asamblea legislativa estaba estudiando la posibilidad de convocar un referéndum para aplicar un impuesto sobre las ventas; de ese modo, las ciudades y los condados de los alrededores de Washington podrían construir sus propias autovías. Más carreteras, más urbanizaciones, más centros comerciales, más tráfico, más dinero para la renqueante BVHG.

—En asuntos de política —contestó Barb.

Lo cierto era que seguramente no tenía ni idea de qué había ido a hablar su marido con el gobernador. Además, Clay dudaba de que estuviera al corriente del valor de las acciones de la empresa. Barb sabía qué días tenía partida de bridge y lo poco que él ganaba. Cualquier otra cuestión la dejaba en manos de su marido.

—¿Qué tal tu día? —le preguntó Rebecca, desviando amable pero rápidamente la conversación del tema político. En un par de ocasiones, Clay había utilizado el término «aberración urbanística» conversando con sus padres, y el ambiente se había puesto un poco tenso.

—Como siempre —contestó—. ¿Y tú?

—Mañana tenemos varias audiencias, de modo que la oficina está que arde.

—Rebecca me ha dicho que tienes entre manos otro caso de asesinato —comentó Barb.

—Es verdad —repuso Clay, preguntándose de qué otros aspectos de su trabajo como abogado de oficio habrían estado hablando madre e hija. Cada una tenía delante una copa de vino blanco, y ambas estaban medio vacías. ¿Acaso había interrumpido una discusión, seguramente sobre su persona, o simplemente se estaba mostrando excesivamente sensible?

—¿Quién es tu cliente esta vez? —quiso saber Barb.

—Un chaval de la calle.

—¿Y a quién ha matado?

—La víctima ha sido otro chaval de la calle.

Aquello pareció aliviar en cierto modo a la madre de Rebecca. Negros matando a otros negros. ¿A quién le importaba si se asesinaban entre sí?

—¿Y realmente lo hizo? —preguntó.

—Por el momento se mantiene la presunción de inocencia. Así es como funciona el sistema.

—Dicho con otras palabras: fue él.

—Eso parece.

—¿Cómo puedes defender a gente así? Si sabes que son culpables, no me explico cómo puedes romperte los cuernos para ponerlos en libertad.

Rebecca tomó un sorbo de vino y decidió que no intervendría. Durante los últimos meses había salido cada vez menos en ayuda de Clay. Este siempre había pensado que la vida con Rebecca resultaba maravillosa; pero que, con sus padres, era una pesadilla. Las pesadillas empezaban a llevar la delantera.

—Nuestra Constitución garantiza a todos los ciudadanos el derecho a un abogado y a un juicio justo —explicó pacientemente, como si fuera algo que todo el mundo tenía que saber—. Me limito a hacer mi trabajo.

Barb alzó al cielo sus recién operados ojos y después desvió la mirada hacia el *green* del 18. Un buen número de las mujeres que eran socias del Potomac habían recurrido a los servicios de un cirujano plástico especializado, a todas luces, en rasgos asiáticos. Tras el segundo tratamiento, todas ellas salían sin una arruga pero con los ojos extrañamente rasgados y un aire grotescamente artificial. A la infeliz Barb le habían hecho la cirugía estética e inyectado botox sin un plan a largo plazo, y por eso el cambio no le estaba funcionando.

Rebecca tomó otro largo trago de vino. La primera vez que ella y Clay habían comido allí con sus padres, se había quitado un zapato por debajo de la mesa y había hecho cosquillas en las piernas a Clay, como si quisiera decirle «larguémonos de aquí y vámonos a la cama». Pero aquella noche no. Parecía distante y preocupada, aunque Clay sabía que no se debía a ninguna de las inútiles audiencias que pudiera tener al día siguiente. Algo se estaba cociendo bajo la superficie, y se preguntó si aquella cena no anunciaría el preludio de una crisis en forma de discusión acerca de su futuro.

Bennett llegó corriendo y con un montón de falsas disculpas por el retraso. Dio a Clay una palmada en la espalda como si fuesen viejos camaradas y un beso en la mejilla a sus dos palomitas.

—¿Cómo está el gobernador? —preguntó Barb en voz lo bastante alta para que el resto de los comensales del restaurante la oyeran.

—Muy bien. Te manda un cariñoso saludo. El presidente de Corea estará por aquí la semana que viene. El gobernador nos ha invitado a su mansión, a una recepción de gala en su honor.

Aquello también fue anunciado a los cuatro vientos.

—¿De verdad? —exclamó una entusiasmada Barb, cuyo deformado rostro se contrajo en una expresión de placer.

Clay se dijo que la pobre se sentiría como en casa en compañía de aquellos coreanos.

—Será una fiesta magnífica —aseguró Bennett mientras sacaba de los bolsillos una colección de móviles y los alineaba en la mesa. Unos segundos más tarde apareció un camarero con un whisky doble. Chivas con un poco de hielo, como de costumbre.

Clay pidió té frío.

—Bueno, ¿cómo está mi congresista? —gritó Bennett a pleno pulmón, dirigiéndose a Rebecca y mirando de soslayo a la pareja de la mesa de al lado para asegurarse de que lo habían oído: Bennett tenía su propio congresista.

—Está bien, papá. Te manda recuerdos. Últimamente anda muy ocupado.

—Pareces cansada, cariño. ¿Has tenido un día duro?

—No ha estado mal.

Los tres Van Horn tomaron un sorbo de sus bebidas. El cansancio de Rebecca era un tema recurrente para sus padres. Los dos opinaban que trabajaba demasiado. En realidad, lo que opinaban era que no tenía que trabajar en absoluto. Se acercaba a los treinta y lo que le correspondía era casarse con un joven bien pagado y con un buen futuro de manera que ella pudiera dedicarse a criar a sus nietos y a pasar el resto de su vida en el Potomac Country Club.

A Clay no le habría importado lo que ellos opinaran de

no haber sido porque Rebecca compartía el mismo sueño. Ella le había hablado un vez de hacer carrera en la administración; pero, después de cuatro años en el Capitolio, estaba harta de tanta burocracia. Lo único que deseaba era un marido, hijos y una mansión en las afueras.

Repartieron los menús. Bennett recibió una llamada telefónica y la despachó bruscamente, sin levantarse de la mesa. Cierto acuerdo estaba en la cuerda floja. El futuro de la libertad económica de Estados Unidos dependía de ello.

—¿Y tú qué crees que debería ponerme para esa fiesta? —preguntó Barb a su hija, mientras Clay se refugiaba tras el menú.

—Algo nuevo —repuso Rebecca.

—Tienes razón —convino de inmediato su madre—. ¿Por qué no vamos de compras el sábado?

—Buena idea.

Cuando Bennett hubo logrado salvar el acuerdo, pidieron la cena. Luego los entretuvo con los detalles de la conversación: había un banco que no se estaba moviendo con la debida agilidad, de modo que no había tenido más remedio que darle un poco de caña. Bla, bla, bla hasta que llegaron las ensaladas.

Tras los primeros bocados, Bennett empezó a hablar con la boca llena como tenía por costumbre.

—Aprovechando que me encontraba en Richmond, me fui a comer con mi buen amigo Ian Ludkin, el portavoz de la Cámara de Representantes. Te gustaría ese hombre, Clay. Es todo un señor, un verdadero caballero de Virginia.

Clay siguió masticando y asintiendo como si estuviera impaciente por conocer a los amigos de Bennett.

—El caso es que Ian me debe algunos favores por la zona, de manera que le solté la pregunta.

Clay tardó unos segundos en darse cuenta de que las mujeres habían dejado de comer y de que observaban y escuchaban con la mayor expectación.

—¿Qué pregunta? —quiso saber Clay, que tenía la impresión de que todos esperaban que dijera algo.

—Bueno, le hablé de ti, Clay. De un joven y brillante abogado, más listo que el hambre y más trabajador que una mula, licenciado por Georgetown, un tío guapo con auténtica personalidad, y me dijo que siempre andaba buscando nuevos talentos y que Dios sabía lo difícil que era encontrarlos. Me dijo que tenía una plaza disponible para un abogado de plantilla. Yo le contesté que no sabía si te interesaría, pero que estaría encantado de comentártelo. ¿Qué opinas?

«Creo que esto es una encerrona», estuvo a punto de espetar Clay, pero Rebecca lo miraba fijamente, esperando ver cuál era su primera reacción.

Ateniéndose al guión, Barb exclamó:

—¡Eso suena fantástico!

«Joven y brillante, guapo y con personalidad, listo y trabajador.» Clay se maravillaba de lo rápidamente que estaba subiendo su cotización.

—Es interesante —repuso, sin faltar a la verdad; todos los aspectos de ese asunto lo eran.

Bennett estaba listo para lanzar el golpe decisivo. Contaba, además, con la ventaja del factor sorpresa.

—Es una estupenda posición y un trabajo fascinante que te pone en contacto con la gente que mueve los hilos de verdad. No tendrás un instante de aburrimiento. Eso sí, trabajarás de lo lindo, al menos mientras haya sesiones de la asamblea legislativa. De todas maneras, le dije a Ian que tenías las espaldas muy anchas y que estabas más que capacitado para hacerte cargo de las responsabilidades.

—Exactamente, ¿cuál sería mi trabajo?

—No lo sé. No entiendo de historias de abogados; pero, si te interesa, Ian me dijo que estaría encantado de entrevistarse contigo. De todas maneras, es un puesto muy solicitado. Según Ian, le llueven los currículos. Tendrás que moverte deprisa.

—Richmond no está tan lejos —intervino Barb.

Pues sí, está mucho más cerca que Nueva Zelanda, pensó Clay. Barb ya estaba planeando la boda, y a él le costaba leer los pensamientos de Rebecca. A veces se sentía asfixiada por sus padres, pero casi nunca mostraba el menor deseo de alejarse de ellos. Bennett solía utilizar su dinero, o lo que le quedara de él, como zanahoria para mantener a sus dos hijas cerca de él.

—Bueno, no sé qué decir. Gracias —contestó Clay, abrumado por el peso que acababa de caer sobre sus supuestos anchos hombros.

—El sueldo inicial es de noventa y cuatro mil al año —comentó Bennett, bajando la voz para que los de la mesa de al lado no se enteraran.

Noventa y cuatro mil dólares era más del doble de lo que ganaba en esos momentos, y comprendió que todos ellos lo sabían. Los Van Horn rendían pleitesía al dinero y estaban obsesionados con sueldos y ganancias netas.

—¡Guau! —exclamó Barb para rematar.

—Es un sueldo magnífico —admitió Clay.

—Para empezar no está mal —comentó Bennett—. Ian dice que conocerás a los mejores abogados de la ciudad. Los contactos son lo más importante en esta vida. Quédate allí unos años y podrás independizarte como especialista en derecho societario, que es donde está el dinero de verdad, ya lo sabes.

Para Clay no suponía ningún alivio saber que Bennett había sentido un repentino interés por planificarle el futuro. Naturalmente, todos aquellos planes no tenían nada que ver con él, pero sí con Rebecca.

—Es una oferta a la que no puedes decir que no —lo aguijoneó Barb descaradamente.

—Por favor, mamá, no lo atosigues —terció Rebecca.

—Es que me parece una oportunidad tan estupenda... —dijo Barb, como si Clay fuera incapaz de ver lo obvio.

—Dale vueltas. Consúltalo con la almohada —añadió Bennett.

El regalo estaba encima de la mesa. Faltaba ver si el muchacho era bastante inteligente para aceptarlo.

Clay siguió devorando su ensalada con renovado entusiasmo. Asintió como si no pudiera hablar. Llegó un segundo whisky que interrumpió el momento. Después, Bennett se dedicó a contarles los últimos rumores de Richmond sobre una nueva franquicia de béisbol profesional en la zona de Washington, que era uno de sus asuntos favoritos. Estaba metido en uno de los tres grupos de inversores que pujaban por hacerse con la franquicia, si es que llegaba a concederse, y disfrutaba estando informado de los últimos acontecimientos. Según un reciente artículo aparecido en el *Post*, el grupo de Bennett figuraba en tercer lugar de la lista y perdía terreno mes tras mes. Su situación financiera, a decir de algunas fuentes, no estaba muy clara y parecía francamente delicada. En cualquier caso, en el artículo no se mencionaba una sola vez el nombre de Bennett. Clay sabía que acumulaba cuantiosas deudas. Varias de sus urbanizaciones habían sido paralizadas por los grupos ecologistas que trataban de preservar lo poco que quedaba en el norte de Virginia, le llovían demandas de antiguos socios y su cartera de valores no valía prácticamente nada. No obstante, allí estaba, trasegando whisky y hablando como si nada de un nuevo estadio valorado en 400 millones y de una franquicia de otros 100.

Los filetes llegaron justo cuando habían acabado las ensaladas, lo cual ahorró a Clay otra angustiosa conversación sin tener nada que llevarse a la boca. Rebecca no le hacía el menor caso, y él tampoco a ella. La discusión no tardaría en llegar.

Empezaron a hablar del gobernador, amigo personal de Bennett, que estaba poniendo en marcha la maquinaria para presentar su candidatura al senado y deseaba que el padre de Rebecca formara parte de ella. Bennett también habló de dos de sus más interesantes proyectos: uno era el asunto de un nuevo avión, pero la cuestión llevaba tiempo sobre la mesa porque Bennett no acaba de encontrar lo que andaba buscando. La cena pareció prolongarse casi dos horas; pero, cuando dieron por finalizada la reunión y se levantaron sin haber pedido postres, solo habían transcurrido noventa minutos.

Clay dio las gracias a Barb y a Bennett por la invitación y les prometió decirles algo sin falta acerca del empleo en Richmond.

—Es la oportunidad de tu vida —dijo Bennett en tono solemne—. No la desaproveches.

Cuando Clay se aseguró de que se habían ido, pidió a Rebecca que lo acompañara un momento hasta el bar. Allí aguardaron a que les sirvieran las copas antes de hablar. Cuando la situación se ponía tensa, ambos tenían tendencia a dejar que fuera el otro quien abriera el fuego.

—No sabía nada de esa historia de Richmond —le dijo ella.

—Pues me cuesta creerlo. Me ha dado la impresión de que toda la familia estaba al corriente. Desde luego, tu madre lo sabía.

—Mi padre está preocupado por ti. Eso es todo.

«Tu padre es un idiota», habría querido decir; pero en vez de eso dijo:

—No, por mí no; pero sí por ti. No puede permitir que te cases con un tipo sin futuro, así que está dispuesto a organizarnos uno. ¿No te parece presuntuoso por su parte decidir que debe encontrarme un trabajo dado que no le gusta el que tengo ahora?

—Puede que únicamente quiera ayudar. Le encanta jugar a hacer favores.

—¿Y por qué da por hecho que necesito que me ayuden?

—Porque quizá lo necesites.

—Ya veo. Por fin asoma la verdad.

—Clay, no puedes pasarte la vida trabajando en lo mismo de ahora. Eres bueno en lo que haces y te preocupas de verdad por tus clientes; pero quizá haya llegado la hora de que cambies. Cinco años en la OTO son muchos años. Tú mismo lo dices.

—No sé, a lo mejor no me gusta vivir en Richmond. Quizá no quiera marcharme de aquí. ¿Qué pasaría si no quiero trabajar para uno de los amigotes de tu padre? Supongamos que la idea de verme rodeado por una pandilla de políticos locales no me atrae. Soy abogado, Rebecca, no un vulgar burócrata.

—Muy bien. Como quieras.

—Lo de este trabajo... ¿es un ultimátum?

—¿En qué sentido?

—En cualquier sentido. ¿Qué pasa si lo rechazo?

—Creo que ya has dicho que no, lo cual, por cierto, es típico en ti: una decisión precipitada.

—Las decisiones precipitadas son fáciles cuando la elección está clara. Yo me buscaré mis propios trabajos, y desde luego no llamaré a tu padre para pedirle un favor. De todas maneras, la pregunta sigue en pie: ¿Qué pasa si lo rechazo?

—Bah, estoy segura de que no será el fin del mundo.

—¿Y tus padres?

—Se llevarán un chasco. Seguro.

—¿Y tú?

Rebecca se encogió de hombros y dio un sorbo a su bebida. Habían hablado de casarse más de una vez, pero sin llegar a un acuerdo. Entre ellos no existía compromiso alguno y aún menos una fecha. Si uno de los dos quería dejarlo, podía hacerlo cuando quisiera, aunque no le resultaría fácil. Tras cuatro años de 1) No salir con nadie más, 2) Afirmar continuamente que se amaban y 3) Acostarse al menos cinco veces por semana, su relación caminaba con paso firme hacia lo permanente.

Sin embargo, Rebecca no estaba dispuesta a reconocer que deseaba aparcar momentáneamente su trabajo, que deseaba un marido y unos hijos, y puede que dejar de trabajar para siempre. Los dos seguían compitiendo entre ellos, jugando el juego de a ver quién era más importante, y a Rebecca le costaba admitir que deseaba un marido que la mantuviera.

—No me importa, Clay —dijo al fin—. Solo se trata de un trabajo, no de un nombramiento para el gabinete. Si no lo quieres, recházalo.

—Te lo agradezco.

Entonces, de repente, se sintió como un idiota. ¿Y si resultaba que Bennett solo había querido echarle una mano? Los padres de Rebecca le caían tan mal que le molestaba todo lo que hacían. Ese era su problema... ¿o no? En realidad, tenían todo el derecho del mundo a estar preocupados por el posible marido de su hija y padre de sus futuros nietos.

Además, reconoció Clay a regañadientes, ¿a quién no le preocuparía tener un yerno como él?

—Me gustaría marcharme —dijo Rebecca.

—Desde luego.

Clay la siguió afuera del club y la observó caminar, como si ella le estuviera sugiriendo que tenía tiempo de acompañarla a su apartamento para un revolcón rápido. Sin embargo, el estado de ánimo de Rebecca le decía lo contrario. Es más, por cómo había transcurrido la cena, creía que ella estaría encantada rechazándolo. Y si eso ocurría, él se sentiría como un estúpido incapaz de controlarse, que era justamente como se sentía en aquellos momentos. Así pues, se contuvo, apretó la mandíbula y dejó pasar la ocasión.

Cuando él le abrió la puerta del BMW, ella le susurró:

—¿Por qué no te pasas un rato por casa?

Clay echó a correr hacia su coche.

6

Con Rodney se sentía más seguro. Además, las nueve de la mañana era una hora demasiado temprana para los tipos peligrosos de la calle Lamont, que aún estarían durmiendo por los efectos del veneno que hubieran consumido la noche anterior. En cuanto a los comercios, empezaban a cobrar vida lentamente. Clay aparcó cerca del callejón.

Rodney era uno de los auxiliares jurídicos de la OTO. Llevaba diez años apuntándose a los cursos nocturnos de la facultad de derecho y seguía diciendo que algún día conseguiría sacarse el título y colegiarse. Pero, con cuatro hijos en casa, andaba escaso tanto de dinero como de tiempo. Conocía bien las calles porque había salido de ellas. Parte de su trabajo cotidiano consistía en atender las peticiones de los abogados de la OTO, normalmente de los que eran blancos y carecían de experiencia, para que los acompañara a los barrios conflictivos a investigar algún crimen especialmente horrible. Rodney era auxiliar jurídico y no investigador, y por eso unas veces atendía las peticiones y otras las rechazaba. Sin embargo, a Clay nunca le decía que no. Habían trabajado juntos en numerosos casos.

Hallaron el lugar en el callejón donde había caído Ramón y examinaron los alrededores detenidamente, a pesar de saber que la policía había peinado el lugar varias veces. Tomaron unas cuantas fotografías y fueron en busca de posibles testigos.

No encontraron ninguno, y no fue una sorpresa. Quince minutos después de que llegaran a la escena del crimen, ya había corrido el rumor de que un par de desconocidos andaban husmeando y metiendo las narices en el último asesinato, de manera que era mejor tener la puerta y la boca cerradas. Los dos tipos que se pasaban el día sentados en unas cajas de leche, ante la tienda de licores, bebiendo vino barato y sin perder detalle de lo que ocurría habían desaparecido y nadie sabía nada de ellos. Hasta los tenderos parecían sorprendidos de que se hubiera producido un tiroteo.

—¿Por aquí? —preguntó uno de ellos, como si el crimen todavía no hubiera alcanzado aquel gueto.

Una hora más tarde, Clay y Rodney se marcharon y se dirigieron a Deliverance Camp. El auxiliar iba sorbiendo café de un vaso de plástico; café malo, a juzgar por su expresión.

—Hace unos días, a Jermaine le cayó un caso parecido —comentó—. Un chaval que había pasado un tiempo encerrado en rehabilitación y que salió, no sé si con permiso o porque se escapó. El caso es que no habían pasado ni veinticuatro horas cuando cogió una pistola y disparó contra dos individuos. Uno de ellos murió.

—¿Así, sin más?

—Dime tú qué significa «sin más» por estos barrios. Aquí, dos tipos que conducen sin seguro chocan, se abollan un parachoques y acaban a tiros. ¿Tú qué dirías, que es «sin más» o que tienen motivos?

—En ese caso ¿qué fue? ¿Defensa propia, drogas, robo?

—Fue sin más, creo.

—¿Dónde estaba el centro de rehabilitación? —preguntó Clay.

—No era Deliverance Camp. Creo que se trataba de un tugurio cerca de Howard. Todavía no he visto el expediente. Ya sabes lo lento que es Jermaine.

—Entonces ¿no estás trabajando en el caso?

—No. Me enteré por radio macuto.

Rodney estaba al tanto de los rumores y sabía más de los abogados de la OTO y de los casos que llevaban que la propia Glenda. Cuando se metieron por la calle W, Clay le preguntó:

—¿Has estado alguna vez en Deliverance Camp?

—Un par de veces. Es un sitio para casos difíciles. La última parada antes del cementerio. Un sitio duro dirigido por tipos igual de duros.

—¿Conoces a un individuo que responde al nombre de Talmadge X?

—No.

Esa mañana no había ningún circo de pandilleros entre los que abrirse paso. Clay aparcó ante el edificio y entraron sin demorarse. Talmadge X no estaba; una emergencia lo había llevado al hospital. Un colega llamado Noland se presentó amablemente y les dijo que era el consejero jefe. En su despacho, y sentados a una pequeña mesa, les enseñó el expediente de Tequila Watson y los invitó a que lo examinaran. Clay le dio las gracias, convencido de que había sido debidamente expurgado.

—Tenemos como norma que uno de nosotros, en este caso yo, se quede aquí mientras ustedes revisan el expediente —explicó Noland—. Si quieren alguna copia, cuestan veinticinco centavos cada una.

—Desde luego —contestó Clay, que no pensaba discutir. Si quería el expediente entero no tenía más que reclamarlo mediante un requerimiento judicial.

Noland fue a sentarse a su mesa, donde lo esperaba una impresionante cantidad de papeleo. Clay empezó a ojear el expediente mientras Rodney tomaba notas.

Los antecedentes de Tequila resultaban tristemente previsibles. Había sido admitido en enero, recomendado por los Servicios Sociales después de haber sido rescatado de una sobredosis. Pesaba 54 kilos y medía 1,75. En Deliverance Camp le habían hecho un examen médico. Tenía un poco de fiebre y sufría de temblores y dolores de cabeza, nada raro tratándose de un yonqui. Según el médico, aparte de una ligera desnutrición, una gripe leve y un físico destrozado por las drogas, no había nada especialmente notable. Como al resto de los pacientes, lo encerraron durante el primer mes y lo alimentaron sin cesar.

Según las notas de TX, Tequila había empezado su cuesta abajo a la edad de ocho años, cuando él y su hermano robaron una caja de cerveza de un camión de reparto. Se bebieron la mitad, vendieron el resto y, con el dinero conseguido, compraron un garrafón de cinco litros de vino barato. Lo habían expulsado de varios colegios hasta que a la edad de doce años, más o menos cuando descubrió el crack, dejó de asistir a la escuela. El robo se convirtió en su forma de sobrevivir.

Su memoria estaba intacta hasta que comenzó a consumir crack, de modo que los últimos años de su vida no eran más que un confuso borrón. TX había investigado algunos detalles y había encontrado cartas y correos electrónicos que confirmaban algunas de las etapas oficiales de aquella patética trayectoria. A los catorce años, Tequila había pasado un mes en el centro de rehabilitación del Centro de Detención de Menores de Washington. Nada más salir, fue a buscar al primer camello para comprar más crack. Los dos meses que pasó en Orchard House, un conocido centro dedicado a tratar a adolescentes adictos al crack, le sirvieron de muy poco. Tequila confesó a TX que allí había consumido tantas drogas como estando fuera. A los dieciséis fue aceptado en Clean Streets, un centro de rehabilitación de los duros, parecido a Deliverance Camp. Su brillante estancia duró cincuenta y tres días, tras los que se largó sin decir palabra. Las anotaciones de TX decían: «A las dos horas de haber salido volvía a estar enganchado al crack». Un tribunal de menores lo envió después a un campamento para adolescentes con problemas, pero la vigilancia del sitio dejaba mucho que desear, y Tequila acabó ganando dinero vendiendo droga a sus compañeros de campamento. El último esfuerzo por mantenerlo sobrio antes de Deliverance Camp lo hizo un programa de Grayson Church dirigido por el reverendo Jolley, un conocido especialista en problemas de drogas. Jolley envió una carta a Talmadge X en la que le expresaba su opinión de que Tequila era uno de esos casos trágicos «probablemente sin esperanza».

Sin embargo, por muy deprimente que fuera el historial de Tequila Watson, llamaba la atención por su casi total ausencia de elementos violentos. Había sido detenido y condenado cinco veces por robo, una por hurto y dos por faltas leves de tenencia; pero nunca había utilizado un arma para cometer sus delitos, al menos no una que pudieran imputarle. Ese dato no había pasado inadvertido a TX que, en las notas correspondientes al día 39, había escrito: «Tiene tendencia a evitar el más mínimo enfrentamiento físico. Parece realmente intimidado por los tipos más grandes y también por los pequeños».

El día 45 fue examinado de nuevo por el médico. Su peso era de unos saludables 62 kilos. Tenía la piel «libre de abrasiones y otras lesiones». Había comentarios sobre sus progresos en aprender a leer y su interés por el arte. A medida que pasaban los días, las notas se abreviaban. La vida en Deliverance Camp era sencilla hasta la vulgaridad. Algunos días carecían de comentario alguno.

Pero la entrada del día 80 era distinta: «Se da cuenta de que necesita ayuda espiritual de arriba para seguir limpio. No puede hacerlo solo. Dice que quiere quedarse en Deliverance Camp para siempre».

La del día 100: «Hemos celebrado su centésimo día con pastel de chocolate y helado. Tequila ha pronunciado unas palabras y ha llorado. Como premio ha recibido un pase de dos horas».

La del día 4: «Un pase de dos horas. Ha salido y ha vuelto después de veinte minutos con un helado de polo».

La del día 107: «Lo hemos enviado a la oficina de correos. Ha estado fuera una hora y ha vuelto».

La del día 110: «Un pase de dos horas. Ha vuelto sin problemas».

La última entrada correspondía al día 115: «Un pase de dos horas. No ha regresado».

Noland los observó mientras finalizaban el expediente.

—¿Alguna pregunta? —dijo como si ya les hubiera dedicado tiempo suficiente.

—La verdad es que da bastante pena —contestó Clay cerrando la carpeta con un suspiro. Tenía muchas preguntas que hacer, pero ninguna a la que Noland pudiera o quisiera responder.

—En un mundo lleno de desdichas, señor Carter, esta es sin duda una de las peores. Pocas veces se me saltan las lágrimas, pero Tequila me ha hecho llorar. —Se puso en pie—. ¿Quieren fotocopiar algo?

La reunión había terminado.

—Puede que otro día —repuso Clay.

Le dieron las gracias y lo siguieron hasta la recepción.

Una vez en el coche, Rodney se abrochó el cinturón y contempló el barrio que los rodeaba. Luego dijo con calma:

—Bueno, parece que tenemos un nuevo amigo.

Clay estaba mirando la aguja de la gasolina, confiando en que tuvieran suficiente para regresar a la oficina.

—¿Qué clase de amigo?

—¿Ves ese todoterreno granate de allí abajo, al otro lado de la calle?

Clay le echó un vistazo.

—Sí, ¿y qué?

—Hay un negro al volante, un tipo corpulento que, si no me equivoco, lleva una gorra de los Redskins. Me parece que nos está observando.

Clay forzó la vista pero apenas pudo distinguir al conductor. Ni la etnia ni la gorra le resultaban apreciables.

—¿Cómo sabes que nos está vigilando?

—Estaba en la calle Lamont cuando fuimos allí. Lo vi dos veces, las dos observándonos pero haciendo como si nada. Luego, cuando aparcamos aquí para entrar, vi el todoterreno a tres manzanas de distancia. Y ahora está ahí.

—¿Estás seguro de que es el mismo coche?

—Los todoterrenos de color granate no abundan. ¿Ves la abolladura del parachoques, en el lado derecho?

—Sí, puede.

—Es el mismo todoterreno. No hay duda. Vamos, acerquémonos a echar un vistazo.

Clay arrancó y pasó junto al todoterreno. Un periódico se alzó rápidamente ocultando al conductor. Rodney apuntó el número de la matrícula.

—¿Por qué iba alguien a seguirnos? —preguntó Clay.

—Drogas. Siempre drogas. Puede que Tequila traficara o que el chico al que asesinó tuviera amigos malos. Quién sabe.

—Pues me gustaría averiguarlo.

—Por el momento es mejor no ahondar demasiado. Dedícate a conducir y yo controlaré lo que ocurra a nuestra espalda.

Se dirigieron al sur por la avenida Puerto Rico durante unos treinta minutos y se detuvieron en una gasolinera cerca del río Anacostia. Rodney vigiló los coches que pasaban mientras Clay repostaba.

—El sabueso se ha marchado —dijo Rodney cuando volvieron a ponerse en marcha—. Volvamos al despacho.

—¿Por qué habrán dejado de seguirnos? —preguntó Clay, que habría creído cualquier explicación.

—No estoy seguro —contestó Rodney sin dejar de vigilar por el retrovisor exterior. Puede que alguien sienta curiosidad por nuestra presencia en Deliverance Camp. O tal vez se han dado cuenta de que los hemos visto. Será mejor que vigiles tu culo durante un tiempo.

—Esto sí que es bueno. Nunca me habían seguido.

—Reza para que no decidan echarte el guante.

Jermaine Vance compartía el despacho con otro abogado recién licenciado que en esos momentos estaba fuera, de modo que Clay pudo sentarse en la silla que había quedado libre. Luego, los dos compararon las notas de sus respectivos casos.

El cliente de Jermaine era un delincuente profesional de veinticuatro años llamado Washad Porter que, a diferencia de Tequila, acumulaba un largo y temible expediente de casos violentos. Como miembro de la banda más importante de Washington, Washad había resultado herido de gravedad en un par de ocasiones a resultas de enfrentamientos con grupos rivales. También había sido condenado una vez por intento de asesinato. Siete de sus veinticuatro años los había pasado entre rejas. Tampoco había demostrado especial interés en desintoxicarse: su único intento de rehabilitación había sido en la cárcel y había fracasado previsiblemente. Cuatro días antes del asesinato de Ramón Pumphrey había sido acusado de disparar contra dos personas. Una de ellas había fallecido en el acto, y la otra se hallaba al borde de la muerte.

Washad había pasado seis meses encerrado en Clean Streets, y había logrado sobrevivir al riguroso programa del centro. Jermaine había hablado con los especialistas de allí y su conversación se parecía a la que Clay había mantenido con Talmadge X: Washad se había desintoxicado, era un paciente modelo, gozaba de buena salud y su autoestima crecía de día en día. El único borrón se había producido al principio, cuando se escapó para ponerse ciego de crack. Sin embargo, regresó y suplicó que lo perdonaran. A partir de ahí, pasó los siguientes cuatro meses sin dar un solo problema.

Había salido de Clean Streets en abril, y al día siguiente disparó contra dos hombres con una pistola robada. Sus víctimas parecían haber sido elegidas al azar. El primero era un repartidor de verduras que hacía su trabajo cerca del hospital Walter Reed. Cruzaron unas palabras, unos empujones, y Washad le disparó cuatro balas a la cabeza antes de que lo vieran escapar corriendo. El repartidor seguía en coma. Una hora más tarde, a poca distancia del lugar, Washad gastó sus dos últimos proyectiles sobre un guapo traficante con quien había tenido una historia. Fueron los amigos de este quienes lo atraparon y, en lugar de cargárselo, lo entregaron a la policía.

Jermaine había hablado con Washad una vez, brevemente, en la sala del tribunal, durante su primera comparecencia.

—Lo negaba todo —explicó—. Tenía una expresión como aturdida y no dejaba de repetirme que no podía creer que hubiera disparado a alguien. Me insistía que ese era el Washad de antes, no el nuevo.

7

Clay solo recordaba haber llamado —o intentado llamar— a Excavadora Bennett una vez en los últimos cuatro años. El intento había acabado lamentablemente al no conseguir traspasar los distintos niveles de importancia que rodeaban al gran hombre. Al señor BVH le gustaba que la gente creyera que pasaba el día «en el tajo», que para él quería decir entre maquinaria de movimiento de tierras, desde donde pudiera dirigir los trabajos y oler de cerca el ilimitado potencial del norte de Virginia. En la mansión familiar había un montón de fotografías de Bennett «en el tajo», llevando su casco hecho a medida con sus iniciales grabadas, señalando en una dirección u otra mientras mandaba nivelar el terreno y construía más urbanizaciones y centros comerciales. Solía decir que estaba demasiado ocupado para entretenerse en conversaciones superficiales y aseguraba detestar los teléfonos, aunque siempre tenía cerca toda una colección, para poder dirigir el negocio.

La verdad era que Bennett jugaba mucho a golf y, según decía el padre de uno de los compañeros de universidad de Clay, jugaba mal. En más de una ocasión, Rebecca había dado a entender que su padre salía al campo del Potomac al menos cuatro veces por semana y que su sueño era ganar el campeonato del club.

El señor Van Horn era un hombre de acción que carecía de paciencia para pasarse la vida tras un escritorio. La pitbull que respondió «Grupo BVH, dígame» accedió a regañadientes a pasar a Clay con otra secretaria de mayor rango. «Desarrollo, dígame», espetó la segunda mujer, como si la empresa tuviera infinitos departamentos. Clay tardó casi cinco minutos en hablar con la secretaria personal de Bennett.

—Se encuentra fuera de la oficina —le dijo.

—¿Y cómo puedo hablar con él? —preguntó Clay.

—Está en el tajo.

—Sí. Ya lo supongo. ¿Cómo puedo hablar con él?

—Déjeme su número y le pasaré el mensaje junto con otros que tengo.

—¡Qué amable! Gracias —contestó Clay dándole el teléfono de su despacho.

Treinta minutos más tarde, Bennett le devolvió la llamada. Sonaba como si estuviera dentro de algún sitio, puede que el salón de cartas del Potomac Country Club, con un whisky doble en una mano y un cigarro en la otra, jugando una partida de rumi con los amigos.

—¡Clay! Me alegro de escucharte. ¿Cómo estás? —preguntó como si no se hubieran visto en meses.

—Bien, señor Van Horn, ¿y usted?

—Estupendamente. Me encantó la cena de anoche.

Clay no oyó el rugido de los motores diésel al fondo ni tampoco detonaciones de dinamita.

—Sí, claro. Fue muy agradable. Siempre es un placer —mintió Clay.

—¿Qué puedo hacer por ti, hijo?

—Bueno, lo cierto es que quería que supiera que le agradezco sinceramente el esfuerzo por conseguirme ese empleo en Richmond. La verdad es que no me lo esperaba, y fue muy amable por su parte que interviniera. —Hizo una pausa para armarse de valor—. Pero, para serle sincero, señor Van Horn, no me veo mudándome a Richmond en un futuro inmediato.

Siempre he vivido en Washington y es aquí donde me siento como en casa.

Clay tenía numerosas razones para rechazar la oferta de Bennett, pero la de quedarse en Washington no figuraba entre las primeras de la lista. El motivo principal era que Bennett van Horn no le planificara la existencia y evitar tener con él una deuda de por vida.

—No hablarás en serio —dijo Van Horn.

—Sí. Hablo totalmente en serio. Se lo agradezco, pero la respuesta es no, gracias.

Lo que menos deseaba Clay en esos momentos era tener que aguantar las tonterías de aquel payaso. El teléfono le pareció un invento maravilloso que ponía a todos al mismo nivel.

—Cometes un grave error, hijo —repuso Van Horn—. Me temo que no sabes ver la importancia de lo que se te ofrece.

—Puede que no, pero tampoco estoy muy seguro de que usted sepa verla.

—Eres muy orgulloso, Clay, y eso me gusta; pero también eres un ingenuo. Has de aprender que la vida es un juego de favores y que, cuando alguien intenta ayudarte, has de aceptar el favor. Quizá algún día se te presente la ocasión de devolverlo. Creo que te estás equivocando, Clay, y que es una equivocación que puede tener graves consecuencias.

—¿Qué clase de consecuencias?

—Consecuencias que podrían afectar negativamente a tu futuro.

—Quizá, pero se trata de mi futuro, no del suyo. Seré yo quien escoja mi próximo trabajo y el siguiente. Por el momento estoy bien donde estoy.

—¿Cómo te puede gustar pasarte todo el día defendiendo a delincuentes? La verdad es que no lo entiendo.

Aquella conversación no era ninguna novedad, y si seguían por aquel camino, la cosa se pondría muy fea enseguida.

—Creo que esa es una pregunta que ya he contestado anteriormente. Será mejor que lo dejemos así.

—Escucha, Clay, estamos hablando de un aumento de sueldo muy considerable. Más dinero y un trabajo mejor. Vas a pasar todo tu tiempo con gente de verdad y no con esa basura de la calle. ¡Despierta, chaval!

Se oían voces de fondo. Estuviera donde estuviese, Bennett actuaba ante su público. Clay apretó los dientes y dejó pasar lo de «chaval».

—Mire, señor Van Horn, no quiero discutir. Solo le he llamado para decirle que gracias pero no.

—Yo que tú lo pensaría mejor.

—Ya lo he pensado. Gracias pero no.

—Eres un perdedor, Clay. ¿Lo sabías? Hace tiempo que te conozco, y esto me lo confirma. Estás rechazando un trabajo muy prometedor por un puesto de mierda y un sueldo de hambre. ¡No tienes ambición, no tienes pelotas y no tienes visión de futuro!

—Anoche era más listo que el hambre y más trabajador que una mula.

—Lo retiro. Eres un perdedor.

—Y además era inteligente, bien educado y hasta guapo.

—¡Mentí! ¡Eres un jodido perdedor!

Clay fue el primero en colgar. Dejó el auricular con una sonrisa, bastante orgulloso de haber cabreado de ese modo al gran Bennett van Horn. Había aguantado el tipo y enviado un mensaje muy claro de que no estaba dispuesto a permitir que individuos como Bennett lo manejaran a su antojo.

Se ocuparía de Rebecca más tarde, aunque sabía que no resultaría agradable.

La tercera y última visita de Clay a Deliverance Camp fue más movida que las anteriores. Con Jermaine sentado en el asiento del pasajero y Rodney en el de atrás, siguió al coche de policía de Washington y ambos aparcaron nuevamente ante el edificio. Los dos polis, ambos negros y con cara de aburrimiento por tener que encargarse de un requerimiento judicial, lograron que les abrieran sin dificultad, y en un abrir y cerrar de ojos se vieron todos metidos en un tenso enfrentamiento con Talmadge X, Noland y otro consejero, un tipo exaltado llamado Samuel.

En parte porque era el único blanco, pero sobre todo porque era quien había solicitado el requerimiento, los tres asesores convirtieron a Clay en el objeto de sus iras. A Clay no podía importarle menos, entre otras razones porque no volvería a ver a ninguno de ellos.

—¡Pero si ya vio el expediente, hombre! —exclamó Noland.

—Vi el expediente que ustedes quisieron que viera —replicó Clay—. Ahora quiero el resto.

—Pero ¿de qué está hablando? —intervino Talmadge X.

—Quiero cualquier papel que lleve anotado el nombre de Tequila Watson.

—No puede hacer eso.

Clay se volvió hacia el agente que llevaba la orden.

—Por favor, ¿le importaría leer el requerimiento —le pidió.

El policía elevó el papel para que todos pudieran verlo bien y leyó en voz alta:

—«Todos los documentos y expedientes relativos al ingreso. Evaluación médica, tratamiento, eliminación de sustancias, asesoramiento en el abuso de las mismas, rehabilitación y alta de Tequila Watson. Por orden del excelentísimo F. Floyd Sackman, juez del Departamento Penal Superior de Washington.»

—¿Cuándo ha firmado eso? —preguntó Samuel.

—Hará unas tres horas.

—Le enseñamos todo lo que tenemos —dijo Noland volviéndose hacia Clay.

—Lo dudo mucho. Sé distinguir un expediente que ha sido retocado.

—Sí, demasiado limpio —dijo Jermaine, echando por fin una mano.

—Miren, no queremos pelearnos —dijo el policía más corpulento, dando a entender que un poco de bronca les vendría de perlas—. ¿Por dónde empezamos?

—Sus evaluaciones médicas son confidenciales —dijo Samuel—. Creo que se trata de un privilegio de la relación entre médico y paciente.

Como argumento estaba bien, pero no venía a cuenta.

—Los archivos del médico son confidenciales, en efecto —le explicó Clay—, pero los del paciente no. Por eso tengo una renuncia y la correspondiente autorización firmada por Tequila Watson para ver todos sus expedientes, incluidos los médicos.

Empezaron su labor en una habitación sin ventanas llena de archivadores. Al cabo de unos minutos, Talmadge X y Samuel se marcharon, y la tensión disminuyó. Los agentes acercaron unas sillas y aceptaron el café que les ofreció la recepcionista, que no hizo extensivo su ofrecimiento a ninguno de los miembros de la Oficina del Turno de Oficio.

Tras una hora husmeando, no encontraron nada de interés. Clay y Jermaine dejaron a Rodney para que prosiguiera la búsqueda. Tenían otros policías con los que reunirse.

La visita a Clean Streets fue muy parecida. Los dos abogados se acercaron a la recepción seguidos por dos agentes y obligaron a la directora a que saliera de una reunión. Mientras leía el requerimiento, la mujer dijo algo acerca de que conocía al juez Sackman y que hablaría con él. Se molestó mucho, pero el requerimiento hablaba por sí solo y en el mismo lenguaje: todos los expedientes y documentos relacionados con Washad Porter.

—Nada de esto era necesario —le dijo a Clay—. Siempre cooperamos con los abogados.

—Eso no es lo que he oído decir —intervino Jermaine.

Lo cierto era que Clean Streets tenía fama de rechazar cualquier petición de la OTO.

Cuando hubo acabado de leer el requerimiento por segunda vez, el policía dijo:

—Bueno, no vamos a pasarnos todo el día esperando, ¿verdad?

La directora los condujo a un amplio despacho y llamó a un ayudante para que sacara los expedientes.

—¿Cuándo piensan devolverlos? —preguntó.

—Cuando hayamos acabado con ellos —repuso Jermaine.

—¿Y quién los custodiará?

—La Oficina del Turno de Oficio. Bajo llave.

El romance había empezado en Abe's Place. Ese día, Rebecca estaba en un reservado, con dos amigas, cuando Clay pasó ante ella camino del servicio de caballeros. Sus miradas se cruzaron, y lo cierto fue que Clay incluso se detuvo un instante, sin saber qué hacer a continuación. Las amigas no tardaron en desaparecer, y él se libró de sus compañeros de copas. Se sentó con Rebecca en la barra y hablaron sin cesar durante un par de horas. La primera cita tuvo lugar la noche siguiente. El sexo llegó al cabo de una semana. Rebecca lo mantuvo alejado de sus padres durante un par de meses.

En esos momentos, cuatro años más tarde, la relación se había estancado, y los padres de Rebecca la presionaban para que lo dejara. Parecía adecuado poner punto final en Abe's Place.

Clay fue el primero en llegar y se quedó en la barra, en medio de un grupo de funcionarios que vaciaban sus copas mientras hablaban a gritos de los trascendentales asuntos a los que habían dedicado todo el día. Lo cierto era que Washington le encantaba, pero a veces también lo aborrecía. Le gustaba su historia, su energía y su importancia; pero despreciaba a los innumerables paniaguados que competían entre sí para ver quién era el más importante. La apasionada discusión que se desarrollaba junto a él versaba sobre la legislación aplicable al tratamiento de las aguas residuales en las llanuras del Medio Oeste.

Abe's Place no era más que un barucho situado estratégicamente cerca de la colina del Capitolio para aliviar al personal sediento que volvía a casa. Abundaban las mujeres atractivas y bien vestidas, algunas de ellas al acecho. Clay despertó unas cuantas miradas de interés.

Rebecca estaba apagada, decidida y distante. Se escabulleron a un reservado y pidieron algo fuerte para hacer frente a lo que se les venía encima. Él le preguntó algo sobre las sesiones del subcomité que, según el *Post*, acababan de empezar sin ninguna fanfarria. Llegaron las bebidas y entraron en materia.

—He hablado con mi padre —dijo ella.

—Yo también.

—¿Por qué no me dijiste que no ibas a aceptar ese trabajo de Richmond?

—¿Y tú por qué no me avisaste de que tu padre estaba moviendo los hilos para buscarme ese empleo?

—Tendrían que habérmelo dicho.

—Creí haberlo dejado claro.

—Contigo nunca hay nada claro.

Ambos tomaron un sorbo de sus copas.

—Tu padre me dijo que yo era un perdedor. ¿Es esa la opinión dominante en tu familia?

—Por el momento, sí.

—¿Y tú la compartes?

—Tengo mis dudas. Alguien tiene que ser realista, al fin y al cabo.

Su relación ya había sufrido una interrupción, aunque también se le podía llamar un pequeño fracaso. El año anterior habían decidido separarse temporalmente, seguir siendo amigos pero echar un vistazo alrededor, investigar un poco el terreno de juego por si hubiera alguien más por allí. La instigadora de la separación había sido Barb, porque, tal como Clay averiguó más tarde, un joven con mucho dinero del Potomac Country Club acababa de perder a su mujer por un cáncer de ovarios. Bennett era amigo íntimo de la familia, etc. Él y su Barb tendieron la trampa, pero el viudo se la olió. Tras un mes de sentir el aliento de la familia Van Horn en el cogote, el muchacho acabó comprándose una casa en Wyoming.

De todas maneras, lo que tenían entre manos en aquellos momentos era una ruptura mucho más seria, el final con casi total certeza. Clay tomó otro trago y se dijo que, pasara lo que pasase, no diría nada que pudiera herir a Rebecca. Ella podía golpear bajo si quería, pero él estaba decidido a no hacerlo.

—¿Tú qué quieres, Rebecca?

—No lo sé.

—Sí lo sabes. ¿Me quieres fuera de tu vida?

—Me parece que sí. —Al decirlo, los ojos se le llenaron de lágrimas.

—¿Hay otro?

—No.

Todavía no, en cualquier caso. Ya se encargarían Bennett y Barb de eso.

—Es solo que no estamos yendo a ninguna parte, Clay —dijo Rebecca—. Eres inteligente y tienes talento, pero careces de ambición.

—Caramba, me alegro de saber que he vuelto a ser inteligente y a tener talento. Hace unas horas era un perdedor.

—¿Te estás haciendo el gracioso?

—¿Por qué no, Rebecca? ¿Por qué no nos lo tomamos a risa? Se ha acabado, aceptémoslo. Nos queremos, pero yo soy un perdedor que no va a ninguna parte. Ese es tu problema. El mío son tus padres, que se comerán con patatas al infeliz que se case contigo.

—¿«El infeliz que se case conmigo»? —Las lágrimas habían sido sustituidas por chispas.

—No te enfades.

—¿«El infeliz que se case conmigo», has dicho?

—Mira, te hago un ofrecimiento: casémonos ahora mismo. Dejamos nuestros trabajos inmediatamente, celebramos una boda rápida, sin que haya nadie presente, vendemos todo lo que tenemos y nos largamos, a Seattle o a Portland, por ejemplo; a algún lugar lejos de aquí, y durante un tiempo vivimos de nuestro amor.

—¿No quieres ir a Richmond pero estás dispuesto a mudarte a Seattle?

—Richmond está demasiado cerca de tus padres, ¿vale?

—¿Y luego qué?

—Luego buscamos cada uno un trabajo.

—¿Qué clase de trabajo? ¿Acaso hay escasez de abogados en el oeste?

—Te estás olvidando de algo. ¿Recuerdas anoche? Soy más listo que el hambre y más trabajador que una mula, tengo talento y hasta soy guapo. Los grandes bufetes se pelearán por mis servicios. En un par de años me habré convertido en socio de alguno y tendremos niños.

—Entonces vendrán mis padres.

—No, porque no les diremos dónde estamos. Y si nos encuentran nos cambiaremos el nombre y huiremos a Canadá.

Llegó otra ronda de bebidas y ambos se apresuraron a apartar las anteriores.

Aquel paréntesis de buen humor pasó rápidamente. Pero les recordó por qué se querían y lo bien que lo pasaban juntos. Habían compartido más risas que tristeza, pero eso era algo que estaba cambiando: cada vez reían menos y tenían más broncas absurdas. Más influencia de la familia de Rebecca.

—No me gusta la costa Oeste —dijo ella al fin.

—Entonces elige tú el sitio —contestó Clay, poniendo punto final a la aventura.

En realidad, el sitio ya lo habían elegido otros por ella, y no estaba muy lejos de papá y mamá.

Fuera lo que fuese lo que Rebecca había pensado decir en aquella reunión, había llegado el momento de ponerlo sobre la mesa. Tomó un largo trago, se inclinó hacia delante y lo miró a los ojos.

—Clay, necesito una tregua.

—No te compliques la vida, Rebecca. Haremos lo que tú decidas.

—Te lo agradezco.

—Una tregua, dices. ¿Cómo de larga?

—No tengo intención de negociarla, Clay.

—Está bien. ¿Un mes?

—Más que eso.

—Mira, no estoy de acuerdo. ¿Por qué no dejamos pasar treinta días sin llamarnos? Hoy es siete de mayo. Volvamos a vernos aquí, en este mismo sitio, el seis de junio, y volveremos a hablar de una prórroga.

—¿Una prórroga?

—Llámalo como quieras.

—Gracias, Clay. Prefiero llamarlo una ruptura, el big-bang, la diáspora. Tú sigues tu camino y yo el mío. Si quieres, nos hablamos dentro de un mes, pero no creo que las cosas hayan cambiado. No lo han hecho durante el último año.

—¿Estarías cortando conmigo si hubiera aceptado ese horrible trabajo de Richmond?

—Seguramente no.

—¿Significa eso algo más que no?

—No.

—Así pues, todo fue un montaje, ¿verdad? El trabajo, el ultimátum. Lo de anoche fue lo que me temía que fuera: una emboscada. «Acepta este trabajo, muchacho, o de lo contrario...»

Rebecca no hizo ningún esfuerzo por negarlo.

—Mira, Clay, estoy cansada de discutir, ¿vale? Será mejor que no vuelvas a llamarme en un mes.

Cogió el bolso y se puso en pie. Al salir del reservado se las arregló para depositar un beso de cortesía en la sien de Clay, pero él hizo como si no se hubiera dado cuenta. No la vio alejarse. Y Rebecca tampoco se volvió para mirar.

8

El apartamento de Clay se hallaba en un vetusto conjunto residencial de Arlington. Cuando lo había alquilado, y de eso hacía cuatro años, todavía no había oído hablar del BVH Group. Más tarde se enteró de que la empresa de Bennett lo había construido a comienzos de los ochenta, en una de sus primeras iniciativas. El proyecto acabó quebrando, el conjunto cambió de propietario varias veces y ni uno solo de los alquileres de Clay fue a parar a los bolsillos de Van Horn. De hecho, ningún miembro de la familia sabía que Clay vivía en un sitio construido por ellos. Ni siquiera Rebecca.

Compartía una vivienda de dos dormitorios con Jonah, un antiguo compañero de la facultad de derecho que había suspendido cuatro veces el examen de ingreso del Colegio de Abogados antes de conseguir aprobarlo y que, en esos momentos, se dedicaba a vender ordenadores. Trabajaba a tiempo parcial y aun así ganaba más dinero que Clay, circunstancia que siempre estaba en un segundo plano entre ellos.

La mañana siguiente a su ruptura con Rebecca, Clay recogió el *Post* del rellano y se sentó a la mesa de la cocina con la primera taza de café del día. Como de costumbre, abrió el periódico directamente por la sección de finanzas para una rápida comprobación de la lamentable cotización del BVHG. Las acciones apenas circulaban y los pocos y despistados inversores que las poseían estaban dispuestos a desprenderse de ellas a cambio de unos miserables 0,75 dólares.

¿Quién era entonces el perdedor?

El diario no decía una palabra de las sesiones del crucial subcomité de Rebecca.

Cuando hubo acabado con su pequeña caza de brujas, pasó a la sección de deportes mientras se decía que había llegado el momento de olvidarse de los Van Horn. De todos ellos.

A las siete y veinte, una hora a la que normalmente estaba tomándose un cuenco de cereales, sonó el teléfono. Sonrió y pensó: Es ella, que vuelve.

Nadie más podía llamar tan temprano, nadie salvo el novio o el marido de la mujer que estuviera en el piso de arriba, durmiendo la resaca en brazos de Jonah. A lo largo de los años, Clay había recogido varias llamadas de esa clase. Jonah adoraba a las mujeres, especialmente a las que estaban con alguien. Según decía, planteaban un reto más interesante.

Pero no era Rebecca, ni tampoco un novio o un marido.

—Con el señor Clay Carter, por favor —dijo una voz desconocida.

—Yo mismo.

—Buenos días, señor Carter. Me llamo Max Pace. Soy un cazatalentos que trabaja para distintos bufetes de Washington y Nueva York, y su nombre nos ha llamado la atención. Tengo un par de ofertas muy interesantes que pueden ser de su agrado. ¿Le parece bien si almorzamos hoy?

Clay se quedó sin habla. Más tarde, en la ducha, recordaría que la idea de una agradable comida había sido, curiosamente, la primera que se le había pasado por la cabeza.

—Sí, claro —consiguió articular.

Los cazadores de talentos formaban parte del mundo de la abogacía tanto como de cualquier otra profesión. Sin embargo, no solían dedicar su tiempo a pescar a sus presas en la OTO.

—Bien. Nos reuniremos en el vestíbulo del hotel Willard. ¿Le parece bien a las doce?

—A las doce me va bien —contestó Clay, mirando fijamente una pila de platos sucios que se amontonaba en el fregadero. Sí, era real. No estaba soñando.

—Gracias, allí nos veremos, señor Carter. Le prometo que el tiempo empleado valdrá la pena.

—Sí, claro.

Max Pace colgó rápidamente. Por un momento, Clay se quedó con el auricular en la mano, mirando los platos sucios mientras se preguntaba cuál de sus viejos compañeros de la universidad le estaría gastando aquella broma pesada. ¿Y si se trataba de Excavadora Bennett, en su último acto de venganza?

No había pedido el número de teléfono de Max Pace, ni siquiera había tenido la presencia de ánimo de preguntarle por el nombre de su empresa.

Y tampoco tenía un traje nuevo. Solo tenía dos, ambos de color gris, uno fino y otro grueso, ambos viejos y gastados. Constituían todo su guardarropa para los días de juicio. Por suerte, en la OTO no tenían un código de vestimenta, de modo que Clay solía llevar pantalón caqui y americana azul marino. Si tenía que aparecer por los juzgados, se ponía una corbata que se quitaba tan pronto regresaba a su oficina.

Mientras se duchaba decidió que su atuendo no importaba. Max Pace sabía dónde trabajaba y debía de tener una idea aproximada de lo que ganaba. Si se presentaba a la entrevista con un pantalón arrugado, seguramente podría pedir un sueldo mejor.

Parado en medio de un embotellamiento en el puente de Arlington, pensó que podía tratarse de una broma de su padre. El viejo había sido excluido de Washington, pero seguía teniendo contactos. Estaba claro que por fin se había decidido a tirar de los hilos oportunos para pedir un último favor y había conseguido un empleo decente para su hijo. Cuando la rutilante trayectoria profesional de Jarrett Carter había concluido con una larga y espectacular llamarada, este lo había empujado hacia la OTO; pero el aprendizaje había concluido, y llegaba el momento de tener un trabajo de verdad.

¿Qué clase de bufetes estarían interesados en él? El misterio le intrigaba. Su padre siempre había odiado las grandes corporaciones jurídicas y las organizaciones de presión que ocupaban las avenidas Connecticut y Massachusetts, no perdía el tiempo con los despachos de tres al cuarto que se anunciaban en los autobuses y los diarios y que colapsaban el sistema con casos frívolos. El bufete de Jarrett había contado con diez abogados, diez sabuesos de los tribunales que ganaban casos y estaban muy solicitados.

—Allá voy —murmuró Clay para sus adentros, contemplando el río Potomac, que fluía bajo sus pies.

Tras soportar una de las mañanas más improductivas de su carrera, Clay salió de su despacho a las once y media y se tomó su tiempo para conducir hasta el Willard, conocido en esos momentos como el Willard Inter-Continental Hotel. Nada más entrar en el vestíbulo fue recibido por un fornido joven que le pareció vagamente familiar.

—El señor Pace está arriba —explicó—. Le gustaría que se reunieran allí, si no tiene inconveniente.

—Claro que no —repuso Clay mientras se dirigían a los ascensores y se preguntaba cómo lo habían reconocido tan fácilmente.

Ninguno de los dos dijo una palabra durante el ascenso. Bajaron en la novena planta, y la escolta de Clay llamó a la puerta de la suite Theodore Roosevelt. Max Pace abrió enseguida y recibió a Clay con una sonrisa profesional. Era un hombre de unos cuarenta años, con abundante cabello negro y ondulado, bigote igualmente negro, y negro también todo lo demás: los vaqueros, la camiseta de marca y las botas de punta. Hollywood en el Willard. En cualquier caso, no tenía el aspecto de ejecutivo que Clay había esperado encontrar. Cuando se estrecharon la mano intuyó que las cosas no eran lo que parecían.

El guardaespaldas fue despachado con una rápida mirada.

—Gracias por venir —dijo Max mientras caminaban por un salón ovalado rebosante de mármol.

—Faltaría más —dijo Clay, mientras contemplaba la suite, llena de brocados y lujosas tapicerías de piel, que daba a varias habitaciones—. Bonito sitio.

—Es mía durante unos días más. Pensé que podríamos pedir algo al servicio de habitaciones y comer aquí. De ese modo podremos hablar con total privacidad.

—Por mí no hay inconveniente. —Una pregunta entre muchas acudió a su mente: ¿Por qué un cazatalentos de Washington alquilaba una carísima suite de hotel? ¿Cómo era que no tenía una oficina en los alrededores? ¿De verdad necesitaba un guardaespaldas?

—¿Le apetece algo concreto para comer?

—Soy de gustos fáciles.

—Aquí preparan unos estupendos *capellini* con salmón. Ayer los probé. Deliciosos.

—Pues los probaré. —En aquellos momentos, Clay habría probado cualquier cosa. Estaba hambriento.

Max se dirigió al teléfono mientras Clay admiraba las vistas sobre la avenida Pennsylvania, que se desplegaba a sus pies. Cuando hubieron encargado el almuerzo, se sentaron junto a la ventana y dejaron de hablar del tiempo, de la última racha de malos resultados de los Orioles y de la pésima situación de la economía. Pace era un buen conversador y parecía encontrarse a sus anchas charlando de cualquier cosa tanto tiempo como a Clay le apeteciera. Saltaba a la vista que le gustaba hacer ejercicios con pesas y que los demás lo supieran. La camiseta se le ceñía al pecho y a los brazos; y cada vez que se acariciaba el bigote, sus bíceps se contraían e hinchaban.

Puede que fuera un especialista de los que rodaban escenas peligrosas para el cine. Pero desde luego no era un cazatalentos que trabajaba para los bufetes de primera división.

Al cabo de diez minutos de conversación, Clay preguntó.

—¿Por qué no me cuenta algo de esos dos bufetes de los que me habló?

—Porque no existen —contestó Max—. Lo reconozco. Le mentí, pero le prometo que ha sido la primera y la última vez. No volveré a hacerlo.

—Usted no es ningún cazatalentos, ¿verdad?

—No.

—Entonces ¿qué es?

—Bombero.

—Gracias, esto lo aclara todo.

—Permítame que le cuente. Tengo que explicarle algunas cosas. Cuando haya acabado, le aseguro que quedará complacido.

—Le sugiero que hable deprisa, Max. De lo contrario me largaré de aquí ahora mismo.

—Relájese, señor Carter. ¿Puedo llamarte Clay?

—Todavía no.

—Muy bien. En realidad trabajo por cuenta propia en cierto campo especializado. Las grandes compañías me contratan para que apague fuegos. Ellos meten la pata y se dan cuenta de sus errores antes que los abogados, de manera que me contratan para que me haga cargo discretamente de la situación, recoja los platos rotos y, con un poco de suerte, les ahorre un montón de dinero. Mis servicios están muy solicitados. Mi nombre puede ser Max Pace o cualquier otro. No importa. Quién soy y de dónde vengo son cuestiones que carecen de importancia. Lo relevante en estos momentos es que he sido contratado por una gran compañía para apagar un fuego. ¿Alguna pregunta?

—Demasiadas para plantearlas ahora.

—No se impaciente. No puedo decirle el nombre de mi

cliente en estos momentos, y puede que nunca, pero si llegamos a un acuerdo, podré decirle mucho más. La historia es la siguiente: Mi cliente es una multinacional farmacéutica cuyo nombre reconocerá fácilmente. Fabrica todo tipo de productos, desde medicamentos de uso corriente que usted sin duda tiene en el botiquín de su casa hasta otros más complejos y especializados para combatir, por ejemplo, el cáncer o la obesidad. Se trata de una empresa de primera fila, con gran tradición, un elevado índice de rentabilidad y una reputación inmejorable. Hará unos dos años, descubrió un medicamento capaz de curar la adicción a las drogas derivadas del opio y de la cocaína; un medicamento mucho más avanzado que la metadona, la cual, si bien ayuda a muchos adictos, también crea adicción. Supongamos que este nuevo y maravilloso descubrimiento se llama Tarvan. En realidad, ese fue su nombre durante un tiempo. Lo descubrieron por casualidad, y enseguida lo probaron con todo tipo de animales de laboratorio. Los resultados fueron formidables, pero está claro que no resulta fácil reproducir la adicción al crack en unas cuantas ratas.

—Necesitaban personas —intervino Clay.

Pace se acarició el bigote haciendo destacar sus músculos.

—Sí. El potencial del Tarvan fue suficiente para quitar el sueño a los peces gordos de la compañía. Imagíneselo: se toma una píldora al día durante noventa días, y queda completamente limpio. Así de fácil. Cuando uno se ha desintoxicado, sigue tomando una pastilla día sí día no y queda limpio de por vida. Una cura prácticamente instantánea para millones de adictos. Piense en los beneficios. Podría venderla al precio que quisiera porque la gente pagaría gustosa. Piense en las vidas que se salvarían, en los crímenes que dejarían de cometerse, en las familias que seguirían unidas, en los millones que se ahorrarían en inútiles intentos de rehabilitación. Cuanto más pensaban los peces gordos en lo fantástico que iba a ser el Tarvan, más rápidamente querían ponerlo en el mercado. Sin embargo, como bien ha dicho usted, necesitaban cobayas humanas.

Pace hizo una pausa. Un sorbo de café. La camiseta estremeciéndose con la musculatura. Continuó:

—Así pues, empezaron a cometer errores. Escogieron tres sitios: ciudad de México, Singapur y Belgrado. Lugares lejos de la jurisdicción de la FDA.* Bajo la cobertura de cierta organización benéfica internacional, pusieron en marcha clínicas de rehabilitación, estupendas instalaciones cerradas donde los adictos podían ser controlados de cerca. Recogieron los peores yonquis que encontraron, los casos más desesperados, y empezaron a desintoxicarlos con Tarvan. Los adictos no tenían ni idea de lo que les daban, pero tampoco les importaba: era gratis.

—Laboratorios humanos —dijo Clay. La historia resultaba fascinante. Pace tenía talento para la narración.

—Ni más ni menos que laboratorios humanos, lejos del sistema de indemnizaciones por daños estadounidense, lejos de la prensa de este país, lejos de su sistema normativo y regulador. Y la droga funcionó espectacularmente. Al cabo de un mes, anulaba cualquier dependencia. Al cabo de dos meses, los adictos parecían encantados de estar limpios. Al cabo de noventa días, no tenían miedo de regresar a las calles. Todo era controlado: dieta, ejercicio, terapia; incluso las conversaciones. Mi cliente contaba prácticamente con un empleado por paciente, y esas clínicas disponían de un centenar de camas. A los tres meses, los pacientes eran dados de alta con el compromiso de que seguirían pasando por las clínicas, día sí día no, para seguir recibiendo su medicación de Tarvan. El noventa por ciento siguió con el medicamento y siguió lim-

---

* Food and Drug Administration. Organismo federal del gobierno de Estados Unidos encargado de la supervisión de los asuntos relacionados con la sanidad pública y en concreto de que los medicamentos lleguen al mercado con las debidas garantías. *(N. del T.)*

pio. ¡Noventa por ciento! Solo un dos por ciento volvió a caer en la adicción.

—¿Y el ocho por ciento restante?

—Ese ocho por ciento se convirtió en el problema, pero mi cliente no sabía por aquel entonces lo grave que sería. Fuera como fuese, las clínicas siguieron funcionando a pleno rendimiento. A los largo de dieciocho meses, un millar de drogadictos fueron tratados con Tarvan. Los resultados se salían de los gráficos. Mi cliente ya se olía los millones que ganarían en beneficios. Además, no había competencia a la vista. Ninguna otra compañía estaba investigando de verdad en el campo de la antiadicción. La mayor parte de los laboratorios farmacéuticos lo habían abandonado hacía tiempo.

—¿Y el siguiente error?

Pace calló unos segundos.

—Hubo tantos...

Sonó el timbre. El almuerzo había llegado. Un camarero entró empujando un carrito y pasó unos minutos montando la mesa. Clay permaneció junto a la ventana, contemplando la punta del monumento a Washington, pero demasiado absorto en sus pensamientos para verla de verdad. Max dio una propina al camarero y se aseguró de que se marchara.

—¿Tiene hambre? —preguntó.

—No, gracias —contestó Clay, quitándose la chaqueta y sentándose en un sillón—. Siga hablando. Me parece que está llegando a la parte mejor.

—A la mejor, a la peor. Depende de cómo se mire. El siguiente error consistió en organizar el montaje aquí. Fue entonces cuando las cosas empezaron a ponerse realmente feas. Mi cliente había buscado por todo el mundo y elegido cada centro en función de las etnias: uno para los caucásicos, otro para los hispanos y otro para los asiáticos. Los siguientes que hacían falta eran los africanos.

—De esos tenemos cantidad en Washington.

—Eso mismo pensó mi cliente.

—No puede ser. Me está usted mintiendo. Dígame que me está mintiendo.

—Le he dicho que le he mentido una vez y que prometía que no volvería a hacerlo, señor Carter.

Clay se puso en pie lentamente y caminó de nuevo hacia la ventana. Max lo observó atentamente. La comida se estaba enfriando, pero a ninguno de los dos parecía importarle. El tiempo había quedado suspendido.

Clay se dio la vuelta.

—Tequila, ¿verdad?

Max asintió.

—Sí.

—Y también Washad Porter, ¿no?

—También.

Pasó un minuto. Clay se cruzó de brazos y se apoyó en la pared, mirando a Max, que se atusaba el bigote.

—Siga —le pidió.

—En alrededor de un ocho por ciento de los pacientes tratados con Tarvan algo sale mal —explicó Pace—. Mi cliente no tiene la menor idea de quién ni por qué puede hallarse en riesgo, pero lo cierto es que el medicamento impulsa a ese ocho por ciento a matar. Así de simple y así de claro. Al cabo de unos cien días, se les enciende algo en el cerebro y sienten el irresistible impulso de derramar sangre. Poco importa que no tengan un historial de violencia. Ni la raza, ni el sexo ni la edad diferencian al porcentaje asesino.

—Eso significa que hay unas ochenta personas muertas.

—Como mínimo. De todas maneras, resulta difícil obtener datos fiables en los barrios marginales de Ciudad de México.

—¿Y cuántos ha habido aquí, en Washington?

Fue la primera pregunta que hizo que Max se inquietara. Eludió contestarla.

—Le contestaré a eso dentro de un momento. Deje primero que acabe de contarle la historia. ¿Le importa sentarse? No me gusta tener que levantar la vista mientras hablo.

Clay tomó asiento.

—El siguiente error fue querer soslayar la FDA.

—Desde luego.

—Mi cliente tiene un montón de amigos influyentes en esta ciudad. Es un viejo zorro a la hora de comprar políticos mediante dinero canalizado a través de comités de apoyo, de contratar a sus esposas, amantes y antiguos colaboradores. En fin, la clase de basura que mueve el dinero. El caso es que llegó a un acuerdo en el que estaban peces gordos de la Casa Blanca, el departamento de Estado, la DEA, el FBI y no sé cuantas agencias, ninguna de la cuales puso nada por escrito. Ningún dinero cambió de manos. Nada de sobornos. Mi cliente hizo un buen trabajo convenciendo a la gente necesaria de que el Tarvan sería capaz de salvar el mundo si podían probarlo en un laboratorio más. Dado que la FDA podía tardar de dos a tres años en dar su aprobación, y puesto que no tiene demasiados amigos en la Casa Blanca, se llegó a un acuerdo. Esos capitostes, altisonantes nombres que han desaparecido para siempre, encontraron la forma de introducir el Tarvan en unas cuantas clínicas selectas de desintoxicación de Washington. Si la cosa funcionaba, entonces los peces gordos y la Casa Blanca presionarían para conseguir una rápida aprobación por parte de la FDA.

—¿Cuando se llegó a ese acuerdo, su cliente estaba al corriente de los problemas con el ocho por ciento?

—No lo sé. Mis clientes no me lo cuentan absolutamente todo. Nunca lo hacen. Yo tampoco hago demasiadas preguntas. Mi tarea es otra. De todas maneras, sospecho que mi cliente no lo sabía. De otro modo, el riesgo de experimentar aquí habría sido demasiado grande. Todo esto ha ocurrido muy deprisa, señor Carter.

—Puedes llamarme Clay a partir de ahora.

—Gracias, Clay.

—De nada.

—He dicho que no se pagaron sobornos y repito que eso

es lo que me ha dicho mi cliente. Pero seamos realistas. La previsión de beneficios derivados del Tarvan para los próximos diez años era de treinta mil millones de dólares. Y hablo de beneficios, no de facturación. El cálculo inicial en ahorro de impuestos gracias al medicamento rondaba los cien mil millones para un período equivalente. Con semejantes magnitudes, lo normal es que algún dinero cambiara de manos a lo largo del tiempo.

—Pero todo esto es historia pasada, ¿no?

—Oh, sí. El medicamento fue retirado hace seis días. Las estupendas clínicas de México, Singapur y Belgrado cerraron disimuladamente; lo mismo que sus especialistas, que desaparecieron igual que fantasmas. Todos los experimentos han caído en el olvido. Los informes han pasado por la trituradora. Mi cliente nunca ha oído hablar del Tarvan. Nos gustaría que las cosas siguieran igual.

—Me da en la nariz que yo aparezco en escena a partir de este momento.

—Solo si lo deseas. Si no aceptas, estoy listo para ponerme en contacto con otro abogado.

—Si no acepto ¿qué?

—El trato, Clay. El trato. Hasta el momento tenemos cinco personas que han sido asesinadas en Washington por adictos que tomaban Tarvan. Además hay otro infeliz que está en coma y que difícilmente sobrevivirá, la primera víctima de Washad. En total suman seis. Sabemos quiénes son y sabemos quiénes los asesinaron; lo sabemos todo. Queremos que te encargues de representar a sus familias. Tú las convences para que te contraten como su abogado, nosotros pagamos el dinero y todo acaba limpia y discretamente, sin juicios, sin publicidad, sin el menor borrón en ninguna parte.

—¿Y por qué iban a querer contratarme como su abogado?

—Porque no saben que tienen un caso entre manos, que

pueden presentar una demanda. Creen que sus seres queridos fueron las víctimas de un acto fortuito de violencia callejera, una violencia que en esta ciudad se ha convertido en algo cotidiano. A tu hijo lo mata un yonqui medio colgado, lo entierras, la policía detiene al asesino, este es juzgado y tú esperas que se pase en la cárcel el resto de la vida, pero no piensas nunca en presentar una querella. ¿A quién se le ocurre demandar a un yonqui de la calle? Ni siquiera al más hambriento de los abogados se le ocurriría aceptar un caso así. No, esas familias te contratarán porque irás a verlas y les explicarás que pueden presentar una demanda y que estás en posición de conseguirles cuatro millones de dólares mediante un acuerdo muy rápido y muy confidencial.

—Cuatro millones de dólares —repitió Clay, sin saber si se trataba de mucho dinero o de muy poco.

—Este es el riesgo que corremos nosotros, Clay. Si algún abogado descubre el Tarvan, y a decir verdad tú eres el primero que se ha olido algo, entonces podría haber un juicio de los gordos. Supongamos que el abogado en cuestión es un lince y que consigue reunir un jurado completamente negro, aquí, en Washington.

—No sería difícil.

—Claro que no lo sería. Y supongamos que ese abogado consigue las pruebas oportunas, quizá un documento que no ha ido a parar a la trituradora, o lo que es más probable: el testimonio de alguien que haya trabajado para mi cliente, un chivato. El veredicto podría resultar demoledor y, peor aun desde el punto de vista de mi cliente, la publicidad negativa tendría consecuencias catastróficas para él. El valor de sus acciones podría desplomarse. Puedes imaginarlo fácilmente, Clay, y mi cliente también. Hizo algo malo. Lo sabe y quiere remediarlo, pero también intenta minimizar los daños.

—Cuatro millones son una ganga.

—Sí y no. Piensa en Ramón Pumphrey. Veintidós años, trabajando media jornada y ganando seis mil dólares al año.

Con una expectativa normal de vida de unos cincuenta y tres años más, y suponiéndole unas ganancias anuales del doble del salario mínimo, el valor económico de su vida expresado en dólares de hoy es de medio millón. Eso es lo que vale.

—Sería fácil exigir una indemnización por daños y perjuicios.

—Depende. Una cuestión así no sería nada fácil de demostrar porque no hay papeles ni documentos. Los expedientes que te llevaste ayer de Deliverance Camp y de Clean Streets no revelarán nada. Los consejeros y los especialistas de esos centros no sabían qué clase de medicamento estaban administrando. La FDA nunca ha oído hablar del Tarvan. Mi cliente se gastaría lo que hiciera falta en abogados, expertos y en quien hiciera falta para protegerse. ¡El juicio se convertiría en una verdadera guerra porque mi cliente es muy culpable!

—Cuatro millones por seis suman veinticuatro.

—A los que hay que añadir diez para el abogado.

—¿Diez millones?

—Ese es el trato, Clay. Diez millones para ti.

—Debes de estar bromeando.

—No puedo hablar más en serio. En total, treinta y cuatro millones. Y puedo extender los cheques ahora mismo.

—Necesito ir a dar un paseo.

—¿Qué hay del almuerzo?

—No tengo hambre, gracias.

9

Clay dio un paseo por delante de la Casa Blanca y se perdió un rato entre un grupo de turistas holandeses que tomaban fotos y esperaban que el presidente se asomara a la ventana para saludarlos. Luego caminó por el parque Lafayette, donde no se veía un solo mendigo durante el día, y acabó en un banco de Farragut Square comiéndose un sándwich frío que no sabía a nada. Tenía los sentidos embotados; sus pensamientos eran lentos y confusos. A pesar de ser mayo, el cielo no estaba despejado, y la humedad tampoco le ayudaba a pensar claramente.

Vio doce rostros negros sentados en el banco del jurado, doce individuos muy enfadados que llevaban una semana escuchando la increíble historia del Tarvan. Y a ellos se dirigía en sus alegaciones finales: «Necesitaban ratas de laboratorio negras, damas y caballeros, preferiblemente norteamericanas, porque aquí es donde hay dinero que ganar. Así pues, trajeron su milagroso Tarvan a esta ciudad». Los doce rostros asimilaban cada palabra y asentían, impacientes por poder retirarse a deliberar y dispensar justicia.

¿Cuál había sido la sentencia más tremenda de la historia? ¿Había constancia de ella en el *Libro Guinness de los récords*? Fuera cual fuese, no tenía más que pedirla. «Sencillamente llenen los espacios en blanco, damas y caballeros del jurado.»

Aquel caso nunca llegaría a los tribunales. Ningún jurado sabría de él jamás. Fuera quien fuese el fabricante del Tarvan, tendría que gastarse muchísimo más que 34 millones para enterrar la verdad. Y de paso contrataría a unos cuantos gorilas para que fueran rompiendo piernas, robaran los documentos que hicieran falta, pincharan teléfonos, arrasaran despachos e hicieran lo necesario con tal de mantener su secreto lejos del alcance de aquellos doce enfurecidos rostros.

Pensó en Rebecca. ¡Qué diferente sería envuelta en el lujo de su dinero! ¡Con qué rapidez abandonaría los dolores de cabeza de la colina del Capitolio para entregarse a una vida de maternidad! No tardaría ni tres meses en casarse con él. Tres meses o el tiempo que Barb tardara en organizar la boda.

Pensó en los Van Horn, pero curiosamente no como gente a la que aún conocía. Estaban fuera de su vida, y él intentaba olvidarlos. Tras cuatro años de servidumbre, se había librado de ellos. Nunca más volverían a atormentarlo.

Estaba a punto de librarse de un montón de cosas.

Transcurrió una hora y se encontró en DuPont Circle, contemplando los escaparates de las pequeñas tiendas que daban a la avenida Massachusetts. Libros caros, platos caros, vestidos caros. Gente cara por todas partes. En uno de ellos había un espejo, y se miró en él, directamente a los ojos, mientras se preguntaba en voz alta si Max «el bombero» era de verdad o un fantasma, un fraude. Siguió caminando por la acera, aturdido solo de pensar que una empresa respetable fuera capaz de aprovecharse de los seres más indefensos del mundo; y al momento siguiente, arrebatado ante la idea de tener más dinero del que había soñado en su vida. Tenía que hablar con su padre. Jarrett Carter sabría exactamente qué hacer.

Pasó otra hora. En la oficina lo esperaban para una de tantas reuniones semanales.

—Despedidme —dijo en voz baja con una sonrisa.

Estuvo un rato curioseando en Kramerbooks, su librería favorita de Washington. Quizá no tardaría en pasar de la sección de libros de bolsillo a la de tapas duras. Podría llenar sus nuevas paredes con tantos volúmenes como quisiera.

Exactamente a las tres de la tarde, entró en la cafetería de Kramer. Allí estaba Max Pace, tomándose una limonada mientras lo esperaba. Pareció alegrarse de ver nuevamente a Clay.

—¿Me has seguido? —preguntó este, sentándose con las manos en los bolsillos.

—Desde luego. ¿Quieres tomar algo?

—No, gracias. ¿Qué pasaría si mañana a primera hora presentara una demanda en nombre de la familia Pumphrey? Solo ese caso podría valer mucho más de lo que me ofreces por los seis.

La pregunta había sido prevista porque Max tenía la respuesta preparada.

—Pues pasaría que te encontrarías con una larga lista de problemas. Deja que te mencione los tres primeros: primero, no sabes a quién demandar, no sabes quién fabricó el Tarvan y no es probable que consigas averiguarlo; segundo, no tienes dinero suficiente para pleitear con mi cliente, necesitarías al menos diez millones de dólares para montar una demanda con posibilidades de éxito; tercero, perderías la oportunidad de representar a los seis demandantes a la vez. Si no me dices que sí enseguida, estoy dispuesto a pasar a mi siguiente abogado de la lista con la misma oferta. Mi objetivo es tener este asunto resuelto en un mes.

—Podría ponerme en contacto con un gran bufete especializado en ese tipo de demandas.

—Desde luego, pero eso te ocasionaría aun más problemas: primero, deberías renunciar al menos a la mitad de tus honorarios; segundo, el asunto tardaría al menos cinco años en resolverse; tercero, es probable que hasta el bufete más importante perdiera el caso. Este es un asunto del que quizá nunca llegue a saberse la verdad, Clay.

—Pues debería.

—Quizá, pero me da lo mismo. Mi trabajo consiste en silenciar el asunto, compensar adecuadamente a las víctimas y enterrar el problema para siempre. No seas tonto, amigo mío.

—No somos amigos.

—Es verdad, pero estamos mejorando.

—¿Tienes una lista de abogados?

—Sí. Cuento con dos nombres más. Los dos muy parecidos a ti.

—En otras palabras, hambrientos.

—Sí, estás hambriento; pero también eres brillante.

—Eso me han dicho, y también que tengo anchas espaldas. ¿Los otros dos son de esta ciudad?

—Sí, pero olvidémonos de ellos. Hoy es jueves. Quiero una respuesta antes del lunes a mediodía; de lo contrario, me pondré en contacto con el siguiente de la lista.

—¿Tu cliente experimentó con el Tarvan en alguna otra ciudad del país?

—No. Solo aquí.

—¿Y cuánta gente fue tratada con el medicamento?

—Un centenar, más o menos.

Clay tomó un sorbo del vaso de agua con hielo que un camarero le había llevado.

—Eso quiere decir que andan sueltos unos cuantos asesinos más, ¿no?

—Seguramente. No hará falta que diga que seguimos observando y esperando con la mayor preocupación.

—¿Y no hay forma de detenerlos?

—¿Detener el crimen en esta ciudad? Nadie podía predecir que Tequila Watson saldría de Deliverance Camp y a las dos horas habría matado a una persona. Ni tampoco Washad Porter. El Tarvan no da ningún indicio de a quién puede afectar ni cuándo. Existen ciertos indicios de que, tras diez días sin el medicamento, el sujeto se vuelve inofensivo; pero no son más que especulaciones.

—Eso quiere decir que los asesinatos deberían cesar en unos días.

—Con ello contamos. Personalmente confío en que podamos superar el fin de semana.

—Tu cliente debería ir a la cárcel.

—Mi cliente es una corporación.

—Las corporaciones también pueden ser sujetos de responsabilidad penal.

—No discutamos eso. No nos lleva a ninguna parte. Tenemos que centrarnos en ti y en si estás dispuesto a aceptar o no el desafío.

—Estoy seguro de que tienes un plan.

—Desde luego. Uno muy detallado.

—Muy bien. Dejo mi actual trabajo, y luego ¿qué?

Pace apartó la limonada y se inclinó hacia delante, como si se dispusiera a desvelar la mejor parte.

—Pues que abres su propio bufete. Alquilas un bonito despacho, lo decoras con elegancia, etcétera, etcétera. Tienes que vender el producto, Clay, y la única manera de hacerlo es comportarse y tener el aspecto de un abogado de éxito. Tus clientes potenciales irán a tu despacho, y es necesario que queden impresionados. Necesitarás personal auxiliar y más colaboradores que trabajen para ti. La impresión que la gente se lleve es crucial. Confía en mí. En su día también fui abogado. A los clientes les gustan las oficinas elegantes, quieren ver reflejado el éxito, y tú tendrás que explicarles que puedes conseguirles un acuerdo valorado en cuatro millones.

—Cuatro millones es muy poco.

—De eso hablaremos más tarde, ¿vale? Lo que me interesa subrayar es que tienes que aparentar que eres un profesional de éxito.

—Lo entiendo. Crecí en el seno de un importante bufete.

—Lo sabemos. Esa es una de las cosas que nos gustan de ti.

—¿Cómo está el tema de los despachos de alquiler en estos momentos?

—Hemos alquilado unos cuantos metros cuadrados en la avenida Connecticut. ¿Quieres verlos?

Salieron de Kramer por la puerta de atrás y caminaron por la acera como si fueran dos viejos amigos que estuvieran paseando.

—¿Todavía me siguen? —preguntó Clay.

—¿Por qué lo preguntas?

—No lo sé. Por curiosidad, supongo. No es algo que ocurra todos los días. Simplemente me gustaría saber si van a pegarme un tiro en caso de que salga corriendo.

Pace se echó a reír ante la ocurrencia.

—Sí, es todo bastante absurdo, ¿verdad?

—Es una jodida locura.

—Mi cliente está muy nervioso, Clay.

—Y tiene motivos para estarlo.

—Tiene docenas de personas distribuidas por toda la ciudad, observando, esperando, rezando para que no se produzcan más asesinatos. Y también confía en que tú serás el hombre que cierre el trato.

—¿Y qué hay de las cuestiones éticas?

—¿Cuáles?

—A primera vista se me ocurren dos: conflicto de intereses y petición de venia.

—La venia es una estupidez, no tienes más que ver los anuncios que se publican.

Se detuvieron en un cruce.

—En estos momentos represento a un acusado —comentó Clay mientras esperaban—. ¿Cómo voy a pasarme al otro bando y representar a su víctima?

—Puedes hacerlo tranquilamente. Hemos revisado las normas de ética. Puede que no sea lo más correcto, pero no implica violación de precepto alguno. Tan pronto como presentes tu renuncia en la OTO, tendrás entera libertad para abrir tu propio despacho y aceptar los casos que quieras.

—Esa es la parte fácil. ¿Qué me dices de Tequila Watson?

Sé por qué ha cometido un asesinato. No puedo ocultarle esa información, ni a él ni al abogado que se haga cargo de su defensa.

—Estar borracho o drogado no es un argumento para la defensa. Sigue siendo culpable, y Ramón Pumphrey sigue estando muerto. Tienes que olvidarte de Tequila.

Siguieron caminando.

—Esa contestación no me gusta.

—Pues es la mejor que tengo. Si rechazas lo que te estoy ofreciendo y sigues defendiendo a tu cliente te resultará imposible demostrar que alguna vez tomó un medicamento llamado Tarvan. Tú lo sabrás, pero no podrás probarlo y harás el ridículo si lo utilizas como argumento de tu defensa.

—Puede que no sirva como argumento de defensa, pero sí como atenuante.

—Solo si puedes demostrarlo, Clay. Hemos llegado.

Estaban en la avenida Connecticut, ante un largo y moderno edificio con una entrada de bronce y cristal de tres pisos de altura.

—Vamos. Estás en la cuarta planta, en un despacho que hace esquina y tiene una magnífica vista.

En el gran vestíbulo de mármol, el directorio parecía un *Quién es quién* del mundo de la abogacía de Washington.

—No es precisamente mi terreno —comentó Clay tras leer los nombres que aparecían en él.

—No, pero puede serlo —contestó Max.

—¿Y qué pasa si no quiero estar aquí?

—Eso es decisión tuya. Por nuestra parte, hemos alquilado estos locales y estamos dispuestos a realquilártelos a un precio muy conveniente.

—¿Cuándo los habéis alquilado?

—No hagas tantas preguntas, Clay. Estamos en el mismo barco.

—Todavía no.

En la zona de Clay de la cuarta planta estaban colocando

la moqueta y pintando las paredes. Una moqueta muy cara. Se acercaron a los ventanales de la esquina y contemplaron el tráfico de la avenida Connecticut, a sus pies. Abrir un bufete implicaba un millar de tareas y a él solo se le ocurrían un centenar. Intuía que Max Pace tenía todas las respuestas.

—¿En qué estás pensado? —le preguntó Pace.

—Ahora mismo, mi capacidad de pensar no funciona precisamente bien. Todo me parece muy confuso.

—No desperdicies esta oportunidad, Clay. No se te volverá a presentar otra igual. El reloj sigue corriendo.

—Todo esto es surrealista.

—Puedes conseguir los permisos legales para abrir tu bufete online. Se tarda menos de una hora. Escoge un banco, abre una cuenta. Los membretes y demás se encargan de un día para otro. Toda la oficina puede estar lista y funcionando en cuestión de días. El próximo miércoles podrías estar sentado tras un escritorio de lujo dirigiendo tu propio espectáculo.

—¿Y cómo conseguiré que me encarguen los otros casos?

—Tus amigos Rodney y Paulette. Los dos conocen bien la ciudad y a sus habitantes. Contrátalos. Ofréceles el triple de lo que ganan, dales unos bonitos despachos junto al tuyo. Ellos se encargarán de hablar con las familias. Eso facilitará las cosas.

—Has pensado en todo.

—Sí. Absolutamente en todo. Dirijo una maquinaria muy eficiente, una maquinaria que está funcionando prácticamente al borde del pánico. Escucha, Clay, trabajamos las veinticuatro horas del día, pero necesitamos un hombre que sea nuestra punta de lanza.

Cuando bajaron, el ascensor se detuvo en la tercera planta, y entraron tres hombres y una mujer. Iban todos impecablemente vestidos y acicalados, con sus lujosos maletines y el aire de superioridad que los abogados adquirían inevitablemente en los grandes bufetes. Max estaba tan absorto en los detalles de lo que estaba organizando que ni siquiera los vio; pero Clay sí. Observó detenidamente su porte, su seriedad, su arrogancia. Eran abogados importantes, letrados de postín que ni siquiera repararon en él. Naturalmente. Con sus gastados mocasines y su pantalón caqui, la suya no era precisamente la imagen de un exitoso colega del Colegio de Abogados.

Pero todo eso podía cambiar de la noche a la mañana. ¿O no?

Se despidió de Max y se fue a dar otro largo paseo camino de su despacho. Cuando por fin llegó, no encontró avisos urgentes en su mesa. La reunión que se había perdido, también se la habían perdido otros. Nadie le preguntó dónde había estado. Nadie se había dado cuenta de su ausencia durante la tarde.

De repente, su despacho le pareció mucho más pequeño y opresivo; y los muebles, insoportablemente deprimentes. Sobre su mesa había una pila de expedientes, casos que no se atrevía ni a mirar. En cualquier caso, todos sus clientes eran delincuentes.

La OTO exigía que cualquier renuncia se presentara con treinta días de preaviso. Sin embargo, la norma no se cumplía porque resultaba imposible hacerla cumplir. La gente se largaba continuamente, casi siempre sin avisar. Sin duda, Glenda le escribiría una carta llena de amenazas, y él le contestaría con otra muy amable que zanjaría la cuestión.

La mejor secretaria de la OTO era la señorita Glick, una curtida luchadora que bien podía estar dispuesta a aprovechar la oportunidad de duplicar su sueldo y perder de vista el tétrico ambiente de la OTO. Ya había decidido que su bufete sería un lugar donde se trabajara a gusto, con buenos sueldos, pluses y largas vacaciones, incluso primas por beneficios.

Pasó la última hora de su jornada de trabajo a puerta cerrada, maquinando, pirateando empleados, estudiando qué abogados y auxiliares podían encajar en sus planes.

Se reunió con Max Pace, por tercera vez ese día, para cenar en el Old Ebbitt Grille, de la calle Quince, situado a dos manzanas del Willard. Para su sorpresa, Max empezó pidiendo un Martini, lo cual lo relajó considerablemente. La presión de la situación fue cediendo a los asaltos de la ginebra, y Max empezó a comportarse como un ser humano. En algún momento de su pasado había ejercido la abogacía en California, antes de que algún desafortunado incidente pusiera fin a su carrera allí. Después, gracias a sus contactos, encontró un nicho en el mercado como apagafuegos. Un verdadero hombre-remedio muy bien pagado que entraba discretamente, limpiaba la porquería y desaparecía sin dejar rastro. Durante los filetes y después de la primera botella de borgoña, Max explicó a Clay que algo importante le esperaba para cuando hubiera acabado el asunto del Tarvan. «Algo mucho más importante», dijo concretamente, mirando furtivamente a su alrededor, como si pudiera haber espías escuchando en el restaurante.

—¿Qué asunto? —preguntó Clay.

—Mi cliente tiene un competidor —explicó Max después de haber mirado nuevamente en derredor—, un competidor que ha sacado al mercado un medicamento perjudicial. Nadie lo sabe todavía. El medicamento de la competencia está batiendo al nuestro, pero mi cliente ahora tiene pruebas fiables de que sus efectos secundarios son perjudiciales. Mi cliente está esperando el momento oportuno para atacar.

—¿Atacar?

—Sí, mediante una demanda presentada por un abogado, joven y agresivo, que cuenta con las pruebas necesarias.

—¿Me estás ofreciendo otro caso?

—Sí. Hazte cargo del asunto del Tarvan, resuélvelo en un mes y te entregaremos un caso que valdrá millones.

—¿Más que el Tarvan?

—Muchos más.

Hasta ese momento, Clay había conseguido tragarse medio filete *mignon* sin apreciar sabor alguno. La otra mitad quedó intacta. Estaba hambriento, pero no se sentía capaz de probar bocado.

—¿Por qué yo? —preguntó, más para sí mismo que para su nuevo amigo.

—Esa es la misma pregunta que se hacen los acertantes de la lotería. Y la verdad es que acaba de tocarte la lotería, Clay; la lotería de los abogados. Fuiste lo bastante listo para olerte lo del Tarvan justamente cuando nosotros estábamos buscando un joven abogado en quien pudiéramos confiar. Nos hemos encontrado mutuamente en el momento oportuno, y tú, Clay, te enfrentas a uno de esos momentos en tu vida en que debes tomar una decisión que puede cambiar tu destino. Di que sí, y te convertirás en un importante abogado. Di que no, y perderás el premio gordo.

—He entendido el mensaje, pero necesito un poco de tiempo para aclarar las ideas, para pensar.

—Dispones del fin de semana.

—Gracias. Mira, voy a hacer un viaje corto. Me iré por la mañana y volveré el domingo por la noche. Y esta vez no creo que haga falta que me sigáis.

—¿Puedo preguntar adónde vas?

—A Ábaco, en las Bahamas.

—¿A ver a tu padre?

Clay se sorprendió, pero sin motivo.

—Sí —contestó.

—¿Para qué?

—No es asunto tuyo. Para pescar.

—Lo siento, pero es que estamos todos muy nerviosos. Espero que lo entiendas.

—La verdad es que me cuesta. Te daré el número de mi vuelo, pero no me sigáis, ¿vale?

—Te doy mi palabra.

10

La isla de Gran Ábaco era una franja de tierra, estrecha y larga, situada al norte de las Bahamas, a unas cien millas náuticas
de Florida. Clay ya había estado allí, cuatro años antes, después de haber conseguido reunir el dinero suficiente para el
billete de avión. Había previsto que aquel viaje fuera un largo
fin de semana durante el que pudiera hablar de asuntos serios
con su padre y descargar parte del pasado. Pero no fue así.
Jarrett Carter seguía teniendo su desgracia demasiado reciente y lo único que le interesaba era empaparse de ponches de
ron nada más levantarse. Estaba dispuesto a hablar de cualquier cosa menos de leyes y de abogados.

Pero esa visita sería diferente.

Clay llegó bien entrada la tarde a bordo de un abarrotado
y sofocante bimotor de hélice de Coconut Air. El funcionario de aduanas se limitó a echar un vistazo a su pasaporte y a
hacerle un gesto para que pasara. El trayecto hasta Marsh
Harbor le llevó cinco minutos en taxi por el lado equivocado
de la carretera. Al chófer le gustaba la música gospel a todo
volumen, y Clay no se sentía de humor para discutir. Tampoco para dejar propina. Se apeó del taxi en el puerto y empezó
a buscar a su padre.

En una ocasión, Jarrett Carter se había querellado contra el presidente de Estados Unidos, y, aunque perdió el caso, la experiencia le hizo entender que todos sus defendidos posteriores serían casos más fáciles. No temía a nadie, ni dentro ni fuera de los tribunales. Su reputación se fundamentaba en una gran victoria: una importante sentencia condenatoria contra el presidente de la Asociación Médica Estadounidense, un excelente profesional que había cometido un error durante una intervención quirúrgica. El implacable jurado de un condado conservador emitió su veredicto y, de repente, Jarrett Carter se convirtió en un abogado muy solicitado. Eligió los casos más difíciles, ganó la mayoría de ellos y a la edad de cuarenta años se convirtió en un letrado de gran fama. Luego abrió un bufete conocido por sus implacables métodos ante los tribunales. Clay nunca dudó de que seguiría los pasos de su progenitor y se pasaría la vida de juicio en juicio.

La buena racha llegó a su fin cuando Clay estaba en la universidad. Hubo un desagradable divorcio que costó muy caro a Jarret. Poco después, el bufete se deshizo cuando, para no perder la costumbre, sus socios se demandaron los unos a los otros. Trastornado por lo que estaba ocurriendo, Jarrett se pasó dos años sin ganar un caso, y su reputación se resintió gravemente. El mayor error lo cometió cuando empezó con su contable a falsear los libros, añadiendo ingresos ficticios e hinchando los gastos. Cuando los descubrieron, el contable se suicidó. Jarrett no, pero quedó destrozado y la cárcel se convirtió en su destino más probable. Afortunadamente, un viejo amigo de la universidad era en esos momentos el fiscal encargado de la acusación.

Los detalles del acuerdo no llegaron a conocerse nunca, ni tampoco hubo una acusación formal, simplemente un acuerdo en virtud del cual Jarrett cerró discretamente su bufete, renunció a su licencia para el ejercicio de la profesión y se marchó del país. Desapareció sin llevarse nada, aunque quienes conocieron el caso de cerca siempre creyeron que tenía una reserva en el extranjero. Si era cierto, Clay nunca llegó a tener esa impresión. Así pues, el gran Jarrett Carter se convirtió en patrón de un yate de pesca en las Bahamas, lo cual para algunos puede parecer una vida regalada.

Clay localizó el barco —un Wavedancer de veinte metros de eslora— encajonado en un amarre de los abarrotados muelles, mientras otros barcos de alquiler regresaban después de haber pasado el día en el mar. Los pescadores aficionados admiraban sus capturas y presumían de bronceado. Los flashes de las cámaras destellaban. Los marineros nativos corrían por las cubiertas descargando neveras llenas de meros y atunes, y cubos de latas y botellas de cerveza vacías.

Jarrett se hallaba en la proa, con una manguera en la mano y una esponja en la otra. Clay lo observó un momento, reacio a interrumpir a una persona que estaba trabajando. Su padre realmente daba el pego como expatriado huido de la justicia: descalzo, moreno y con la piel atezada por la intemperie, con una barba gris a lo Hemingway, cadenas de plata alrededor del cuello, una gorra de pescador de visera larga y una vieja camisa blanca de algodón arremangada hasta los bíceps. De no haber sido por su tripa de bebedor de cerveza, se habría dicho que estaba en muy buena forma.

—¡Que me cuelguen! —exclamó al ver a su hijo.

—Bonito barco, papá —dijo Clay subiendo a bordo.

Hubo un firme apretón de manos, pero nada más. Jarrett no era la clase de hombre afectuoso, al menos con su hijo. Sin embargo, varias ex secretarias aseguraban lo contrario. Olía a sudor, a salitre y a cerveza; a un día pasado en la mar. Tanto los pantalones cortos como la camisa, ambos blancos, estaban sucios.

—Sí. Es de un médico de Boca Ratón. Tienes buen aspecto.

—Y tú también.

—Tengo salud. Eso es lo único que importa. Cógete una cerveza —dijo Jarrett, señalando una nevera que había en cubierta.

Abrieron las latas y se sentaron en unas sillas de lona mientras un grupo de pescadores caminaban dando tumbos por el muelle.

—¿Qué, un día duro? —preguntó Clay.

—He salido al amanecer. Llevaba a un padre y a sus dos hijos, unos chicos mayores y fortachones. Una familia de musculitos de algún sitio de New Jersey. Nunca había visto tanto pectoral junto en un barco. Sacaban del agua peces espada de cincuenta kilos como quien saca una sardina.

Un par de mujeres de unos cuarenta años pasaron junto al barco llevando sus mochilas al hombro y unos aperos de pesca. Tenían el mismo aspecto bronceado y curtido de los demás pescadores. Una de ellas estaba un poco gorda; la otra, no. Jarrett las contempló a las dos con igual interés hasta que las perdió de vista. El descaro de su mirada casi provocaba vergüenza ajena.

—¿Sigues teniendo tu apartamento? —preguntó Clay. La vivienda que recordaba no era más que un simple estudio de un par de habitaciones en la parte de atrás del puerto.

—Sí, pero ahora vivo en el barco. El propietario casi no aparece por aquí, de modo que puedo quedarme a bordo. Hay un sofá en la cabina para ti.

—¿De verdad vives en el barco?

—Pues claro. Tiene aire acondicionado y cantidad de sitio. Además, la mayor parte del tiempo solo estoy yo.

Bebieron sus cervezas y vieron pasar a otros pescadores dando tumbos.

—Mañana tengo un chárter —comentó Jarrett—. ¿Te apetecería venir?

—¿Qué otra cosa podría hacer por los alrededores?

—Tengo a unos payasos de Wall Street que quieren salir a las siete de la mañana.

—Suena divertido.

—Tengo hambre —anunció Jarrett. Se puso en pie y arrojó la lata a la basura—. Vamos.

Caminaron por el muelle, pasando frente a innumerables embarcaciones de todo tipo. En muchas de ellas había gente cenando mientras los capitanes se tomaban una cerveza y se relajaban. Todos ellos gritaron algo a Jarrett, que tuvo una aguda réplica para cada uno. Seguía yendo descalzo. Clay iba tras él y pensaba: Ese es mi padre, el gran Jarrett Carter, convertido en un vago de playa de pantalón corto y camisa abierta, el rey de Marsh Harbor y un desgraciado.

El bar Blue Fin era un antro ruidoso y abarrotado donde Jarrett parecía conocer a todo el mundo. Antes de que pudieran encontrar un par de taburetes libres en la barra, el barman ya les había preparado un par de ponches de ron.

—Salud —dijo Jarrett, entrechocando su vaso con el de Clay y apurando de un trago la mitad de su contenido.

Durante un rato, Jarrett se enzarzó en una discusión sobre pesca con otro capitán y se olvidó de Clay, pero a este no le importó. Jarrett acabó su primer ponche y pidió otro a voces. Y luego otro más.

En una gran mesa redonda de un rincón estaban preparando un festín con grandes bandejas de langosta, cangrejo y gambas. Jarret hizo un gesto a Clay para que lo siguiera, y ambos se sentaron a la mesa junto a media docena de personas más. La música estaba a todo volumen, y las conversaciones igual. Todos los comensales competían para ver quién se emborrachaba primero, y Jarrett encabezaba el grupo.

El marinero sentado a la derecha de Clay era un viejo hippy que aseguraba que había eludido ir a Vietnam después de quemar su cartilla de reclutamiento. Luego había rechazado todas las ideas progresistas, incluidos el empleo y el impuesto sobre la renta.

—Llevo cuarenta años dando vueltas por el Caribe —le aseguró con la boca llena de gambas—. Los federales ni siquiera saben que existo.

Clay no tardó en llegar a la conclusión de que a los federales les daba lo mismo si aquel hombre existía o no, y que lo mismo se podía decir del resto de fracasados con los que estaba cenando. Marineros, capitanes de yate, pescadores profesionales, todos huían de algo: pensiones de divorcio, impuestos, juicios pendientes, negocios ruinosos... Les gustaba verse como una especie de rebeldes inconformistas, de espíritus libres, como unos piratas modernos, demasiado independientes para dejarse dominar por las normas de una sociedad.

Un huracán se había abatido sobre la isla de Ábaco el verano anterior, y el capitán Floyd, el mayor bocazas de la mesa, se hallaba en pie de guerra contra una compañía de seguros. Aquello dio pie a toda una serie de historias sobre huracanes que, como no podía ser de otra manera, exigieron otra ronda de ponches. Clay dejó de beber, pero su padre no. Jarrett se fue emborrachando y poniéndose cada vez más gritón. Como todos.

Al cabo de un par de horas, no quedaba rastro de la comida, pero el ron seguía llegando. El camarero lo servía directamente en jarras, y Clay decidió que había llegado la hora de marcharse rápidamente. Se levantó de la mesa sin que nadie reparara en ello y salió discretamente del Blue Fin.

¡Al cuerno con la cena tranquila con papá!

Se despertó en medio de la oscuridad, con el ruido de su padre dando vueltas por la cabina de abajo, silbando y hasta cantando a voz en cuello una melodía que recordaba vagamente a una canción de Bob Marley.

—¡Despierta! —gritó Jarrett.

La embarcación se balanceaba, pero no tanto por culpa del agua como por el ruidoso ataque de Jarrett contra el nuevo día.

Clay se quedó tumbado unos instantes en el estrecho sofá, intentando orientarse, mientras se acordaba de la leyenda de Jarrett Carter, que solía llegar al despacho antes de las seis de la mañana, y a veces incluso más pronto. Su padre se había perdido todos los partidos de béisbol de su hijo porque siempre estaba demasiado ocupado. Nunca había llegado a casa antes del anochecer, y, en ocasiones, simplemente no había llegado. Cuando Clay se hizo mayor y empezó a trabajar en el bufete, vio que Jarrett era conocido por su costumbre de aplastar a sus jóvenes asociados con toneladas de trabajo. Cuando su matrimonio empezó a hacer aguas, Jarrett tomó por costumbre dormir en el despacho. A veces solo. Al margen de sus pésimas costumbres, siempre contestaba al teléfono y siempre antes que nadie. Coqueteó con el alcoholismo, pero lo dejó cuando este empezó a interferir en su trabajo.

En su buena época no había necesitado dormir, y resultaba evidente que algunas de sus costumbres seguían subsistiendo. Pasó en tromba junto al sofá, cantando a plena voz y oliendo a ducha reciente y a loción para el afeitado.

Del desayuno ni se habló. Clay se las arregló para asearse como un pajarito con agua fría en el angosto espacio que recibía el nombre de «ducha». No sufría claustrofobia, pero la idea de vivir en el reducido espacio de un barco hacía que se sintiera mareado. Fuera las nubes eran gruesas y el aire cálido. Jarrett se hallaba en el puente, escuchando la radio y mirando el cielo con mala cara.

—Malas noticias —anunció.

—¿Qué ocurre?

—Se acerca una gran tormenta. Están avisando de fuertes lluvias para todo el día.

—¿Qué hora es?

—Las seis y media.

—¿A qué hora volviste anoche?

—Suenas igual que tu madre. Ahí tienes café.

Clay se sirvió una taza de un fuerte brebaje y se sentó junto al timón.

El rostro de Jarrett estaba oculto por unas gafas de sol, la barba y la visera de la gorra. Clay sospechaba que tras los oscuros cristales habría unos ojos enrojecidos por una formidable resaca, pero eso era algo que nadie llegaría a comprobar. La radio no dejaba de emitir avisos de tempestad y mensajes de los barcos que se hallaban en alta mar advirtiendo tormenta. Jarrett y los demás capitanes de los yates de alquiler empezaron a hablar a gritos entre ellos, intercambiando mensajes, haciendo predicciones, observando las nubes y meneando la cabeza. Transcurrió media hora y nadie salió de puerto.

—¡Maldita sea! —masculló Jarrett—. ¡Un día perdido!

Al cabo de un rato llegaron cuatro ejecutivos de Wall Street, todos con sus pantalones blancos de tenis y sus zapatillas deportivas recién estrenadas. Jarrett los vio llegar y fue a popa para recibirlos. Antes de que pudieran subir a bordo les advirtió:

—Lo siento, amigos, pero hoy no se pesca. Tenemos aviso de tormenta.

Cuatro cabezas se alzaron a la vez para examinar el cielo. Una rápida ojeada a las nubes les confirmó que el pronóstico del tiempo estaba equivocado.

—Está de broma, ¿verdad? —dijo uno de ellos.

—No es más que un poco de lluvia —comentó otro.

—La respuesta es no —contestó Jarrett—. Hoy no se sale de pesca.

—Pero nosotros ya hemos pagado el barco.

—Les devolverán su dinero.

Volvieron a estudiar el cielo, que se estaba encapotando por momentos. Retumbó un trueno como un cañonazo distante.

—Lo siento, amigos —zanjó Jarrett.

—¿Y mañana? —preguntó uno.

—Lo siento. Lo tengo reservado.

Por fin se alejaron, arrastrando los pies, convencidos de que los habían estafado y privado de sus espectaculares capturas.

Una vez resuelta la cuestión de si ese día se trabajaba o no, Jarrett se dirigió a la nevera y sacó una cerveza.

—¿Quieres una? —preguntó a Clay.

—¿Qué hora es?

—Hora de una cerveza, supongo.

—Todavía no he terminado mi café.

Se sentaron en las sillas de pescar de cubierta y escucharon cómo los truenos se hacían más fuertes. El puerto bullía de actividad mientras los capitanes se afanaban en comprobar las amarras, los marineros aseguraban los cabos sueltos y los frustrados pescadores se alejaban cargando con sus bolsas llenas de crema para el sol y cámaras de fotos. El viento empezó a levantarse.

—¿Has hablado con tu madre? —preguntó Jarrett.

—No.

La historia de la familia Carter era peor que una pesadilla, y ambos sabían que era mejor dejar el tema.

—¿Sigues en la OTO?

—Sí, y quería hablar contigo de eso.

—¿Cómo está Rebecca?

—Ha pasado a la historia. Eso creo, al menos.

—¿Y eso es bueno o malo?

—En estos momentos simplemente es doloroso.

—¿Cuántos años tienes ahora?

—Tengo veinticuatro menos que tú. En total, treinta y uno.

—Bien. Eres demasiado joven para casarte.

—Gracias, papá.

El capitán Floyd llegó corriendo por el muelle y se detuvo ante la embarcación de Jarrett.

—Gunther está aquí —anunció—. ¡Póquer en diez minutos! ¡Vamos!

Jarrett se puso en pie de golpe, igual que un crío una mañana de Navidad.

—¿Te apuntas? —preguntó a Clay.

—¿A qué?

—A una partida de póquer.

—No juego al póquer. ¿Quién es Gunther?

Jarrett se estiró y señaló a lo lejos.

—¿Ves ese yate de allí, el de treinta metros? Ese es Gunther, un viejo crápula alemán cargado de millones y con el barco lleno de mujeres. Créeme, hay lugares peores donde pasar una tormenta.

—¡Venga, vamos! —gritó el capitán Floyd antes de alejarse.

Jarrett se disponía a saltar al muelle.

—¿Vienes o no? —espetó a Clay.

—Creo que paso.

—No seas tonto. Será mucho más divertido que quedarte aquí sentado todo el día —dijo Jarrett, siguiendo al capitán Floyd.

Clay lo despidió haciendo un gesto con la mano.

—Me quedaré leyendo un libro.

—Como quieras —contestó desde la distancia. Luego, saltó a un bote con otro individuo y se alejaron, remando entre los yates.

Sería la última vez que Clay vería a su padre en los meses siguientes.

Al cuerno con los consejos. Estaba solo y a su suerte.

11

La suite se hallaba en otro hotel. Pace parecía ir de un lado a otro de la ciudad como si lo estuviera persiguiendo un ejército de espías. Tras un rápido intercambio de saludos y un ofrecimiento de café, se pusieron a trabajar. Clay se dio cuenta de que la presión de las circunstancias empezaba a pasar factura a Pace. Tenía un aspecto cansado, sus gestos denotaban ansiedad, hablaba rápidamente y su sonrisa había desaparecido. Ni una sola pregunta sobre el fin de semana de pesca en las Bahamas. Pace estaba decidido a llegar a un trato con Clay Carter o con el siguiente abogado de su lista. Se sentaron a una mesa, cada uno con lápiz y papel, listos para lanzarse al ruedo.

—Creo que cinco millones por defunción es una cifra más adecuada —empezó diciendo Clay—. Está claro que no se trata más que de chavales de la calle cuya vida tiene poco valor económico, pero, solo en concepto de daños y perjuicios, lo que tu cliente ha hecho podría costarle miles de millones. Así pues, combina ambas cosas y llegamos a cinco millones.

—El infeliz que estaba en coma murió anoche —comentó Pace.

—Eso nos da un total de seis víctimas.

—Siete. El sábado por la mañana cayó otra.

Clay había multiplicado tantas veces cinco millones por seis que tardó un momento en asimilar la nueva cantidad.

—¿Quién fue? ¿Dónde?

—Luego te daré los detalles sórdidos, ¿vale? Digamos que ha sido un fin de semana muy largo. Mientras tú estabas pescando, nosotros teníamos que controlar las llamadas al teléfono de la policía, lo cual, durante un fin de semana movido, supone controlar un pequeño ejército.

—¿Estás seguro de que fue otro caso del Tarvan?

—Sin duda.

Clay garabateó algo sin sentido mientras intentaba readaptar su estrategia.

—Me gustaría que nos pusiéramos de acuerdo en los cinco millones por defunción.

—Está bien.

Durante el viaje de regreso de Ábaco, Clay se había convencido de que todo aquello no era más que un juego de ceros. No había que pensar en él como dinero de verdad, sino como una serie de ceros tras una cifra determinada. Por el momento, lo mejor era olvidarse de todo lo que el dinero era capaz de comprar, de los formidables cambios que iban a producirse o de lo que un jurado sería capaz de hacer al cabo de unos años. Tenía que jugar con ceros y hacer caso omiso al nudo que le retorcía las tripas; tenía que fingir que las tenía de acero. Su oponente estaba asustado y en situación de debilidad, era muy rico y había metido mucho la pata.

Tragó saliva e intentó que su tono sonara lo más normal posible.

—Los honorarios del abogado son bajos —declaró.

—¿Ah, sí? —contestó Pace esbozando una sonrisa—. ¿Diez millones no son suficientes?

—No para este caso. Los gastos a los que tu cliente tendría que hacer frente serían mucho mayores si un gran bufete interviniera en este asunto.

—Veo que no se te escapa nada.

—La mitad se irá en impuestos. Los gastos generales que habéis previsto para mí serán cuantiosos. Se supone que debo montar un importante bufete en cuestión de días, y en el barrio más caro de la ciudad. Además, quiero hacer algo por Tequila y por los demás acusados que van a tener que comerse el marrón.

—Bien. Dame una cifra —dijo Pace, que estaba tomando nota de algo.

—Quince millones facilitarían el acuerdo.

—¿Vas de farol o qué?

—No. Solo estoy negociando.

—O sea, que en total quieres cincuenta millones. Treinta y cinco para las familias y quince para ti. ¿Es eso?

—Con eso me conformaría.

—Bien. Trato hecho. —Pace le tendió la mano por encima de la mesa—. Felicidades.

Clay se la estrechó y contestó con la única palabra que se le ocurrió:

—Gracias.

—Tengo aquí un contrato con ciertas cláusulas y disposiciones... —dijo Pace metiendo la mano en su maletín.

—¿Qué clase de disposiciones?

—Pues, por ejemplo, que no mencionarás el Tarvan a Tequila Watson ni a su abogado, así como tampoco a ninguno de los acusados de este caso. Si lo hicieras supondría un grave peligro para todos. Como ya hemos visto, la adicción a las drogas no es una excusa válida para la comisión de un delito. Podría ser un atenuante en el momento de dictar la condena, pero el señor Watson ha cometido un asesinato y lo que pudiera haber tomado no es relevante en cuanto a su defensa.

—Lo entiendo mejor que tú.

—Entonces olvídate de los asesinos. Ahora representas a las familias de las víctimas. Has cambiado de bando, Clay, acéptalo. Nuestro trato va a proporcionarte cinco millones con carácter inmediato. En los próximos diez días recibirás otros cinco, y los cinco últimos cuando hayas cerrado un acuerdo en firme con esas familias. Menciona el Tarvan a una sola persona y despídete del trato. Si no haces honor a la confianza que depositamos en ti, perderás un montón de dinero.

Clay asintió y contempló el grueso pliego de condiciones que había encima de la mesa.

—Básicamente esto es un acuerdo de confidencialidad —prosiguió Max, dando unos golpecitos en el contrato con el bolígrafo—. Está lleno de oscuros secretos que deberás ocultar incluso a tu secretaria. Por ejemplo, el nombre de mi cliente no se menciona en ninguna parte. Aparece una empresa tapadera con domicilio social en las Bermudas y una sucursal en las Antillas Holandesas que responde a un grupo suizo cuya sede se encuentra en Luxemburgo. El rastro de los documentos empieza y acaba ahí, y nadie, ni siquiera yo, es capaz de seguirlo sin extraviarse. Se supone que tus nuevos clientes van a llevarse el dinero sin hacer preguntas. No esperamos que haya problemas por ese lado. En cuanto a ti, vamos a entregarte una fortuna y no queremos sermones de superioridad moral. Limítate a aceptar el dinero y a dar carpetazo al asunto. Así todos estaremos contentos.

—¿Así que tengo que vender mi alma?

—Como te he dicho, déjate de sermones. No estás haciendo nada que vaya contra la ética de la profesión. Simplemente vas a conseguir jugosas compensaciones para tus clientes, gente que no tiene la menor idea de que les deban nada. Yo no llamo a eso «vender el alma». ¿Y qué hay de malo si de paso te haces rico? No serías el primer abogado que tiene un golpe de suerte.

Clay estaba pensando en los primeros cinco millones que iban a serle entregados de inmediato.

Max rellenó unos cuantos espacios en blanco del contrato y se lo pasó.

—Este es nuestro acuerdo preliminar. Fírmalo y podré contarte más cosas de mi cliente. Iré a pedir que nos traigan un poco más de café.

Clay cogió el documento y lo sopesó. Luego intentó leer

los primeros párrafos mientras Max hablaba con el servicio de habitaciones.

Ese mismo día presentaría su dimisión en la OTO y se retiraría como abogado de oficio de Tequila Watson. Los trámites burocráticos habían sido cumplimentados y adjuntados al contrato. Abriría su propio bufete, contrataría el personal necesario, abriría las cuentas bancarias oportunas, etc. También se adjuntaba una propuesta de normas de funcionamiento interno para el Bufete Clay Carter II, todo ello de acuerdo con los formularios habituales. Tan pronto como le fuera posible, tenía que ponerse en contacto con las familias de las víctimas y empezar el proceso de hacerse cargo de sus casos.

El café llegó, pero Clay siguió leyendo. Max estaba en la habitación contigua, hablando por el móvil en voz baja; seguramente con su cliente, poniéndolo al corriente de las novedades, o quizá siguiendo el rastro del Tarvan y comprobando que no se hubiera producido otro asesinato. Por estampar su firma en la página 11, Clay recibiría en el acto, mediante transferencia bancaria, la suma de cinco millones de dólares; una cifra que Max había anotado pulcramente de su puño y letra. La mano le tembló al coger el bolígrafo y firmar, y no por posibles dudas morales, sino por la impresión de los ceros.

Cuando hubieron acabado con la primera parte del papeleo, salieron del hotel y subieron a un todoterreno conducido por el mismo guardaespaldas que había recibido a Clay en el vestíbulo del Willard.

—Sugiero que lo primero que hagamos sea abrir una cuenta en un banco —dijo Max en tono amable pero que no admitía discusión.

Clay se sentía como la Cenicienta a punto de salir para el baile, y decidió dejarse llevar porque todo le parecía un sueño.

—Claro, buena idea —logró responder.

—¿Prefieres algún banco en concreto?

El banco con el que trabajaba en aquellos momentos se quedaría boquiabierto al ver el volumen de actividad que iba a producirse. La cuenta corriente que tenía abierta se mantenía en unos niveles tan bajos que cualquier depósito un poco fuera de lo normal dispararía todas las alarmas. Hacía poco, uno de los subdirectores de la agencia lo había llamado para avisarle de un crédito vencido. No le costó imaginarse al director jefe dando un respingo de incredulidad al ver el informe de la transferencia.

—Estoy seguro de que ya tienes pensado uno —respondió.

—Sí. Tenemos muy buenas relaciones con el Chase. Las transferencias serán más rápidas.

Pues que sea el Chase, se dijo Clay sonriendo. Cualquiera con tal de agilizar las transferencias.

—Al Chase Bank de la calle Quince —ordenó Max al chófer, que ya iba en la dirección correcta, y sacó otro fajo de documentos—. Aquí tienes el contrato de arriendo y subarriendo de las oficinas. Es una zona de primera y, como sabes, no es barata. Mi cliente ha utilizado un testaferro para alquilarla durante dos años por dieciocho mil dólares al mes. Podemos subarrendártela por la misma cantidad

—Eso equivale a unos cuatrocientos mil dólares más o menos.

Max sonrió.

—Me parece que el señor puede permitírselo. Yo que tú empezaría a pensar como un abogado famoso con dinero.

El vicepresidente de turno ya había sido avisado, de modo que, cuando Max preguntó por la persona adecuada, les extendieron la alfombra roja y todo fueron facilidades. Clay se hizo cargo de sus asuntos y firmó los documentos pertinentes. Según el vicepresidente, la transferencia llegaría a las cinco de la tarde.

Cuando subieron nuevamente al todoterreno, Max volvió a ponerse manos a la obra.

—Nos hemos tomado la libertad de prepararte la documentación necesaria para que puedas abrir tu bufete —le dijo, entregándole más papeles.

—Sí, ya la he visto —contestó Clay, que seguía pensando en el dinero de la transferencia.

—Es papeleo normal, nada importante. Puedes solicitar la autorización a través de internet. No tienes más que pagar doscientos dólares con tu tarjeta de crédito y estarás en marcha. Tardarás menos de una hora y puedes hacerlo desde tu despacho de la OTO.

Clay cogió los papeles y miró por la ventanilla. Un Jaguar XJ de color granate se había detenido junto a ellos en un semáforo. Su mente empezó a divagar. Intentaba concentrarse en la tarea que le aguardaba, pero no lo conseguía.

—Hablando de la OTO —dijo Max—, ¿cómo piensas organizarlo con tus colegas?

—Tienes razón, será mejor que me ocupe de eso ahora mismo.

—A la calle M con la Dieciocho —ordenó Max al chófer, que parecía no perderse nada; luego se volvió hacia Clay de nuevo—. ¿Has considerado a Rodney y a Paulette?

—Sí. Hablaré con ellos hoy mismo.

—Bien.

—Me alegro de que cuenten con tu aprobación.

—Nosotros también contamos con gente que conoce las calles y que pueden ayudarnos. Trabajarán para nosotros, pero tus clientes no lo sabrán. —Señaló al conductor con un gesto de cabeza—. Mira, Clay, no podemos relajarnos hasta que esas siete familias se hayan convertido en tus clientes.

—Me da la impresión de que tendré que contárselo todo tanto a Rodney como a Paulette.

—Todo no, pero casi. Serán las únicas personas de tu bufete que sepan qué ha ocurrido. De todas maneras, no puedes hablarles del Tarvan ni de la compañía, y tampoco verán nunca los documentos del acuerdo. Estos te los prepararemos nosotros.

—Pero tendrán que saber qué estamos ofreciendo.

—Naturalmente. Tienen que convencer a las familias para que acepten el dinero, pero no deben saber de dónde sale.

—Eso será complicado.

—En cualquier caso, lo primero es contratarlos.

Si alguien de la OTO había echado de menos a Clay, no lo parecía. Incluso la confiable señorita Glick estaba atareada con los teléfonos y no mostró su habitual expresión de «¿Dónde has estado?». En su mesa esperaba una docena de mensajes, todos irrelevantes porque nada de aquello tenía importancia desde ese momento. Glenda se encontraba en Nueva York para asistir a unas conferencias, y, como de costumbre, su ausencia suponía almuerzos más largos y más días de baja por enfermedad. Escribió rápidamente una carta de dimisión y se la envió por correo electrónico. Acto seguido cerró la puerta y llenó un par de cajas con sus efectos de oficina, pero dejó los viejos libros y las demás cosas que tenían un valor sentimental. Siempre podría volver por ellos, aunque sabía que no lo haría.

El despacho de Rodney era un pequeño cubículo que compartía con otros dos auxiliares.

Clay se asomó y le preguntó:

—¿Tienes un minuto?

—La verdad es que no —contestó Rodney sin levantar la vista de los papeles que estaba examinando.

—Se trata de una novedad en el caso de Tequila Watson. Solo será un momento.

Rodney guardó a regañadientes el lápiz detrás de la oreja y siguió a Clay hasta su despacho, donde vio los estantes vacíos y que la puerta se cerraba tras de sí.

—Me marcho —anunció Clay casi entre susurros.

Estuvieron hablando durante casi una hora, mientras Max Pace esperaba con impaciencia en el todoterreno, aparcado ilegalmente encima de la acera. Cuando Clay salió con sus dos grandes cajas, Rodney lo siguió cargando con su maletín y con una bolsa de la compra llena de papeles. Fue hasta su coche y desapareció mientras Clay subía al todoterreno.

—Está con nosotros —anunció Clay.

—Qué sorpresa.

En las oficinas de la avenida Connecticut, se reunieron con un decorador contratado por Max. A Clay se le dio la oportunidad de escoger entre distintos estilos de lujoso mobiliario que estaban disponibles para ser entregados de inmediato. Eligió varios diseños del catálogo, todos en la franja más alta de precio, y firmó la orden de compra.

Estaban instalando los teléfonos. Un especialista en informática apareció justo cuando el decorador se marchaba. De repente, Clay se vio gastando tal cantidad de dinero que se preguntó si habría exprimido a Pace lo suficiente.

Poco antes de las cinco de la tarde, Max salió de un despacho recién pintado y se guardó el móvil en el bolsillo.

—Bien, la transferencia ha llegado —le dijo a Clay.

—¿Los cinco millones?

—Eso es. Ahora eres multimillonario.

—Pues me largo. Nos vemos mañana.

—¿Adónde vas?

—No vuelvas a hacerme esta pregunta, ¿entendido? No eres mi jefe. Y deja de seguirme. Tenemos un acuerdo.

Caminó un rato por la avenida Connecticut, mezclándose con el gentío de la hora punta, sonriendo tontamente para sí, con la sensación de estar casi flotando. Bajó por la calle Diecisiete hasta que vio el Reflecting Pool y el monumento a Washington, donde grupos de estudiantes se agolpaban para hacerse una foto. Giró a la derecha y atravesó Constitution Gardens y el Vietnam Memorial. Más allá se detuvo en un quiosco y compró dos puros baratos. Encendió uno y siguió hasta la escalinata del Lincoln Memorial, donde se sentó largo rato contemplando el Mall hasta el Capitolio, a lo lejos.

Le resultaba imposible pensar con claridad. Un pensamiento era empujado y sustituido de inmediato por otro. Pensó en su padre, viviendo en un barco de pesca que no era suyo, fingiendo que se daba la gran vida pero ganándose el pan a duras penas; un viejo de cincuenta y cinco años sin futuro alguno que bebía como un cosaco para olvidarse de su desgracia. Dio unas caladas al puro y se fue mentalmente de compras durante un rato. Solo por divertirse calculó cuánto gastaría si se compraba todo lo que le apetecía: un nuevo guardarropa, un buen coche, un equipo de música, viajes... La suma no era más que una ínfima parte de su fortuna. La pregunta era qué coche. Tenía que ser un símbolo del éxito, pero no resultar ostentoso.

Lo que sí iba a necesitar era un nuevo domicilio. Buscaría una casita pintoresca en la zona de Georgetown. Había oído decir que algunas se vendían por seis millones, pero no necesitaba tanto. Estaba seguro de poder encontrar algo por un millón.

Un millón por aquí, un millón por allá.

Pensó en Rebecca, aunque intentó no dedicarle demasiado tiempo. Durante los últimos cuatro años ella había sido su mejor amigo, la única persona con la que lo compartía todo. En esos momentos no tenía nadie con quien hablar. Solo hacía cinco días que lo habían dejado, pero en ese plazo le habían ocurrido tantas cosas que apenas había tenido tiempo de pensar en ella.

—Olvídate de los Van Horn —se dijo en voz alta, exhalando una nube de humo.

Haría una generosa donación al Piedmont Fund y la destinaría a la preservación de los entornos naturales del norte de Virginia. También contrataría los servicios de un auxiliar jurídico para que no hiciera otra cosa que seguir la pista de los proyectos y de las compras de terreno por parte del BVH Group; luego, siempre que pudiera, metería las narices y contrataría abogados para los pequeños propietarios de terrenos que no sabían que estaban a punto de convertirse en vecinos de Excavadora Bennett. ¡Cuánto iba a disfrutar defendiendo el medio ambiente!

—Olvídate de esa gente —se repitió.

Encendió el otro puro y llamó a Jonah, que estaba en la tienda de ordenadores, haciendo horas extras.

—Tengo una mesa a las ocho en el Citronelle —le dijo. En esos momentos era el restaurante de moda en Washington.

—Vale —contestó Jonah.

—En serio. Lo estoy celebrando. He cambiado de trabajo. Luego te lo explicaré.

—¿Puedo llevar a una amiguita?

—Desde luego que no.

Jonah no iba a ninguna parte sin su chica de la semana. Cuando se cambiara de casa, Clay pensaba hacerlo solo, sabiendo que no echaría de menos las heroicidades de alcoba de Jonah. Llamó también a un par de amigos de la universidad, pero los dos estaban casados y con hijos y no podían organizarse con tan poca antelación.

Una cena con Jonah era siempre una aventura.

12

En el bolsillo de la camisa llevaba sus tarjetas de visita recién impresas, con la tinta fresca aún, que le había entregado aquella mañana una imprenta que trabajaba las veinticuatro horas al día. En ellas se decía que era Rodney Albritton, auxiliar jurídico jefe del bufete J. Clay Carter II. Como si el bufete contara con todo un departamento de auxiliares bajo su control. Evidentemente, no era así. No obstante, el bufete crecía a un ritmo impresionante.

Aunque hubiera tenido tiempo de comprar un traje nuevo, no se lo habría puesto en su primera misión. Su viejo uniforme —americana azul, corbata medio desabrochada, vaqueros gastados y unas viejas botas del ejército— funcionaría mejor. Seguía pateándose las calles y necesitaba parecer que lo hacía. Encontró a Adelfa Pumphrey en su puesto, contemplando la hilera de monitores de seguridad pero sin ver nada.

Su hijo llevaba diez días muerto.

Ella lo miró y señaló el sujetapapeles donde tenían que firmar las visitas. Rodney cogió una de sus tarjetas y se la entregó mientras se presentaba.

—Buenos días, señora Pumphrey, trabajo para un importante bufete de la ciudad.

—Qué bien —dijo ella con una voz apenas audible y sin mirar siquiera la tarjeta.

—Me gustaría hablar unos minutos con usted.

—¿Sobre qué?

—Sobre su hijo, Ramón.

—¿Qué pasa con él?

—Sé algunas cosas acerca de su muerte que usted ignora.

—En estos momentos no es uno de mis temas de conversación favoritos, ¿sabe?

—Lo entiendo y crea que lamento sacarlo a relucir, pero le aseguro que le gustará oír lo que tengo que contarle. Seré rápido.

Ella miró alrededor. Al final del vestíbulo había otro vigilante, de pie junto a la puerta, medio dormido.

—Dentro de veinte minutos me toca mi rato de descanso. Reúnase conmigo en la cantina, en el piso de arriba.

Mientras se alejaba, Rodney se dijo que valía hasta el último céntimo de su nuevo y jugoso sueldo. Si cualquier tipo blanco se hubiera presentado ante Adelfa Pumphrey para hablarle de tan delicado asunto, en esos momentos estaría ante ella, balbuceando mientras buscaba las palabras adecuadas, porque ella ni habría reaccionado siquiera; no habría creído una palabra ni mostrado el menor interés, al menos no durante el primer cuarto de hora de conversación.

En cambio él era negro, era hábil y astuto, y ella tenía ganas de hablar con alguien.

El expediente de Max Pace sobre Ramón Pumphrey era breve pero exhaustivo. No había mucho material que tratar. Su presunto padre nunca se había casado con su madre. El sujeto respondía al nombre de Leon Tease y en esos momentos cumplía treinta años de condena en Pensilvania por robo a mano armada e intento de asesinato. Evidentemente, él y Adelfa habían vivido juntos lo justo para que les nacieran dos hijos, Ramón y un hermano un poco más joven llamado Michael. Posteriormente, Adelfa había tenido otro hijo con un hombre con el que se había casado y divorciado. En esos momentos no tenía pareja e intentaba criar, además de a los dos hijos que le quedaban, a dos sobrinos, hijos de su hermana, que se encontraba entre rejas por vender crack.

Adelfa ganaba 21.000 dólares al año trabajando para una empresa de seguridad que se dedicaba a proporcionar vigilancia a bloques de oficinas de bajo riesgo en Washington. Iba a trabajar todos los días en tren desde su apartamento en las afueras. Tenía coche, pero daba igual porque tampoco sabía conducir. También tenía una libreta de ahorros donde casi nunca había dinero y un par de tarjetas de crédito que eran su perdición. Carecía de antecedentes penales. Aparte de su trabajo y de su familia, su otro único interés parecía ser el Old Salem Gospel Center, que no se hallaba lejos de donde vivía.

Puesto que ambos habían crecido en Washington, estuvieron jugando un rato a «¿Conoces a...?», «¿A qué colegio fuiste?» y «¿De dónde eran tus padres?», hasta que acabaron encontrando unas remotas conexiones. Adelfa se tomó un refresco de cola bajo en calorías y Rodney un café solo. La cantina estaba medio llena con oficinistas y funcionarios de nivel inferior que hablaban de cualquier cosa menos de la monotonía de su trabajo.

—Bueno, usted me dijo que quería hablarme de mi hijo Ramón —comentó Adelfa tras un rato de charla intrascendente. Su tono sonó tenso y fatigado, todavía lleno de dolor.

Rodney se inclinó con ademán confidencial.

—En efecto, y ya le dije que lamento sacar el tema. Yo también tengo hijos y no quiero ni pensar en lo que estará sufriendo...

—Tiene razón.

—Escuche, trabajo para un joven abogado, un tipo muy listo que ha encontrado algo que puede llenarle los bolsillos con mucho dinero.

La idea de «mucho dinero» no pareció impresionar a Adelfa. Rodney prosiguió.

—El chico que mató a Ramón acababa de salir de un centro de rehabilitación donde había pasado encerrado cuatro meses. Era un yonqui, un chaval de la calle que no había tenido una oportunidad en la vida. Como parte del tratamiento, le habían dado ciertos medicamentos. Creemos que fue uno de ellos el que hizo que se volviera loco y asesinara al primero que le pasó por delante.

—¿O sea que no fue por un asunto de drogas?

—No, en absoluto.

Adelfa apartó la vista, y los ojos se le llenaron de lágrimas. Rodney comprendió que estaba a punto de derrumbarse. Sin embargo, ella lo miró y preguntó:

—Ha dicho mucho dinero. ¿Cuánto?

—Más de un millón —contestó con cara de póquer, una expresión que había tenido que ensayar unas cuantas veces porque dudaba que pudiera decir aquellas palabras sin que los ojos se le saltaran de las órbitas.

No hubo reacción por parte de Adelfa. Al menos no al principio. Paseó nuevamente una mirada ausente por la cantina.

—¿Se está quedando conmigo?

—¿Por qué iba a hacer tal cosa? No la conozco a usted de nada. ¿Qué motivo puedo tener para venir a verla y soltarle un camelo? Créame, hay dinero en juego, mucho dinero. Es dinero de una compañía farmacéutica que quiere que usted lo coja y no diga una palabra.

—¿Qué compañía?

—Mire, Adelfa, le he contado todo lo que sé. Mi trabajo era hablar con usted, explicarle lo que está pasando e invitarla a que vaya a ver al señor Carter, el abogado para quien trabajo. Él se lo explicará todo.

—¿Un tipo blanco?

—Sí, pero un buen tipo. Hace cinco años que trabajo con

él. No solo le caerá bien, también le gustará lo que él tiene que decirle.

Las lágrimas habían desaparecido de sus ojos.

—Está bien.

—¿A qué hora sale usted de trabajar?

—A las cuatro y media.

—Nuestras oficinas están en la avenida Connecticut, a un cuarto de hora de aquí. El señor Carter la estará esperando. Ya tiene usted mi tarjeta.

Ella volvió a mirarla.

—Y otra cosa muy importante —añadió Rodney casi en un susurro—. Esto funcionará solo si tiene la boca cerrada. Se trata de un secreto. Si hace lo que el señor Carter le dice, conseguirá más dinero del que haya soñado jamás; pero si se va de la lengua, no tocará un centavo.

Adelfa asintió.

—Y ya puede empezar a pensar en cambiar de lugar de residencia.

—¿Mudarme?

—A una ciudad nueva y a una casa nueva donde nadie la conozca y nadie sepa que tiene mucho dinero. A una bonita casa en un bonito barrio donde sus hijos puedan pasear en bicicleta por la calle, un barrio donde no haya camellos ni pandillas, donde los colegios no tengan detectores de metales ni haya un montón de negros dispuestos a birlarle el bolso. Acepte el consejo de alguien que ha crecido igual que usted. Márchese de este lugar. Váyase. Si vuelve a Lincoln Towers con tanto dinero se la comerán viva.

La incursión de Clay en la OTO le permitió fichar a la señorita Glick —la eficiente secretaria que apenas vaciló ante la perspectiva de que le duplicaran el sueldo— y a Paulette Tullos, quien, a pesar de contar con el generoso sustento de su marido ausente, no dudó un instante en aceptar los 200.000 dólares anuales que le ofreció Clay en lugar de los 40.000 que cobraba en esos momentos. Aquellos fichajes provocaron dos llamadas urgentes de Glenda que no fueron atendidas y una serie de correos electrónicos que quedaron por responder. Clay se dijo que se reuniría con Glenda en un futuro inmediato para presentarle sus disculpas por haberle birlado a su mejor personal.

Para compensar la incorporación de tan eficientes profesionales, también contrató a Jonah, su compañero de piso, quien, aunque nunca había ejercido como abogado, era un amigo y confidente que, a su juicio, podría adquirir cierta habilidad en la materia. Jonah tenía la lengua muy larga y le gustaba beber, de modo que Clay se había mostrado muy parco con él en lo tocante a los detalles de su nuevo bufete. Planeaba ir introduciéndolo lentamente, pero había preferido empezar desde abajo. Jonah, que se había olido el dinero, negoció un sueldo inicial de 90.000 dólares, que era menos de lo que cobraría el jefe de los auxiliares, aunque en principio nadie sabía cuánto cobraban los demás. Un nuevo gabinete de contabilidad que acababa de instalarse en el tercer piso se ocuparía de llevar los libros y las nóminas.

Clay había ofrecido a Paulette y a Jonah la misma cautelosa explicación que a Rodney. Es decir, que había descubierto por casualidad una turbia trama relacionada con cierto fármaco y que había establecido contacto con el laboratorio que lo fabricaba, con quien había llegado a un acuerdo: tanto el nombre del medicamento como el del fabricante debían quedar en secreto a cambio de una importante cantidad de dinero. El secreto era crucial. A ellos les correspondería cumplir con su trabajo sin hacer preguntas. Entre todos iban a montar un bufete, ganar un montón de dinero y pasarlo en grande.

¿Quién podía rechazar una oferta semejante?

La señorita Glick recibió a Adelfa Pumphrey como si fuera el primer cliente que entraba en el nuevo y resplandeciente bufete, lo cual era la pura realidad. Todo olía a nuevo:

la pintura, la moqueta, el papel pintado, los muebles italianos de cuero de la zona de recepción. Le llevó un poco de agua en un vaso de cristal que era la primera vez que se utilizaba y regresó a su tarea de poner en orden su nueva mesa de acero y cristal. Paulette fue la siguiente y pidió a Adelfa que la acompañara a su despacho para las tareas preliminares, que no fueron más que un rato de charla entre mujeres durante el cual tomó nota de sus antecedentes familiares —la misma información que Max Pace ya había preparado— y dijo las palabras oportunas a la afligida madre.

Hasta ese momento, todas las personas que había visto eran negras y eso la tranquilizó.

—Es posible que ya haya visto antes al señor Carter —comentó Paulette, siguiendo la pauta del guión que ella y Clay habían improvisado—. Estaba en la sala del tribunal al mismo tiempo que usted, cuando el juez lo nombró abogado de oficio de Tequila Watson. Fue así como este asunto fue a parar a sus manos.

Adelfa parecía tan confundida como ellos habían esperado que se sentiría. Paulette prosiguió:

—El señor Carter y yo hemos trabajado cinco años en la Oficina del Turno de Oficio. Hace unos días presentamos nuestra dimisión y abrimos este bufete. Le caerá bien. Es un joven muy agradable y un buen abogado. Honrado y fiel a sus clientes.

—¿Dice que acaban de abrir?

—Sí. Hacía tiempo que Clay quería tener su propio bufete. Me pidió que me uniera a su proyecto. Está usted en buenas manos, Adelfa.

La confusión había dado paso a la perplejidad.

—¿Hay algo que quisiera preguntarme? —dijo Paulette.

—Tengo tantas preguntas que no sé por dónde empezar.

—La entiendo. Mire, le daré un consejo: no haga demasiadas preguntas. Hay una gran empresa ahí fuera que está dispuesta a pagarle un montón de dinero y a llegar a un acuerdo con usted para que no presente una demanda por la muerte de su hijo. Si empieza a pensárselo y a hacer preguntas es posible que acabe con las manos vacías. Hágame caso, Adelfa: coja el dinero, coja el dinero y corra.

Cuando por fin llegó el momento de que se entrevistara con el señor Carter, Paulette la acompañó por un largo pasillo hasta un espacioso despacho situado en una esquina del edificio. Clay llevaba caminando nerviosamente arriba y abajo desde hacía una hora, pero recibió a Adelfa con toda tranquilidad y le dio la bienvenida al bufete. Llevaba la corbata aflojada, la camisa arremangada y tenía la mesa llena de papeles, como si estuviera litigando en distintos frentes a la vez. Paulette se quedó hasta que rompieron el hielo y después, según lo planeado, se retiró.

—Yo le conozco a usted —dijo Adelfa.

—Tiene razón. Yo estaba en la sala del tribunal el día que se presentaron las acusaciones contra el asesino de su hijo. El juez me asignó el caso, pero acabé rechazándolo. En estos momentos podríamos decir que trabajo para el otro bando.

—Bueno, usted dirá.

—Imagino que se sentirá un poco confusa con todo este asunto.

—Imagina bien.

—Verá, en realidad es bastante sencillo.

Clay se sentó en la esquina del escritorio y contempló el perplejo rostro de la mujer. Cruzó los brazos sobre el pecho e intentó dar la sensación de que ya había hecho aquello antes. Entonces le soltó su historia sobre determinada y perversa empresa farmacéutica. Aunque su exposición fue más animada e interesante que la de Rodney, acabó contándole más o menos lo mismo sin revelar datos nuevos. Adelfa permaneció sentada, quieta, con las manos en el regazo del pantalón de su uniforme, mirándolo sin parpadear y sin saber si creerlo o no.

—Quieren pagarle a usted un montón de dinero —dijo Clay para terminar su exposición—. Y quieren pagárselo ahora.

—¿«Quieren»? ¿Quién quiere?

—La empresa farmacéutica.

—¿Tiene un nombre esa empresa?

—Tiene varios y también varias sedes, de modo que usted nunca logrará averiguar su verdadera identidad. Eso es parte del trato. Nosotros, es decir usted y yo, abogado y cliente, tenemos que pactar mantenerlo en secreto.

Adelfa parpadeó al fin, descruzó y cruzó las manos y cambió el peso de lado. Sus ojos se nublaron, y clavó la mirada en la alfombra persa que cubría la mayor parte del suelo.

—¿De cuánto dinero hablamos? —preguntó con un hilo de voz.

—De cinco millones de dólares.

—¡Santo Dios! —consiguió exclamar antes de desmoronarse.

Se cubrió el rostro con las manos y rompió a llorar. Siguió llorando durante un rato, sin intentar detenerse. Clay le ofreció un pañuelo de papel.

El dinero para los acuerdos se hallaba en una sucursal del Chase situada cerca de la de Clay, esperando a que este lo fuera repartiendo. Los documentos preparados por Max formaban una pila en el escritorio. Clay se los mostró, explicándole que el dinero le sería transferido a primera hora de la mañana del día siguiente, tan pronto como el banco abriera las puertas. Fue pasando páginas y páginas de detalles legales y tecnicismos, subrayándole las cuestiones importantes y pidiéndole que firmara en los lugares adecuados. Adelfa estaba demasiado anonadada para hacer comentarios.

—Confíe en mí —le dijo Clay en más de una ocasión—. Si quiere el dinero, firme aquí.

—Tengo la sensación de estar haciendo algo que no está bien —comentó en un momento dado.

—No es verdad. Los que han hecho algo que no está bien

son los otros. Aquí, la víctima es usted, Adelfa; la víctima y ahora la cliente.

—Tengo que hablarlo con alguien —dijo mientras estampaba su firma.

Pero no tenía a nadie con quien hacerlo. Según la información de Max, había un amiguito ocasional que no era la clase de individuo a quien había que pedir consejo. Había unos hermanos y hermanas repartidos desde el distrito de Columbia hasta Filadelfia, pero tampoco tenían más luces que ella. Sus padres habían muerto.

—Me temo que eso sería un error —le contestó Clay con delicadeza—. Este dinero le cambiará la vida para bien si lo mantiene en secreto. Si va aireándolo por ahí, la destruirá.

—No tengo mano para manejar dinero.

—Nosotros podemos ayudarla. Si lo desea, Paulette puede llevar un seguimiento y asesorarla en todo momento.

—Eso me gustaría.

—Para eso estamos.

Paulette la llevó a casa en coche. Fue un trayecto largo entre los embotellamientos de la hora punta. Más tarde, le contó a Clay que Adelfa no había dicho gran cosa y que cuando llegaron a los bloques de viviendas no quiso salir del coche, así que se quedaron en el vehículo media hora, hablando en voz baja del nuevo futuro que la aguardaba: no más dependencia de los Servicios Sociales, no más disparos en la noche, no más oraciones a Dios para que protegiera a sus hijos. No volvería a preocuparse nunca más por tener a sus hijos a salvo como se había preocupado por Ramón.

No más pandillas. No más colegios de tercera.

Cuando por fin se despidió, estaba llorando.

13

El Porsche Carrera negro se detuvo bajo la sombra de un árbol de la calle Dumbarton. Clay se apeó y, durante unos segundos, fue capaz de hacer caso omiso de su nuevo juguete; pero, tras un rápido vistazo a un lado y a otro, se volvió para admirarlo una vez más. Hacía tres días que lo había comprado y todavía le costaba creer que le pertenecía. No dejaba de repetirse que debía ir acostumbrándose, y a ratos lograba comportarse como si solo fuera un coche normal, nada especial; pero su simple contemplación bastaba para que se le acelerara el corazón. «Estoy conduciendo un Porsche», decía en voz alta mientras serpenteaba entre el tráfico igual que un piloto de Fórmula 1.

Se encontraba a ocho manzanas del campus principal de la Universidad de Georgetown, el lugar donde había pasado cuatro años como estudiante antes de trasladarse a su nueva facultad de derecho en las inmediaciones de la colina del Capitolio. Las casas eran antiguas y pintorescas, con pequeños e impecables céspedes, y las calles estaban llenas de arces y robles milenarios. Los animados bares y comercios de la calle M se encontraban a un par de manzanas, más al sur, y a la distancia de un paseo. Durante cuatro años había hecho jogging por aquellas calles y había pasado largas noches recorriendo con sus amigos los bares y los pubs que había entre la avenida Wisconsin y la calle M.

En esos momentos se disponía a instalarse a vivir allí.

La casa que había llamado su atención estaba en venta, y por ella pedían 1,3 millones. La había visto hacía un par de días, mientras conducía lentamente por Georgetown. Había otra en la calle N y otra más en Volta, a un tiro de piedra unas de otras. Fuera cual fuese, estaba decidido a comprar una antes del fin de semana.

La de Dumbarton, la que más le gustaba, había sido construida en 1850 y cuidadosamente conservada desde entonces. Su fachada de ladrillo había sido pintada muchas veces y, en esos momentos, era de un desvaído color azul. Tenía cuatro plantas, incluido el sótano. El agente inmobiliario le había dicho que era propiedad de un matrimonio ya anciano que la cuidaba mucho y que solía invitar desde a los Kennedy hasta a los Kissinger, pasando por cualquier nombre importante que a uno se le pudiera ocurrir. Los API de Washington mencionaban los apellidos ilustres con tanta o más facilidad que los de Beverly Hills, especialmente cuando manejaban propiedades de la zona de Georgetown.

Clay había llegado con quince minutos de antelación. La casa se hallaba desierta. Según el API, sus propietarios vivían en esos momentos en una residencia geriátrica de lujo. Cruzó la verja de la parte lateral de la casa y admiró el pequeño jardín trasero. No había piscina ni espacio para una. Los metros cuadrados de terreno eran un bien escaso en Georgetown. Vio que había un patio con muebles de hierro forjado y que en los parterres crecían las malas hierbas. Sin duda le esperaban horas de entretenidas labores de jardinería. Sí, pero no demasiadas. Quizá contratara los servicios de una empresa de mantenimiento de jardines.

Aquella casa le encantaba, y también las que la rodeaban. Le encantaba la calle, lo acogedor del vecindario, donde todos vivían cerca, pero respetando la intimidad de los demás. Sentado en los escalones del porche, decidió que empezaría ofreciendo un millón limpio por la casa y que a partir de ahí negociaría duramente, se echaría un farol y se marcharía para disfrutar viendo al API retorciéndose en un mar de dudas. Sin embargo, estaba plenamente dispuesto a pagar el precio que pedían por la casa.

Contempló el Porsche y su mente se perdió en su mundo de fantasía donde el dinero crecía en los árboles y él podía comprar cuanto quisiera: trajes italianos, coches alemanes, propiedades en Georgetown y oficinas en el centro de la ciudad. ¿Qué sería lo siguiente? Había estado pensando en un barco para su padre, uno más grande, desde luego, que le rindiera mayores beneficios. Podría montar un pequeño negocio de alquiler náutico en las Bahamas, amortizar el precio de la embarcación y cancelar deudas para que su padre pudiera ganarse decentemente la vida. Jarrett se estaba consumiendo allí, bebía demasiado, se acostaba con la primera que encontraba, vivía en un barco prestado y arañaba propinas. Estaba decidido a hacerle la vida más fácil.

La puerta de un coche se cerró con un golpe sordo, arrancándolo por un momento de sus ensoñaciones. El agente inmobiliario había llegado.

La lista de víctimas elaborada por Pace acababa con la séptima. Siete víctimas conocidas. Siete que él y sus hombres hubieran podido rastrear. Hacía diecisiete días que el Tarvan había sido retirado de la circulación, y, según la experiencia de la compañía farmacéutica, fuera lo que fuese lo que hacía que el medicamento impulsara a asesinar, pasados diez días dejaba de hacer efecto. Su lista seguía un orden cronológico, y Ramón Pumphrey era la víctima número seis.

La primera había sido un estudiante de la Universidad George Washington, que salía de un Starbucks de la avenida Wisconsin cuando cayó en el punto de mira de un tipo armado con una pistola. El estudiante era originario de Bluefield, en Virginia del Oeste. Clay hizo el viaje hasta allí en coche, en un tiempo récord, no porque tuviera prisa alguna, sino por experimentar lo mismo que un piloto de carreras lanzado a toda velocidad por los valles de Shenandoah. Siguiendo las detalladas instrucciones de Pace, dio sin dificultad con la casa de los padres, un patético bungalow cerca del centro. Cuando llegó y aparcó frente a la casa, se quedó unos instantes sentado dentro del coche, repitiéndose en voz alta:

—Todavía no puedo creer lo que estoy haciendo.

Dos cosas lo motivaron para apearse del Porsche: primero, no tenía elección; segundo, la perspectiva de cobrar los quince millones completos, no una tercera ni dos terceras partes, sino el lote entero.

Iba informalmente vestido y decidió dejar el maletín en el coche. La madre se hallaba en casa, pero el marido todavía no había vuelto del trabajo. La mujer lo dejó entrar a regañadientes, pero no tardó en ofrecerle té y galletas. Clay esperó en el sofá del salón. Había por todas partes fotos del hijo asesinado. Las cortinas estaban corridas. La casa era un caos.

¿Qué estoy haciendo aquí?, se preguntó Clay.

La madre estuvo largo rato hablando de su hijo, y Clay se aferró a todas y cada una de sus palabras. Su marido se dedicaba a vender pólizas de seguro y regresó a casa antes de que el hielo del té acabara de derretirse. Clay les presentó el caso y les ofreció tantas explicaciones como pudo. Al principio, le hicieron algunas preguntas cautelosas: ¿Cuántas personas más habían muerto asesinadas por culpa de aquello? ¿Por qué no podían acudir a las autoridades? ¿Acaso no había que denunciarlo? Clay se ocupó de todas ellas como un veterano. Pace lo había instruido bien.

Al igual que todas las demás víctimas, tenían elección: podían elegir enfurecerse, hacer preguntas, presentar demandas, y reclamar justicia. También podían aceptar el dinero y mantener la boca cerrada. Tardaron un poco en asimilar la cifra de cinco millones o, si la asimilaron, lo disimularon muy bien. Querían mostrar su indignación e indiferencia ante el dinero, al menos inicialmente; sin embargo, a medida que fue avanzando la tarde, empezaron a ver la luz.

—Si no quiere decirme el nombre de la empresa farmacéutica, no aceptaremos el dinero —llegó a decir el padre en un momento dado de la negociación.

—Ni yo mismo sé cómo se llama —le contestó Clay.

Hubo lágrimas y amenazas, odio y recriminaciones, perdón y recompensa, todo un desfile de emociones que se prolongó durante toda la tarde hasta bien entrada la noche. Hacía muy poco que habían enterrado a su hijo pequeño, y el dolor resultaba inconmensurable y paralizante. Les desagradaba tener a Clay allí, pero al mismo tiempo le agradecían su preocupación. Desconfiaban de él porque era un importante abogado de la capital que les estaba mintiendo acerca de un acuerdo tan vergonzoso, pero le pidieron que se quedase a cenar.

La cena llegó puntualmente a las seis. Cuatro mujeres de su congregación religiosa llegaron cargadas con comida para una semana. Clay fue presentado como un amigo de Washington y fue inmediatamente sometido a un interrogatorio a cuatro bandas por ellas. Ni un experto penalista se habría mostrado más inquisitivo.

Por fin, las mujeres se marcharon. Después de la cena, y a medida que avanzaba la noche, Clay empezó a presionar. Les estaba ofreciendo un acuerdo que nadie más les haría. Poco después de las diez, empezaron a firmar.

La víctima número tres fue claramente la más difícil. Se trataba de una prostituta de dieciocho años que había pasado casi toda la vida haciendo las calles. La policía sospechaba que entre ella y su asesino había existido una relación profesional, pero no halló ningún móvil que pudiera explicar por qué la había matado a la salida de un bar, ante tres testigos.

Era conocida con el nombre de Bandy y no necesitaba apellidos. La investigación de Pace no había encontrado padres, marido, hermanos, parientes, hijos, domicilio, rastro de colegios, congregación religiosa ni tampoco, por sorprendente que pudiera parecer, antecedentes policiales. Tampoco había habido funeral. Al igual que en el par de docenas de casos parecidos que se producían al año en Washington, Bandy tuvo un entierro de pobre. Cuando uno de los investigadores de Pace preguntó en la oficina forense de la ciudad, le contestaron que había sido enterrada en la tumba de una prostituta desconocida.

Su asesino solo había aportado una pista: contó a la policía que Bandy tenía una tía que vivía en Little Beirut, el gueto más peligroso del sudeste de Washington. De todas maneras, tras dos semanas de pesquisas, no se halló rastro de ella.

Sin herederos conocidos, no habría acuerdo posible.

14

Las últimas víctimas del Tarvan que firmaron el acuerdo fueron los padres de una joven de veinte años, alumna de la Universidad de Howard, que había sido asesinada una semana después de haber dejado los estudios. Vivían en Warrenton, Virginia, a 60 kilómetros al oeste de Washington. Pasaron una hora sentados en el despacho de Clay, cogidos de la mano como si fueran incapaces de obrar el uno sin el otro. A ratos lloraron, expresando su inefable dolor; en otros momentos se mostraron estoicos, tan rígidos y aparentemente indiferentes al dinero que Clay llegó a dudar que aceptaran el acuerdo.

Pero lo hicieron. Clay estaba convencido de que, de todos los perjudicados con los que había tenido que tratar, ellos eran los que menos se habían dejado influenciar por el dinero. Seguramente, con el paso del tiempo lo agradecerían, pero en aquellos momentos lo único que deseaban era que alguien les devolviera a su hija.

Paulette y la señorita Glick le ayudaron a acompañarlos hasta el ascensor, donde todos se abrazaron una última vez. Cuando las puertas se cerraron, los padres luchaban por contener las lágrimas.

Clay y su pequeño equipo se reunieron en la sala de conferencias y dejaron pasar un ángel mientras daban gracias de que no fueran a verlos más padres y familias de luto, al menos no en el futuro inmediato. Habían puesto a enfriar unas botellas de caro champán francés para celebrarlo, y Clay empezó a servir a todos. La señorita Glick rechazó el ofrecimiento porque no bebía nada de alcohol, pero era la única. Paulette y Jonah se mostraron casi sedientos, mientras que Rodney prefirió una Budweiser, que se tomó alegremente con los demás.

Cuando apareció la segunda botella, Clay se levantó para decir unas palabras,

—Tengo que hacer un anuncio a los miembros del bufete —declaró, dando unos golpecitos en el vaso—. Primero: Los casos del Tylenol han concluido. Enhorabuena y gracias a todos. —Utilizaba «Tylenol» para no hablar de «Tarvan», un nombre que ninguno de sus colaboradores conocía ni conocería. Tampoco sabrían nunca la cuantía de lo que percibía en concepto de honorarios. Era evidente que sabían que cobraba una fortuna, pero no tenían ni idea de cuánto. Todos aplaudían—. Segundo: Esta noche empezamos a celebrarlo yendo a cenar al Citronelle. A las ocho en punto. Y puede ser una noche tan larga como queramos. Mañana el despacho permanecerá cerrado. —Más aplausos. Más champán—. Tercero: Dentro de dos semanas, nos vamos a París. Todos nosotros más un acompañante por cabeza, esposas o maridos de preferencia. Los gastos corren a cuenta del bufete: avión en primera clase, hotel de lujo y lo que corresponda. Estaremos fuera una semana sin excepciones. Soy el jefe y ordeno que vayamos todos a París.

La señorita Glick se cubrió la boca con ambas manos. Estaban todos perplejos. Paulette fue la primera que habló.

—¿Te refieres al París de Francia, o al Paris de Tennessee?

—Me refiero al París de verdad, cariño.

—¿Y qué pasa si me tropiezo allí con mi marido? —preguntó con una media sonrisa mientras todos prorrumpían en sonoras carcajadas.

—Pues que puedes ir a Tennessee si lo prefieres.

—Ni lo sueñes, encanto.

Cuando por fin pudo articular palabra, la señorita Glick dijo con aire compungido:

—Voy a necesitar pasaporte.

—Los impresos para solicitarlo están en mi mesa. Yo me encargaré. En una semana estará listo. ¿Alguna pregunta más?

Charlaron sobre el clima, la gastronomía y sobre qué ropa llevar. Jonah se puso a hablar de qué chica llevaría. Paulette era la única que había estado en París. Fue en su luna de miel, y el viaje se convirtió en una breve estancia cuando su marido griego tuvo que marcharse para atender un asunto urgente. Aunque había volado hasta allí en primera, regresó en turista.

—No sé si lo sabéis, pero en primera clase te reciben con champán y los asientos son grandes como sofás.

—¿Puedo llevar a quien yo quiera? —preguntó Jonah.

—En principio sí, pero sería mejor que descartaras a las que tienen marido.

—Eso reduce mis opciones.

—¿Y a quién invitarás tú, Clay?

—Puede que a nadie —contestó.

El silencio reinó unos momentos. Todos ellos habían cuchicheado acerca de su separación de Rebecca, Jonah especialmente, y aunque no eran lo bastante íntimos para inmiscuirse, querían ver a su jefe feliz y contento.

—¿Cómo se llama esa torre que hay allí? —preguntó Rodney.

—La torre Eiffel —contestó Paulette—. Se puede subir a lo más alto.

—No seré yo quien lo haga. No me parece demasiado segura.

—Vas a ser un gran viajero, ya lo veo venir.

—¿Cuántos días estaremos allí? —quiso saber la señorita Glick.

—Siete noches —contestó Clay—. Siete noches en París.

Se dejaron llevar por el champán y la emoción del momento. Un mes antes estaban todos encerrados en las mazmorras de la OTO, todos salvo Jonah, que vendía ordenadores a tiempo parcial.

Max Pace quería hablar y, puesto que al día siguiente no habría nadie en el bufete, Clay le propuso que se encontraran allí a mediodía, para dar tiempo a que se pasara la resaca. Solo le quedaba un leve dolor de cabeza.

—Tienes un aspecto horrible —le dijo Pace en tono risueño.

—Estuvimos celebrándolo.

—Lo que tengo que tratar contigo es de la mayor importancia. ¿Estás en condiciones de prestarme toda tu atención?

—Desde luego. Adelante.

Pace empezó a caminar por el despacho con una taza de café en la mano.

—Bien. El asunto del Tarvan está listo —dijo para dejar las cosas claras: estaría listo cuando él lo dijera y no antes—. Hemos cerrado seis acuerdos. Si aparece alguien asegurando tener alguna relación con la prostituta, Bandy, entonces tendrás que ocuparte de ello. De todas maneras, estoy convencido de que no tiene familia.

—Y yo.

—Has hecho un buen trabajo, Clay.

—Un trabajo por el que se me paga generosamente.

—Hoy mismo haré la última transferencia, con lo cual tendrás en tu cuenta los quince millones prometidos. O lo que a esta hora quede de ellos.

—¿Y qué esperabas que hiciera, que siguiera conduciendo un coche viejo, viviendo en un apartamento de segunda y vistiendo como un pordiosero? Tú mismo dijiste que debía gastar un poco de dinero para dar la impresión correcta.

—Te lo decía en broma. Además, debo reconocer que estás interpretando a la perfección tu papel de ricachón.

—Gracias.

—Te veo pasando de la pobreza a la abundancia con enorme facilidad.

—Talento que tiene uno.

—Simplemente ten cuidado en no llamar demasiado la atención.

—De acuerdo. Hablemos del siguiente caso.

Pace tomó asiento y le pasó un expediente.

—Esta vez, el medicamento en cuestión se llama Dyloft, elaborado por Ackerman Labs. Se trata de un potente antiinflamatorio que se utiliza en los casos de artritis aguda. Dyloft es nuevo, y los médicos se han vuelto como locos. Funciona a las mil maravillas, y los pacientes están encantados con él. Sin embargo, plantea dos problemas: el primero es que no lo fabrica mi cliente sino uno de sus competidores; el segundo es que provoca la aparición de pequeños tumores en la vejiga. Mi cliente, el mismo cliente del Tarvan, elabora un medicamento parecido que, hasta hace doce meses, cuando el Dyloft llegó al mercado, tenía mucho éxito; un mercado que mueve unos tres mil millones de dólares al año, aproximadamente. Dyloft ya es el número dos y seguramente alcanzará los cien mil millones este año. No resulta fácil de predecir porque está creciendo muy deprisa. El medicamento de mi cliente roza los ciento cincuenta mil millones y está en pleno retroceso. La verdad es que el Dyloft hace furor y no tardará en aplastar a la competencia. Hasta tal punto es bueno. Hace unos meses, mi cliente compró una pequeña empresa farmacéutica belga. Esta compañía había tenido una división que en su día fue absorbida por Ackerman Labs. Los de Ackerman despidieron a unos cuantos investigadores, que acabaron en la calle. Al cabo de un tiempo, unos cuantos informes de investigación que se habían esfumado reaparecieron donde no debían. Mi cliente cuenta con los testimonios y con la documentación que demuestra que Ackerman Labs estaba al corriente de los efectos secundarios del Dyloft, al menos desde hace seis meses. ¿Me sigues?

—Sí. ¿Cuánta gente ha tomado Dyloft?

—No es fácil de determinar con exactitud porque el número no cesa de aumentar. Probablemente un millón.

—¿Y qué porcentaje de ellos ha desarrollado tumores?

—Los resultados de la investigación indican que un cinco por ciento. Un número suficiente para acabar con el Dyloft.

—¿Y cómo se puede saber si un paciente ha desarrollado el tumor?

—Mediante un análisis de orina.

—O sea, que tú y tu cliente queréis que demande a Ackerman Labs, ¿no?

—Espera. No tan deprisa.

—La verdad acerca del Dyloft se sabrá muy pronto. A día de hoy no ha habido querellas ni reclamaciones ni tampoco se han publicado informes en las revistas médicas. Nuestros espías nos dicen que los de Ackerman están muy ocupados amasando millones y poniéndolos a buen recaudo para pagar a sus abogados cuando se desate la tormenta. También es posible que estén intentando solucionar el defecto del medicamento, pero eso lleva tiempo y requiere la aprobación de la FDA. La verdad es que se hallan en un apuro porque necesitan liquidez. Contrajeron considerables deudas para adquirir otras compañías, la mayoría de las cuales no han arrojado los beneficios esperados. Las acciones de Ackerman Labs se negocian a alrededor de los cuarenta y dos dólares. Hace un año, estaban a ochenta.

—¿Y qué efectos tendrá para la compañía que se haga público el problema del Dyloft?

—Hundirá la cotización, que es precisamente lo que le interesa a mi cliente. Si la demanda se lleva como es debido, y estoy seguro de que entre tú y yo podremos conseguirlo, la noticia dará la puntilla a Ackerman Labs. Y puesto que tenemos informes internos que confirman que el Dyloft es perjudicial, la empresa no tendrá más remedio que aceptar un acuerdo. No se pueden arriesgar a ir a juicio, no con un producto tan peligroso.

—¿Y donde está la trampa?

—En que el noventa y cinco por ciento de los tumores son benignos y muy pequeños. En realidad, el medicamento no produce ningún daño en la vejiga.

—De manera que la demanda no es más que una herramienta para sacudir el mercado, ¿no?

—Sí, y también para compensar a la víctimas. Benignos o no, nadie quiere tumores en su vejiga. Cualquier jurado coincidirá en este punto de vista. El planteamiento es el siguiente: Reunirás a un grupo de cuarenta o cincuenta demandantes y presentarán una querella en nombre de todos los pacientes que hayan tomado el medicamento. Al mismo tiempo, lanzarás una serie de anuncios en televisión solicitando más casos. Si te mueves deprisa y bien, reunirás varios miles. Los anuncios se emitirán de costa a costa. Eso les meterá el miedo en el cuerpo y hará que llamen a un teléfono gratuito que será tuyo y que tendrás montado aquí, en algún almacén, donde una docena de auxiliares como Rodney estarán recibiendo las llamadas y ocupándose del papeleo. Te costará una pasta, de eso no hay duda, pero supongamos que consigues unos cinco mil casos y pides veinte mil dólares de indemnización por cada uno. Eso supone cien millones de dólares; un tercio de esa cantidad es lo que te llevas tú.

—¡Pero eso es un escándalo!

—No, Clay. Es lo que yo llamo la máxima expresión de una demanda conjunta por daños. Así es como funciona actualmente el sistema. Y puedo garantizarte que si tú no la presentas, alguien lo hará en tu lugar. Hay tanto dinero en juego que los especialistas en ese tipo de demandas están, como buitres, al acecho de cualquier medicamento que salga defectuoso. Y créeme si te digo que hay un montón.

—¿Y por qué soy yo el afortunado?

—Por una cuestión de oportunidad. Si mi cliente sabe exactamente cuándo vas a presentar esa demanda conjunta, podrá adelantarse al mercado.

—¿Y dónde voy a encontrar los primeros cincuenta clientes? —preguntó Clay.

Max sacó una gruesa carpeta.

—Sabemos de un millar, como mínimo. Nombres y direcciones; aquí están todos.

—Has mencionado un almacén y un montón de auxiliares jurídicos...

—Media docena. Con ellos tendrás bastante para que contesten al teléfono y mantengan los expedientes en orden. Al final es posible que acabes con más de cinco mil clientes individuales.

—¿Y los anuncios de televisión?

—Eso también. Tengo el nombre de una agencia de publicidad que te monta un anuncio en menos de tres días. Nada especial: una voz en off que habla de lo malo que es el Dyloft mientras salen imágenes de píldoras que caen en una mesa. Cincuenta segundos de terror diseñados para que la gente llame al bufete de Clay Carter II. Créeme si te digo que esos anuncios funcionan. Emítelos en los principales mercados y antes de que te hayas dado cuenta tendrás clientes llamando a tu puerta.

—¿Cuánto costará eso?

—Unos cuantos millones, pero puedes permitírtelo.

Era el turno de Clay de levantarse y dejar que la sangre le circulara libremente por las venas. Había visto algunos anuncios de píldoras de adelgazar que habían tenido efectos secundarios perniciosos, anuncios en los que unos abogados invisibles intentaban asustar a la gente para que llamaran a un número gratuito. Desde luego, no tenía intención de caer tan bajo.

Pero... ¡treinta y tres millones de dólares en concepto de

honorarios! ¡Si todavía no se había recuperado de la impresión de haberse hecho rico!

—¿Por dónde empezaríamos?

Pace tenía una lista de lo primero que había que hacer.

—Primero tendrás que firmar el contrato con clientes, lo cual debería llevarte un par de semanas como mucho. Tres días para tener listo el anuncio y unos cuantos más para contratar los minutos de publicidad en televisión. También tendrás que contratar a los auxiliares jurídicos e instalarlos en algún lugar de las afueras. Estas oficinas son demasiado caras. Luego está la demanda que hay que preparar. Tienes buena gente a tus órdenes. Deberías poder tenerlo todo listo en menos de un mes.

—Tengo pensado llevarme al personal a París durante una semana, pero creo que lo tendremos todo listo para cuando dices.

—Mi cliente quiere que la demanda se presente en menos de un mes. El día 2 de julio, para ser exactos.

Clay volvió a sentarse y miró fijamente a Pace.

—Nunca he llevado una demanda como esta —confesó.

Pace sacó algo de su maletín.

—¿Qué planes tienes para el fin de semana? —preguntó, hojeando un folleto.

—Nada especial.

—¿Has estado en Nueva Orleans hace poco?

—La última vez fue hace diez años.

—¿Te suena el nombre del Círculo de Letrados?

—Puede.

—Es una antigua asociación que se ha reorganizado, un colectivo especializado en demandas conjuntas. Se reúnen un par de veces al año y hablan de las últimas tendencias en ese tipo de litigios. Sería un fin de semana productivo —dijo empujando el folleto a través de la mesa hasta Clay, que lo recogió.

En la cubierta había una foto a todo color del hotel Royal Sonesta, situado en pleno barrio francés.

Nueva Orleans era tan húmedo y caluroso como de costumbre, especialmente en la zona del barrio francés.

Iba solo, lo cual no le molestaba en absoluto. Incluso suponiendo que Rebecca y él no hubieran roto, ella no lo habría acompañado: habría estado demasiado ocupada trabajando y yendo de compras con su madre el fin de semana. La rutina de siempre. Había pensado en invitar a Jonah, pero su relación con él atravesaba un mal momento. Clay acababa de mudarse, del pequeño apartamento que compartían a una lujosa mansión sin pedirle que lo acompañara, y Jonah se lo había tomado a mal. De todas maneras, lo había previsto y estaba preparado para aceptarlo. Lo último que deseaba en su nueva casa era a un compañero entrando y saliendo a todas horas, acompañado de la primera golfa que se le ocurría.

El dinero empezaba a aislarlo. Ya no llamaba a los viejos amigos de siempre porque no deseaba aguantar las preguntas de rigor, y ya no frecuentaba los mismos sitios porque podía permitirse otros mejores. En menos de un mes había cambiado de trabajo, de domicilio, de restaurantes y de gimnasio, y se hallaba en trámites de cambiar también de pareja, aunque en esos momentos no hubiera ninguna sustituta a la vista. Rebecca y él llevaban veintiocho días sin hablarse. Tal como había prometido, tenía pensado llamarla cuando se hubiera cumplido el mes que habían pactado, pero desde entonces habían cambiado muchas cosas.

Cuando Clay entró en el vestíbulo del Royal Sonesta, tenía la camisa empapada de sudor y se le pegaba a la espalda. La inscripción costaba 5.000 dólares, una cantidad exorbitante para solo unos días de confraternización con unos cuantos colegas. Pero esa tarifa también decía al resto de abogados que no todo el mundo estaba invitado; solo los ricos que se tomaban en serio las demandas colectivas. La habitación costaba otros 450 dólares por noche. Pagó con una tarjeta de crédito Platino que todavía no había estrenado.

Había varios seminarios en marcha. Entró en uno sobre demandas contra elementos tóxicos donde disertaban un par de abogados que habían demandado a una empresa química por contaminar agua potable con elementos que nadie sabía a ciencia cierta si causaban cáncer o no. Para quitárselos de encima, la empresa les había pagado medio millón a cada uno, y ellos se habían hecho ricos. En la siguiente sala, un abogado que Clay recordaba haber visto en televisión estaba en pleno discurso sobre cómo manejar los medios de comunicación, pero no tenía mucho público. En realidad, la mayoría de los seminarios estaban casi vacíos. De todas maneras, era viernes, y Clay pensó que los pesos pesados seguramente llegarían al día siguiente.

Por fin encontró una pequeña multitud en una sala de conferencias donde una empresa aeronáutica proyectaba un vídeo publicitario sobre su último modelo de reactor privado de lujo. El espectáculo se desarrollaba en una gran pantalla situada al fondo de la sala, y había un montón de abogados sentados, mirando, contemplando con fascinación aquel último milagro de la aeronáutica: un radio de acción de 4.000 millas, el equivalente de costa a costa o de Nueva York a París sin escalas; consumía menos combustible que cualquier otro modelo, al tiempo que alcanzaba una velocidad superior. El interior era espacioso, con butacas y sofás por todas partes, e incluso aparecía una atractiva azafata en minifalda que sostenía una bandeja con una botella de champán y un cuenco de cerezas. La tapicería de los asientos era de cuero viejo de color marrón oscuro. Para el placer o para los negocios, porque el Galaxy 9000 llevaba incorporado un sistema de teléfono de última generación que permitía al abogado más atareado llamar a cualquier rincón del mundo, faxes, fotocopiadoras y —cómo no— acceso a internet. Las imágenes mostraban a unos cuantos individuos en mangas de camisa que figuraba que era un grupo de letrados trabajando alrededor de un documento mientras la simpática rubia con el champán se moría de asco sin que nadie le hiciera caso.

Clay se acercó lentamente a la multitud, sintiéndose como un intruso. Hábilmente, la proyección omitía mencionar el precio de venta del Galaxy 9000, pero insistía en otros aspectos como la adquisición compartida, el leasing o las cesiones, posibilidades que los comerciales de la empresa que se hallaban presentes en la sala estaban dispuestos a explicar con todo detalle. Cuando la película finalizó, todos los abogados empezaron a hablar a la vez, pero no sobre medicamentos defectuosos ni demandas colectivas, sino sobre aviones a reacción y sobre lo que costaban los pilotos. Los comerciales se vieron rodeados por ávidos clientes. En un momento dado, Clay oyó que alguien decía: «Uno nuevo ronda los treinta y cinco millones».

No era posible que estuvieran hablando de 35 millones.

Había otros expositores que ofrecían todo tipo de productos de lujo. Un astillero tenía a un grupo de abogados seriamente interesados en la compra de yates. Había un agente inmobiliario especializado en la venta de propiedades en el Caribe; otro, en la de ranchos en el estado de Montana. Uno de los puestos más concurridos era el de un vendedor de carísimos aparatos electrónicos de diseño.

Y no podían faltar los automóviles. Había toda una pared destinada a la exhibición de los últimos modelos de lujo de las más exclusivas marcas: un Mercedes descapotable, un Corvette en edición limitada, un Bentley de color tostado que parecía el no va más de cualquier abogado. Porsche presentaba la última versión de su todoterreno, y sus comerciales ya estaban ocupados tomando nota de los pedidos. Pero el que atraía todas las miradas era un reluciente Lamborghini azul oscuro metalizado cuyo precio aparecía casi escondido, como si el fabricante se avergonzara de anunciarlo. Solo 290.000 dólares y además muy pocas unidades disponibles. Ya había varios abogados dispuestos a disputárselas.

En un discreto rincón de la sala, un sastre y sus ayudantes tomaban medidas a un tipo corpulento para confeccionarle un traje italiano. Un rótulo decía que eran de Milán, pero el acento que Clay oyó era claramente norteamericano.

En la facultad había asistido a una mesa redonda dedicada a tratar el tema de las indemnizaciones especialmente cuantiosas y de lo que debía hacer un abogado para proteger a sus toscos clientes de las múltiples tentaciones que ofrecía una súbita riqueza. Había expertos que contaban historias espeluznantes de familias trabajadoras que habían arruinado sus vidas tras cobrar una cuantiosa indemnización. Los relatos eran fascinantes estudios de la conducta humana. En un momento dado del debate, uno de los abogados presentes llegó a comentar: «Nuestros clientes se gastan el dinero casi tan deprisa como nosotros».

Clay miró a su alrededor y lo que vio fue precisamente eso: abogados que se gastaban el dinero casi tan deprisa como eran capaces de amasarlo. ¿Acaso también él había caído en el mismo defecto?

Naturalmente que no. Él solo se había limitado a lo más básico. Al menos hasta el momento. ¿Quién no quería un coche y una casa mejores? No estaba comprando yates ni aviones ni ranchos de ganado. No quería nada de eso. Y, aunque consiguiera ganar otra fortuna con el Dyloft, no tenía la menor intención de dilapidarla en aviones y en segundas residencias. Metería el dinero en el banco o bajo el colchón de su cuarto.

Se sintió hastiado por aquella orgía consumista, de modo que decidió marcharse del hotel. Lo único que le apetecía era tomarse unas ostras y un poco de cerveza local.

15

La única sesión que había a las nueve de la mañana del sábado era para ponerse al día sobre la legislación aplicable a las demandas colectivas que estaba siendo debatida en el Congreso. El tema había atraído a una pequeña multitud. Después de haber pagado los 5.000 dólares de la inscripción, Clay estaba decidido a aprovecharlos al máximo. Parecía uno de los pocos de entre los presentes que no tenía aspecto de padecer resaca. Todo el mundo a su alrededor apuraba grandes vasos de papel llenos de café.

El conferenciante era un abogado, miembro también de algún grupo de presión de Washington, que empezó con mal pie contando un par de chistes verdes que no hicieron ninguna gracia. Los asistentes eran todos hombres y todos blancos, la audiencia de costumbre, pero no estaban de humor para bromas de mal gusto. La presentación pasó rápidamente del humor grosero al aburrimiento. Sin embargo, al menos para Clay, los temas tenían cierto interés y le aportaban información de utilidad. Sabía muy poco acerca de las demandas colectivas, de modo que todo era una novedad para él.

A las diez tuvo que elegir entre una conferencia sobre las últimas novedades relacionadas con Skinny Ben y la presentación de un abogado cuya especialidad era la pintura de minio, asunto que a Clay se le antojó soporífero. En consecuencia, asistió a la primera. La sala estaba abarrotada.

Skinny Ben era el apodo de una píldora para la obesidad, tristemente famosa, que había sido recetada a millones de pacientes. El fabricante se había embolsado millones y aspiraba a convertirse en el rey del mundo cuando un gran número de pacientes empezaron a presentar cuadros cardíacos claramente derivados del uso del medicamento. Las demandas empezaron a lloverle de la noche a la mañana, pero el laboratorio no mostró el menor interés en acudir a los tribunales. Tenía los bolsillos muy grandes y se dedicó a acallar a los demandantes con grandes indemnizaciones. Abogados de los cincuenta estados de la Unión especializados en demandas colectivas se habían pasado los últimos tres años yendo de un lado para otro buscando casos relacionados con Skinny Ben.

Había cuatro abogados sentados cara al público, junto al moderador. En el asiento al lado de Clay no había nadie, hasta que un pequeño y risueño abogado lo ocupó en el último momento. El hombrecillo abrió su maletín y sacó lápiz y papel, material del seminario y dos móviles que distribuyó estratégicamente. Cuando tuvo listo su puesto de mando, se volvió hacia Clay —que se había apartado todo lo posible— y le susurró:

—Buenos días.

—Buenos días —respondió Clay, sin ningunas ganas de entablar conversación. Contempló la batería de móviles y se preguntó a quién pensaba llamar ese tipo a las diez de la mañana de un sábado.

—¿Cuántos casos lleva usted? —susurró nuevamente el abogado.

Era una pregunta interesante, una pregunta que desde luego Clay no estaba preparado para responder. Acababa de cerrar sus casos con el Tarvan y estaba planificando su ataque contra el Dyloft; pero, a decir verdad, en esos momentos no tenía caso alguno entre manos. Sin embargo, esa respuesta le pareció de lo más inadecuada en aquel entorno, donde todo era exagerado y desmedido.

—Un par de docenas —mintió.

El hombrecillo frunció el entrecejo, como si aquello fuera del todo inaceptable. La conversación quedó interrumpida durante unos minutos. Uno de los conferenciantes empezó a disertar, y el silencio se apoderó del auditorio. El asunto que abordaba era el balance de Healthy Living, el laboratorio fabricante de Skinny Ben. La empresa tenía varias divisiones, que en su mayoría rendían beneficios. El precio de sus acciones no se había visto afectado. A decir verdad, tras cada acuerdo importante, la cotización se había mantenido, señal de que los inversores sabían que la empresa tenía dinero suficiente.

—Ese es Patton French —le informó su colega de asiento.

—¿Y quién es? —preguntó Clay.

—El abogado especializado en demandas colectivas más importante del país. El año pasado sus honorarios superaron los trescientos millones.

—Es el orador que intervendrá a la hora del almuerzo, ¿verdad?

—Sí. No se lo pierda.

French empezó a explicar con todo lujo de aburridos detalles que los casi 300.000 casos se habían zanjado por un total de 7,5 millones en concepto de indemnizaciones. Él y otros expertos calculaban que debía de haber otros 100.000 casos pendientes que podían valer entre 2.000 y 3.000 millones de dólares. La empresa farmacéutica y sus aseguradoras tenían liquidez más que suficiente para cubrir todas esas demandas, de manera que estaba en manos de los asistentes salir a la calle en busca de los casos que todavía quedaban. Aquello entusiasmó a los presentes.

Clay no sintió el menor deseo de unirse al coro. Todavía no podía dejar de pensar en que aquel gordo y pomposo gilipollas que hablaba por el micrófono había ganado 300 millones en honorarios el año anterior y todavía alardeaba de sus ganas de ganar más. El debate pasó a ocuparse de los métodos creativos de captar nuevos clientes. Uno de los oradores había ganado tanto dinero que tenía dos médicos en plantilla dedicados exclusivamente a ir de ciudad en ciudad en busca de pacientes que hubieran tomado Skinny Ben. Otro había centrado sus esfuerzos únicamente en los anuncios de televisión. La cuestión despertó el interés de Clay, pero enseguida degeneró en un patético debate sobre si el abogado en cuestión debía protagonizar el anuncio o era mejor que contratara a algún viejo actor en decadencia para que hiciera su papel.

Sin embargo, lo más curioso fue la casi total ausencia de cualquier charla sobre estrategias legales —llamar a testigos expertos, seleccionar jurados, buscar pruebas médicas—, la clase de información que los abogados intercambiaban durante los seminarios. Clay empezó a darse cuenta de que aquellos casos rara vez iban a juicio. El talento ante un tribunal contaba poco. Todo era cuestión de buscar casos y cobrar abultados honorarios. En varias ocasiones durante el debate, tanto los oradores como los que les hacían preguntas sin ninguna malicia se delataron reconociendo que habían ganado millones en acuerdos recientes.

Clay empezó a tener ganas de darse otra ducha.

A las once, un concesionario local de Porsche dio una recepción que tuvo mucho éxito: solo ostras, Bloody Mary y constantes comentarios sobre los casos que cada uno llevaba y sobre cómo conseguir más. Mil por aquí, dos mil por allá. Evidentemente, la estrategia más extendida era reunir tantos casos como uno pudiera y después hacer equipo con Patton French, que estaría encantado de sumarlos a su propia demanda colectiva que presentaría en lo que era su feudo de Mississippi, donde los jueces y los jurados hacían siempre lo que a él más le convenía y los laboratorios farmacéuticos no se atrevían a poner los pies. French manejaba los hilos igual que un hampón de Chicago.

Volvió a hablar a la una, después del almuerzo, que había consistido en un bufet de comida cajún y cerveza local. Tenía las mejillas coloradas; la lengua, suelta y de un tono encendido. Comenzó haciendo un breve resumen de la historia del sistema estadounidense de indemnizaciones por daños y perjuicios, sin necesidad de consultar notas de ningún tipo; y a continuación lanzó un discurso sobre lo importante que era el sistema a la hora de proteger a los ciudadanos indefensos de la voracidad de las grandes empresas que fabricaban productos perniciosos. Y de paso dejó bien claro que no le gustaban las compañías de seguros, los grandes bancos, las multinacionales y tampoco los republicanos. Era el capitalismo salvaje quien hacía necesaria la labor de las almas caballerescas que integraban el Círculo de Letrados, aquellos esforzados héroes que luchaban desde las trincheras contra las grandes empresas para defender a la gente humilde y trabajadora.

Con sus 300 millones de dólares anuales en honorarios, Patton French estaba lejos de parecer un esforzado héroe; pero estaba claro que la suya era una actuación de cara a la galería. Clay miró a su alrededor y se preguntó —no por primera vez— si sería la única persona sensata en aquel lugar. ¿De verdad estaban todos tan cegados por sus fortunas que se creían sinceramente los defensores de los pobres y de los desfavorecidos?

¡Pero si casi todos volaban en sus aviones privados!

French siguió un buen rato con sus batallitas: una demanda colectiva —contra un medicamento para combatir el colesterol que tenía efectos secundarios perniciosos— zanjada con una indemnización de 400 millones; 1.000 millones por otro contra la diabetes que había enviado al otro barrio a más de un centenar de enfermos; 150 millones por la defectuosa instalación eléctrica de 200.000 hogares que había provocado 1.500 incendios en los que habían muerto 17 personas y sufrido quemaduras otras 40. Tenía al público hasta tal punto cautivo de sus palabras que en determinado momento este prorrumpió en aplausos. French iba salpicando sus historias con comentarios personales: «Eso les costó un Gulfstream nuevo». A las veinticuatro horas de haber llegado al Royal Sonesta,

Clay había averiguado que un Gulfstream era el mejor de los reactores privados y que uno nuevo costaba unos 45 millones de dólares.

El principal rival de French era un abogado de algún lugar de Mississippi, especializado en empresas tabaqueras, que había ganado unos mil millones de dólares y después se había comprado un yate de 60 metros de eslora. El viejo yate de French solo medía 45, de manera que lo había cambiado por uno de 70. El público también se rió con aquello. En su bufete trabajaban treinta abogados y necesitaba otros treinta más. Andaba por la cuarta esposa, y la tercera le había costado el apartamento de Londres.

Y así historia tras historia. Una fortuna ganada era una fortuna tirada por la borda. No resultaba extraño que trabajara siete días a la semana.

Un público normal habría acabado sintiendo vergüenza ajena ante tan vulgar exhibición de riqueza, pero French conocía a su audiencia y si algo conseguía era inyectarles energía para que ganaran más y gastaran más, provocarlos para que buscaran más clientes y presentaran más demandas. Durante una hora se comportó como un gilipollas y un prepotente; pero no resultó aburrido ni un solo minuto.

Los cinco años que había pasado en la OTO sin duda habían blindado a Clay contra muchas de las prácticas habituales de la abogacía. Había leído cosas acerca de las demandas colectivas, pero no tenía la menor idea de que quienes las presentaban estuvieran tan organizados y formaran un grupo tan especializado. No obstante, no daban la impresión de ser especialmente brillantes, y su mérito se centraba en su capacidad para reunir nuevos casos y llegar a acuerdos, no en su pericia legal.

French podría haber seguido perorando todo el día, pero al cabo de una hora se retiró, en medio de una atronadora aunque un tanto embarazosa ovación. Volvería a intervenir en un seminario previsto para las tres de la tarde en el que hablaría de cómo encontrar la jurisdicción más favorable. Dado que la tarde prometía ser tan aburrida como lo había sido la mañana, Clay decidió que ya había tenido suficiente.

Se fue a pasear por el barrio francés, fijándose no en los bares y en los locales de *striptease*, sino en los anticuarios y las galerías de arte; pero no compró nada porque se sentía dominado por la necesidad de preservar su dinero. Al cabo de un rato, se sentó en un banco de Jackson Square y se dedicó a matar el tiempo viendo pasar a la gente. Se tomó una achicoria caliente e intentó infructuosamente que le gustara. Aunque no había puesto por escrito los números que había oído, sí había hecho el cálculo mental. Los honorarios del Tarvan menos un 45 por ciento en concepto de impuestos y gastos generales, junto con lo que ya había gastado, le dejaba un saldo de unos 6,5 millones. Podía meter esa cantidad en el banco y ganar 300.000 al año solo con los intereses, que equivalía a unas ocho veces el sueldo que percibía en la OTO. 300.000 al año equivalían a 25.000 al mes. Sentado a la sombra de aquella cálida tarde de Nueva Orleans, no se sintió capaz de imaginar en qué podía gastarse tanto dinero.

Aquello no era un sueño. Era realidad. Tenía el dinero en su cuenta. Sería rico el resto de su vida y no se convertiría en uno de aquellos payasos del Círculo de Letrados, presumiendo de yates y discutiendo de lo que costaba contratar a un piloto para el avión privado.

Solo había un problema, y no era menor. Había contratado a un puñado de personas y les había hecho promesas. Rodney, Paulette, Jonah y la señorita Glick habían abandonado un trabajo seguro y depositado su fe en su persona. No podía abandonarlos. No podía coger el dinero y largarse.

Cambió la achicoria por una cerveza y tomó una importante decisión. Durante un tiempo trabajaría de firme en los casos del Dyloft, ya que era consciente de que cometería una tontería si no aprovechaba la ocasión de oro que Max Pace le brindaba. Luego, cuando el caso hubiera acabado, repartiría cuantiosas gratificaciones entre su personal y cerraría el bufete. A partir de ese momento se dedicaría a llevar una vida tranquila y discreta en Georgetown, a viajar por el mundo cuando le apeteciera, a pescar con su padre y a ver crecer su dinero; y sobre todo, nunca más, en ninguna circunstancia, volvería a asistir a una reunión del Círculo de Letrados.

Acababa de pedir el desayuno al servicio de habitaciones cuando sonó el teléfono. Era Paulette, la única persona que sabía realmente dónde se encontraba.

—¿Te han dado una habitación bonita? —preguntó.

—¡Ya lo creo!

—¿Y tiene fax?

—Desde luego.

—Dame el número. Voy a enviarte una cosa.

Se trataba de un recorte de la edición dominical del *Post*. Un anuncio de boda, la de Rebecca Allison van Horn, de McLean, Virginia, con Jason Shubert Myers IV. «El señor Bennett van Horn y su esposa, de McLean, Virginia, se complacen en anunciar el enlace de su hija Rebecca con Jason Shubert Myers IV, hijo del señor Stephen Myers y esposa, de Falls Church...» La fotografía, a pesar de haber sido fotocopiada y enviada por fax a cientos de kilómetros, se veía bastante nítida: una chica muy guapa que estaba a punto de casarte con otro.

Stephen Myers era hijo de Dallas Myers, abogado de numerosos presidentes, desde Woodrow Wilson hasta Dwight Eisenhower. Según decía el anuncio, Jason Myers había estudiado en la Facultad de Derecho de Brown y en Harvard, y en esos momentos era asociado en el bufete Myers & O'Malley, que seguramente era el más antiguo de Washington y sin duda alguna el de más postín. Myers había sido el creador de la división de Propiedad Intelectual del bufete y se había convertido en el socio más joven de la historia de Myers & O'Malley. Sinceramente, aparte de sus gafas redondas, no había nada en Jason que hiciera pensar en él como en un intelectual. De todas maneras, Clay sabía que, aunque quisiera, no podía ser justo con él. No carecía de atractivo, pero no estaba ni de lejos a la altura de Rebecca.

La boda estaba previsto que se celebrase en diciembre, en la iglesia episcopaliana de McLean, seguida de una recepción en el Potomac Country Club.

Estaba claro que en menos de un mes Rebecca había encontrado a alguien de quien enamorarse lo bastante para casarse. Alguien con el estómago suficiente para tragarse toda una vida con Bennet y Barb. Alguien con el dinero suficiente para impresionar a los Van Horn.

El teléfono volvió a sonar. Era Paulette de nuevo.

—¿Estás bien? —preguntó.

—Estoy bien —consiguió articular Clay.

—Lo siento, Clay. Lo siento de verdad.

—Ya se había acabado, Paulette. Nuestra relación llevaba cojeando desde hacía un año. A decir verdad me alegro. Ahora podré olvidarme de ella por completo.

—Si tú lo dices...

—De verdad. Estoy bien. Te agradezco que hayas llamado.

—¿Cuándo vuelves a casa?

—Hoy. Mañana por la mañana estaré en el despacho.

El desayuno llegó, pero Clay se olvidó de que lo había pedido. Tomó un poco de zumo de naranja y dejó todo lo demás. Cabía la posibilidad de que ese pequeño idilio llevara tiempo fraguándose. De ser así, lo único que Rebecca había necesitado era deshacerse de él, cosa que Clay tenía que reconocer que ella había logrado sin demasiado esfuerzo. Su traición se le fue haciendo cada vez más clara con el paso de los minutos. Casi podía ver y escuchar a la madre de Rebecca tirando de los hilos desde un segundo plano, manipulando su ruptura, tendiendo la trampa a Myers y, en esos momentos, planeando todos los detalles del enlace.

—De buena me he librado —masculló para sus adentros.

Entonces pensó en el sexo —y en Myers ocupando su lugar— y lanzó el vaso de zumo al otro lado de la habitación, donde se hizo añicos contra la pared. Clay se maldijo por comportarse como un idiota

Cuánta gente habría en esos instantes leyendo el anuncio y pensando en él, diciéndose: «Con qué rapidez te plantó, ¿no? ¡Caray, chico, sí que se dio prisa!».

¿Estaría pensando ella en él? ¿Cuánta satisfacción sentiría al contemplar el anuncio de boda y pensar en el bueno de Clay? Probablemente mucha. Quizá poca. ¿Qué importancia podía tener? Sin duda el señor y la señora Van Horn se habían olvidado de él desde el primer día. ¿Por qué le costaba tanto devolverles el favor?

Rebecca se estaba dando prisa. De eso estaba seguro. Su romance con él había durado demasiado y había sido demasiado intenso; además, su ruptura era demasiado reciente para que ella se hubiera olvidado de él sin más y buscado a otro. Había pasado cuatro años acostándose con Rebecca, mientras que Myers solo llevaba un mes haciéndolo, o puede que ni eso. Al menos esa era su esperanza.

Volvió a pasear hasta Jackson Square, donde los artistas, los quiromantes y los músicos callejeros ya estaban en plena actividad. Se compró un helado y se sentó en un banco, cerca de la estatua de Andrew Jackson. Se dijo que llamaría a Rebecca, aunque solo fuera para felicitarla; pero lo pensó mejor y decidió que se buscaría una rubia despampanante para restregársela por los morros; hasta cabía la posibilidad de que se presentara el día de la boda con ella, naturalmente ataviada con un vestido mini y luciendo unas piernas kilométricas. Con todo su dinero, no le costaría encontrar una mujer de esas características. Qué demonios, ¡estaba dispuesto a contratarla si hacía falta!

—Se acabó, chaval —masculló más de una vez para sus adentros—. Será mejor que te calmes. Déjala marchar.

16

Las normas de indumentaria del bufete habían evolucionado rápidamente hasta convertirse en un estilo «todo vale». El tono lo había marcado el propio jefe, que mostraba una clara preferencia por los vaqueros y las camisas caras, acompañados por una americana de sport en caso de que tuviera que asistir a algún almuerzo. También tenía unos cuantos trajes a medida para reuniones y comparecencias ante los tribunales; pero por el momento ambas situaciones pertenecían a un hipotético futuro, ya que el bufete no tenía clientes ni casos en los que ocuparse. A pesar de todo, y para satisfacción de Clay, todo el mundo había mejorado en su forma de vestir.

Se reunieron el lunes, a última hora, en la sala de conferencias: Paulette, Rodney y un Jonah de aspecto un tanto desabrido. A pesar de que había adquirido una considerable importancia desde la apertura del bufete, la señorita Glick seguía siendo una simple secretaria que también hacía funciones de recepcionista.

—Chicos, tenemos trabajo a la vista —anunció Clay, dando comienzo a la reunión.

Acto seguido, pasó a hablarles del Dyloft y, basándose en los concisos informes de Pace, les hizo una breve descripción del medicamento y de su historial. Hablando de memoria, les facilitó toda la información sucia sobre Ackerman Labs —facturación, beneficios, competidores y demás cuestiones legales—; y después las buenas noticias: los desastrosos efectos secundarios del Dyloft, los tumores de vejiga y el conocimiento que la empresa tenía de todo ello.

—A fecha de hoy, nadie ha presentado una demanda, pero nosotros vamos a cambiar eso. El día 2 de julio iniciaremos las hostilidades presentando una demanda colectiva aquí, en Washington, en nombre de todos los pacientes perjudicados por el consumo de ese medicamento. Vamos a organizar un follón monumental y estaremos en el ojo del huracán.

—¿Tenemos a alguno de esos perjudicados como cliente? —preguntó Paulette.

—Todavía no, pero sí tenemos nombres y direcciones. Hoy mismo empezaremos a ponernos en contacto con ellos. Vamos a organizar un plan para captarlos y, después, tú y Rodney os encargaréis de llevarlo a la práctica.

Aunque tenía algunas reservas respecto a los anuncios de televisión, en el vuelo de regreso desde Nueva Orleans había llegado a la conclusión de que no le quedaba otra alternativa. Una vez hubiera presentado su reclamación y puesto en evidencia el medicamento, los buitres del Círculo de Letrados que acababa de conocer se lanzarían sobre sus clientes como aves de rapiña. La única manera que se le ocurría de llegar rápidamente a un gran número de afectados por el Dyloft era a través de los anuncios de televisión.

Explicó todo aquello a los miembros de su bufete y añadió:

—Esto va a costarnos alrededor de unos dos millones de dólares.

—¿Y este bufete tiene dos millones de dólares? —espetó Jonah, expresando en voz alta lo que todos se preguntaban.

—Los tiene —contestó Clay—. Vamos a empezar hoy mismo ocupándonos de la cuestión de los anuncios.

—Oye, jefe, no habrás pensado en protagonizarlos tú, ¿verdad? —preguntó Jonah en tono casi suplicante.

Al igual que la mayoría de las ciudades importantes, Washington se había visto inundado por anuncios que se emitían fuera de la franja *prime-time* en los que se rogaba a los afectados por tal o cual circunstancia que llamaran a tal o cual abogado, que estaba listo a presentar batalla por ellos sin cobrar nada en la primera consulta. A menudo aparecían los abogados en persona, y normalmente con resultados vergonzosos.

Paulette también parecía preocupada y meneaba lentamente la cabeza.

—Claro que no —les aseguró Clay—. Tengo intención de contratar a profesionales.

—¿De cuántos clientes estamos hablando? —quiso saber Rodney.

—De miles. Por el momento es difícil de decir.

Rodney señaló a cada uno de los reunidos, contando lentamente cuatro.

—Si no me equivoco con los números, nosotros somos solo cuatro.

—Pero seremos más. Jonah va a ser el encargado de nuestra expansión. Alquilaremos algún sitio en las afueras y lo llenaremos de auxiliares jurídicos. Ellos se ocuparán de atender los teléfonos y de organizar los expedientes.

—¿Y dónde voy a encontrar yo todos esos auxiliares jurídicos? —preguntó Jonah.

—En la sección de empleo de la revista del Colegio de Abogados. Empieza ya mismo con los anuncios. Además, esta tarde te espera una reunión con un API de Manassas. Van a hacernos falta unos mil quinientos metros cuadrados. No es necesario que sean nada del otro mundo, pero sí que tengan todos los cables necesarios para la instalación telefónica y para los ordenadores que vamos a montar. Eso es tu especialidad. Alquílalo, haz la instalación, contrata al personal y organízalo. Cuanto antes lo tengas listo, mejor.

—¡Sí, señor!

—¿Cuánto crees que puede valer un solo caso de Dyloft? —preguntó Paulette.

—Tanto como los de Ackerman Labs estén dispuestos a pagar. Calculo que puede ir desde los diez mil dólares hasta los cincuenta mil, dependiendo de múltiples factores, entre los cuales el principal son los daños causados a la vejiga.

Paulette se puso a escribir cifras en una libreta.

—¿Y cuántos casos crees que podremos reunir?

—Imposible saberlo.

—¿Ni siquiera un cálculo improvisado?

—Ni idea. Varios miles, supongo.

—Muy bien, digamos que tenemos tres mil casos. Tres mil multiplicados por un mínimo de diez mil dólares suman unos treinta millones, ¿sí o no? —lo dijo sin dejar de escribir.

—Eso es.

—¿Y cuánto representan los honorarios de los abogados? —preguntó.

Los demás miraban a Clay fijamente.

—Una tercera parte —respondió.

—¡Eso significa diez millones para este bufete!

—Sí, y serán honorarios que nos repartiremos entre todos.

La palabra «repartiremos» resonó unos instantes en el silencio de la sala. Jonah y Rodney miraron a Paulette, animándola a seguir.

—«Repartiremos» de qué manera... —preguntó con deliberada lentitud.

—Diez por ciento para cada uno.

—¿Significa eso que según mi cálculo hipotético la parte que me correspondería sería de un millón?

—Sí, eso significa.

—Esto... ¿Y lo mismo en mi caso? —preguntó Rodney.

—Lo mismo para ti y lo mismo para Jonah, y debo añadir que creo que nos estamos quedando cortos.

Cortos o no, todos asimilaron las cifras en callado silencio durante lo que pareció un largo intervalo mientras cada uno empezaba a gastar mentalmente parte de sus honorarios. Para Rodney significaba poder llevar a sus hijos a la universidad; para Paulette, divorciarse de un marido griego a quien solo había visto una vez durante el último año; para Jonah, vivir a bordo de un velero.

—Estás hablando en serio, ¿verdad? —preguntó este último.

—Totalmente en serio. Si nos ponemos a trabajar como locos, creo que dentro de un año tendremos una buena posibilidad de jubilarnos anticipadamente.

—¿Quién te ha dado el soplo del Dyloft? —quiso saber Rodney.

—Esa es una pregunta que no pienso contestar, Rodney. Lo siento. Vais a tener que fiaros de mí. —Y en ese instante Clay rezó para que la ciega confianza que había depositado en Max Pace no se viera defraudada.

—¡Guau! Casi me había olvidado del viaje a París.

—Pues no te olvides. Nos vamos la semana que viene.

Jonah se puso en pie de un salto, con la libreta en la mano.

—¿Cómo has dicho que se llama ese agente inmobiliario?

Clay se había montado un pequeño despacho en la segunda planta de su nueva casa. No es que pensara trabajar mucho allí, pero necesitaba un sitio para guardar sus papeles. El escritorio era una vieja mesa de carnicero que había encontrado en un anticuario de Fredericksburg, no lejos de allí. Ocupaba toda una pared y era lo bastante grande para permitirle instalar en él su ordenador portátil, el teléfono y el fax.

Fue allí desde donde realizó su primer intento de iniciarse en el mundo de las demandas colectivas. Demoró la llamada hasta que dieron las nueve de la noche, una hora a la que cierta gente se iba a la cama, especialmente las personas mayores y quizá también los afectados de artritis. Se sirvió una copa para armarse de valor y marcó el primer número.

Al otro lado de la línea, una tal señora de Ted Worley, de Upper Marlboro, Maryland, contestó al teléfono. Clay se presentó empleando el tono más amable posible, se identificó como abogado —como si los abogados llamaran todo el tiempo y no hubiera nada de qué preocuparse— y pidió hablar con el señor Worley.

—Está viendo el partido de los Orioles —contestó la mujer. Estaba claro que Ted Worley no atendía al teléfono cuando jugaban los Orioles.

—Lo entiendo, pero ¿sería posible que hablara con él un momento? —insistió Clay.

—¿Y dice usted que es abogado?

—Sí, señora, de aquí mismo, de Washington.

—¿Se puede saber que ha hecho Ted esta vez?

—Nada. No se preocupe, que no ha hecho nada. Solo quería hablar con él de su artritis. —Clay sintió el impulso de colgar y salir corriendo, pero el momento pasó y dio gracias a Dios de que no hubiera nadie observando o escuchando. Piensa en el dinero, se dijo. Piensa en los malditos honorarios.

—¿Su artritis, dice usted? Creo recordar que me ha dicho que es abogado, no médico.

—Es cierto, señora. Soy abogado y tengo buenas razones para creer que está tomando un medicamento para la artritis que puede tener efectos secundarios perniciosos. Si no le importa, solo serán un par de minutos.

Se oyeron voces de fondo mientras ella llamaba a gritos a su marido, que le contestó de igual modo. Por fin, Worley se puso al teléfono.

—¿Diga? ¿Quién habla? —preguntó.

Clay se presentó rápidamente.

—Cómo va el partido —preguntó.

—Tres a uno para los Red Sox en la quinta. ¿Nos conocemos? —El hombre tenía setenta años.

—No, señor Worley. Soy abogado en Washington y me especializo en demandas contra medicamentos defectuosos. Demando a las empresas farmacéuticas cada vez que lanzan al mercado un producto que tiene efectos dañinos.

—De acuerdo. ¿Qué quiere?

—A través de nuestras fuentes de internet hemos encontrado su nombre entre los potenciales usuarios de un medicamento para combatir la artritis llamado Dyloft. ¿Puede decirme usted si lo toma?

—Pues mire, no estoy seguro de que tenga que contarle qué medicinas tomo y qué no.

Era una observación perfectamente válida, y Clay estaba preparado para contestarla.

—Desde luego que no tiene por qué hacerlo, señor Worley, pero la única manera que tenemos de poder determinar si tiene usted derecho a una indemnización es sabiendo si toma o no ese medicamento.

—¡Ese maldito internet! —masculló Worley, que se volvió para decir algo a su esposa, que, evidentemente, se encontraba cerca del teléfono.

—¿A qué clase de indemnización se refiere? —preguntó Worley.

—Hablaremos de eso dentro de un momento. Lo primero que necesito saber es si toma usted Dyloft; si no, será usted un hombre afortunado.

—Bueno, no sé... No es ningún secreto, ¿verdad?

—Desde luego que no.

Desde luego que lo era. ¿Por qué no había de ser confidencial el historial médico de una persona? Clay no dejaba de repetirse que aquellas pequeñas mentiras eran necesarias, que tenía que considerar la cuestión en su conjunto: el señor Worley y miles como él nunca sabrían que estaban utilizando un medicamento pernicioso si alguien no se lo advertía. Estaba claro que los de Ackerman Labs no habían jugado limpio. Su misión consistía en remediar eso.

—Sí, tomo Dyloft.

—¿Desde cuándo?

—Desde hace un año, más o menos. Funciona estupendamente.

—¿Algún efecto secundario?

—¿Cómo por ejemplo...?

—Sangre en la orina, una sensación de escozor al orinar.

—Clay se había resignado al hecho de que, en lo meses que se avecinaban, tendría que hablar de vejigas y de pipís con un montón de gente. No había forma de poder evitarlo.

Eran la clase de situaciones para las que no preparaban a uno en la facultad.

—Pues no. ¿Por qué?

—Mire, obran en nuestro poder ciertos informes de investigación que Ackerman está intentando encubrir y que dicen que el medicamento causa tumores de vejiga en los pacientes que lo toman.

Y de ese modo, el señor Ted Worley, que un momento antes se estaba ocupando de sus propios asuntos y viendo un partido de sus queridos Orioles, se disponía a pasar el resto de la noche y la mayor parte de la semana preocupado por la posibilidad de que su vejiga se estuviera llenando de tumores malignos. Clay se sintió fatal y deseó poder disculparse; pero, una vez más, se repitió que era necesario hacer todo aquello. ¿De qué otro modo si no iba a saber la verdad aquel pobre hombre? Si el infeliz había desarrollado un tumor, tenía derecho a saberlo.

Mientras sostenía el auricular con una mano y se masajeaba el costado, Worley contestó:

—Pues ahora que lo dice, sí que recuerdo haber tenido una sensación de escozor, hace unos días.

—¿De qué demonios estás hablando? —oyó Clay que preguntaba la señora Worley, al fondo.

—¿Por qué no te ocupas de tus asuntos? —le contestó su marido.

Clay decidió intervenir antes de que la pelea se les fuera de las manos.

—Escuche, señor Worley, mi bufete representa a un montón de pacientes que toman Dyloft. Creo que debería considerar la posibilidad de hacerse unos análisis.

—¿Qué clase de análisis?

—Un análisis de orina. Contamos con los servicios de un médico que podría hacérselo mañana mismo. Además, no le costará ni un centavo.

—¿Y qué pasará si encuentra que algo no está bien?

—Entonces podremos hablar de las opciones que tiene a su alcance. Cuando dentro de unos días salga a la luz la verdad acerca del Dyloft, se presentarán un montón de demandas y mi bufete será el primero en iniciar la ofensiva contra Ackerman Labs. Nos gustaría tenerlo a usted como cliente.

—Creo que antes debería hablar con mi médico.

—Desde luego, señor Worley, hágalo; pero tenga en cuenta que él también puede tener alguna responsabilidad en el asunto. Al fin y al cabo, el medicamento se lo recetó él. Quizá sería mejor que buscara una opinión imparcial.

—Espere un momento, no cuelgue. —Worley cubrió el auricular con la mano y tuvo una acalorada conversación con su esposa.

—Mire, no creo en eso de demandar a los médicos —dijo cuando volvió a ponerse al aparato.

—Ni yo. Por eso mi especialidad consiste en demandar a las grandes compañías que perjudican a los ciudadanos.

—¿Cree que debería dejar de tomar Dyloft?

—Creo que sería mejor que primero se hiciera los análisis. En cualquier caso, lo más probable es que el Dyloft sea retirado del mercado durante el verano.

—¿Y dónde me hago esos análisis?

—Nuestro médico se encuentra en Chevy Chase. ¿Podría acercarse usted mañana?

—Sí, claro, por qué no. Me parece que no tiene sentido esperar, ¿verdad?

—Desde luego que no.

Clay le facilitó el nombre y la dirección del médico que Max Pace había localizado. El análisis costaba 80 dólares, pero a Clay le saldría por 300; sin embargo, era el precio que tenía que pagar para hacer negocios.

Cuando hubo acabado de darle los detalles, se disculpó con el señor Worley por haberlo molestado, le dio las gracias por su tiempo y lo dejó para que siguiera viendo el partido en compañía de una nueva e imprevista angustia. Cuando por fin colgó, Clay se dio cuenta de que tenía la frente perlada de sudor. ¡Buscar clientes por teléfono! ¿En qué clase de abogado se había convertido?

En uno muy rico, se repitió una y otra vez.

Iba a necesitar un pellejo muy duro para llevar ese asunto a buen puerto, pero no estaba seguro de tenerlo ni de ser capaz de desarrollarlo.

Dos días más tarde, Clay aparcó en el camino de entrada del hogar de los Worley, en Upper Marlboro, y estos lo recibieron en el porche. El análisis de orina, que incluía un examen citológico, había revelado la existencia de células anormales en la orina, prueba evidente —según Max Pace y sus extensivos informes robados— de la presencia de tumores en la vejiga. El señor Worley había sido enviado a la consulta de un urólogo, que lo vería la semana siguiente. El examen y la extirpación de los tumores se realizaría mediante cirugía cistoscópica, introduciendo una minúscula sonda dotada de un pequeño bisturí a través del pene hasta alcanzar la vejiga. Se trataba de una intervención de rutina, pero al señor Worley le pareció cualquier cosa menos rutinaria, y se moría de preocupación. Su mujer dijo que llevaba días sin poder pegar ojo y que, de paso, ella tampoco.

Por mucho que lo deseara, no podía decirles que los tumores seguramente eran benignos. Mejor sería que los médicos se ocuparan de eso después de la operación.

Mientras tomaba un café instantáneo con leche en polvo, Clay explicó al matrimonio los detalles del contrato por el que ellos solicitaban sus servicios y respondió a sus preguntas acerca de la demanda. Cuando Ted Worley firmó al pie, se convirtió en el acto en el primer ciudadano que presentaba una demanda contra el Dyloft.

Y durante un tiempo pareció que sería el primero y el último. Trabajando sin descanso a través de teléfono, Clay consiguió convencer a once personas para que se hicieran el correspondiente análisis de orina. Los once dieron negativo. «Tú insiste», lo animó Max Pace. Casi una tercera parte de las personas a las que llamó colgaron o se negaron a dar crédito a sus palabras.

Los tres —él, Paulette y Rodney— dividieron sus listas entre los potenciales clientes blancos y negros. Quedó claro que los negros eran menos suspicaces que los blancos, porque resultaron más fáciles de convencer para que se hicieran los análisis. O puede que les halagara la atención que recibían. O puede que, tal como sugirió Paulette en más de una ocasión, ella tuviera mayor poder de persuasión.

Al final de la semana, Clay había conseguido que firmaran tres pacientes que habían dado positivo en cuanto a presencia de células anormales en la orina. Rodney y Paulette, trabajando como equipo, consiguieron sumar otras siete.

La demanda colectiva contra el Dyloft estaba lista.

17

Las vacaciones parisinas le costaron 95.300 dólares, según la cuidadosa contabilidad de Rex Crittle, el hombre que cada día estaba más y más familiarizado con todos los aspectos de la vida de Clay. Crittle era un contable experto que dirigía una pequeña empresa de servicios de contabilidad situada justo debajo del bufete de Clay. Naturalmente, había sido Max Pace quien se lo había recomendado.

Al menos un día a la semana, Clay bajaba por la escalera de atrás —o Crittle subía— y pasaban casi una hora hablando del dinero que tenía y de cómo manejarlo del modo más eficiente posible. El bufete necesitaba llevar un sistema de contabilidad y su implementación no revistió dificultad: la señorita Glick anotaba todos los gastos e ingresos y se limitaba a pasárselos a Crittle y a sus ordenadores.

En opinión de Crittle, un enriquecimiento repentino como el de Clay daría inevitablemente pie a una inspección de los servicios de Hacienda. Pese a la insistencia de Pace en sentido contrario, Clay se mostró conforme e insistió en que las cuentas se llevaran con todo rigor y sin que hubiera zonas grises en lo tocante a las desgravaciones y deducciones. Acababa de ganar más dinero del que había soñado jamás y, a su juicio, no tenía sentido intentar burlar a Hacienda a cambio de unos cuantos dólares. Era mejor pagar y dormir tranquilo.

—¿Qué es este pago a East Media por valor de medio millón de dólares? —preguntó Crittle.

—Estamos preparando unos anuncios de televisión para una demanda colectiva. Es el primer pago.

—¿El primero? ¿Cuántos más van a haber? —preguntó Crittle, mirándolo por encima de las gafas como diciendo «¿Te has vuelto loco, hijo?».

—En total, serán dos millones de dólares. Dentro de unos días presentaremos una demanda muy importante. Su presentación irá coordinada con una campaña publicitaria a escala nacional que East Media se encarga de controlar.

—De acuerdo —contestó Crittle, a quien evidentemente no agradaban aquellos gastos desmedidos—. Doy por hecho que habrá algunos ingresos que compensen todo esto.

—Eso espero —dijo Clay con una sonrisa.

—¿Y qué me dices de esa nueva oficina de Manassas? Ahí has dejado un depósito de quince mil dólares.

—Sí, nos estamos expandiendo. He montado allí una oficina con seis auxiliares jurídicos. Es más barato alquilar.

—Me alegra saber que te preocupas por los gastos. ¿Seis auxiliares, has dicho?

—Como lo oyes. Ya tenemos cuatro contratados. Tengo sus papeles y la información de sus nóminas encima de mi mesa.

Crittle estudió unos momentos los papeles sin dejar de teclear la calculadora que tenía en la cabeza.

—¿Puedo preguntar para qué necesitas seis auxiliares jurídicos más cuando no tienes ni un caso entre manos?

—Esa es una buena pregunta —respondió Clay, que se apresuró a hacerle un breve resumen de la demanda colectiva que se disponía a presentar, pero sin mencionar el nombre del medicamento ni del fabricante. Si aquel rápido resumen impresionó o respondió a las preguntas de Crittle, este no lo demostró. Como buen contable, se mostraba escéptico ante cualquier iniciativa que incitara a la gente a presentar demandas.

—Estoy seguro de que sabes lo que haces —contestó, convencido por su parte de que Clay se había vuelto loco.

—Confía en mí, Rex. El dinero está a punto de entrar a raudales.

—Bueno, por el momento, lo que está haciendo es salir a raudales.

—Ya conoces el refrán: hace falta gastar si quieres ganar.

—Sí. Eso dicen.

El ataque empezó poco después de la puesta de sol del día 1 de julio. Todos, salvo la señorita Glick, se sentaron ante el televisor de la sala de reuniones y esperaron exactamente a que dieran las 8.32 de la tarde. Entonces enmudecieron y permanecieron muy quietos. Fue un anuncio de quince segundos que empezó con un plano de un joven actor muy atractivo, con una bata blanca y un vademécum en la mano, que miraba abiertamente a la cámara con ojos sinceros. «Atención, víctimas de la artritis. Si están tomando un medicamento llamado Dyloft, tienen la oportunidad de demandar a su fabricante. Se ha establecido que el Dyloft es responsable de causar efectos secundarios perniciosos; entre ellos, tumores en la vejiga». En la parte inferior de la pantalla aparecía un mensaje donde se leía: LÍNEA DIRECTA DYLOFT: LLAME AL 1-800-555-DYLO. El presunto médico prosiguió: «Llame a este número enseguida. La línea directa Dyloft puede facilitarle un análisis médico gratis. ¡Llame ya!».

Durante quince segundos, todos contuvieron la respiración, y nadie habló una vez finalizado el anuncio. Para Clay en particular fue un momento especialmente angustioso porque acababa de lanzar un golpe bajo y potencialmente demoledor contra una empresa de primera línea que, indudablemente, respondería con la mayor virulencia. ¿Qué pasaría si resultaba que Max Pace se había equivocado con aquel medicamento? ¿Y si Pace lo estaba utilizando como el simple peón de una lucha entre grandes multinacionales? ¿Y si no era capaz de demostrar con el testimonio de testigos expertos que el Dyloft era el responsable de los tumores? Llevaba semanas luchando contra aquellas preguntas y las había planteado a Pace incontables veces. Habían discutido en un par de ocasiones e intercambiado duras palabras, hasta que Max le había entregado a regañadientes el informe de investigación robado —o como mínimo conseguido ilícitamente— que hablaba de los perniciosos efectos secundarios del Dyloft. Clay había pedido a un amigo de la universidad, que en esos momentos ejercía la medicina en Baltimore, que le echara un vistazo y autentificara su veracidad. El informe le pareció fundado y bastante siniestro.

Clay había logrado convencerse de que la razón estaba de su parte y de que Ackerman Labs había obrado mal. Sin embargo, viendo el anuncio, se acobardó por haberse lanzado a presentar la demanda, y le temblaron las piernas.

—Es bastante duro —comentó Rodney, que había visto la grabación previa en vídeo una docena de veces.

De todas maneras, su emisión por televisión lo hacía aparecer mucho más implacable. East Media había garantizado que al menos un 16 por ciento del mercado lo vería. El anuncio se emitiría en días alternos durante diez días, en noventa mercados de costa a costa. Se calculaba que lo verían aproximadamente unos 80 millones de personas.

—Funcionará —aseguró Clay, representando lo mejor que podía su papel de jefe.

Durante la primera hora, el anuncio se emitió a través de diez emisoras de 30 mercados de la costa Este, y después fue distribuido en otros 18 mercados de la franja central. A las cuatro horas de haber sido emitido, llegó finalmente a la costa Oeste y se extendió por más de 42 mercados. El pequeño bufete de Clay se gastó en esa primera noche más de cuatrocientos mil dólares en publicidad.

El prefijo 800 desviaba las llamadas de los comunicantes a

«la Fábrica», que era el nombre que recibía la sucursal del bufete donde los auxiliares jurídicos se hacían cargo de las llamadas, rellenaban los impresos, formulaban las preguntas oportunas y remitían a los comunicantes a la página web de Dyloft Línea Directa, prometiendo a cada uno que recibirían una llamada de los abogados del bufete. Un ordenador registraba el teléfono de los que llamaban pero no podían establecer comunicación, y un mensaje computerizado los remitía a la página web.

A las nueve de la mañana del día siguiente, Clay recibió un mensaje telefónico urgente de un abogado que trabajaba en un importante bufete de la misma calle. En él decía que representaba a Ackerman Labs e insistía en que los anuncios debían cesar de inmediato. Se mostró pomposo y altanero, y amenazó con todo tipo de represalias legales si Clay no accedía de inmediato a lo que pedía. Las palabras fueron subiendo de tono hasta que, al final, se calmaron un poco.

—¿Estará usted en su despacho durante los próximos minutos? —le preguntó Clay.

—Sí, claro. ¿Por qué?

—Me gustaría enviarle algo. Se lo haré llegar con uno de mis mensajeros. No tardará más de cinco minutos.

El mensajero, que resultó ser Rodney, salió corriendo con un sobre que contenía una copia de las veinte páginas de la demanda colectiva. Entretanto, Clay se dirigió a los tribunales para interponer la original. Siguiendo las instrucciones de Pace, hizo que enviaran copias por fax al *Washington Post*, al *Wall Street Journal* y al *New York Times*.

Pace también había insinuado que la venta a corto plazo de las acciones de Ackerman sería una hábil estrategia inversora. Las acciones habían cerrado el viernes anterior a 42,50 dólares. Cuando la bolsa abrió el lunes, Clay cursó una orden de venta de unas 100.000 acciones. Al cabo de unos días las recompraría a unos 30 dólares la acción y se embolsaría otro millón. Al menos, ese era el plan.

A su regreso, en el bufete reinaba una frenética actividad. Durante el horario de trabajo de la Fábrica, en Manassas, había seis líneas gratuitas de entrada, y cuando todas estaban ocupadas, eran desviadas al despacho principal de la avenida Connecticut. Rodney, Paulette y Jonah no se movían del teléfono mientras atendían las llamadas de los usuarios de Dyloft repartidos por todo el país.

—Puede que le interese ver esto —dijo la señorita Glick, entregándole una nota con el nombre de un periodista del *Wall Street Journal*—. Ah, y el señor Pace lo espera en su despacho.

Max se encontraba de pie, junto a la ventana, con una taza de café en la mano.

—Acabo de presentar la demanda —anunció Clay—, y tengo la impresión de haber arreado un puntapié a un avispero.

—Pues disfruta del momento.

—Sus abogados acaban de llamarnos. Les he enviado una copia.

—Bien. Seguro que están que se mueren. Acaban de caer en una trampa y saben que van a cepillárselos. Esta situación es el sueño de cualquier abogado, Clay, aprovéchala todo lo que puedas.

—Siéntate, por favor. Me gustaría preguntarte algo.

Pace, vestido de negro como de costumbre, se dejó caer en el sillón. Las botas de ese día eran de piel de serpiente.

—Si Ackerman Labs te contratara ahora mismo, qué harías —le preguntó Clay.

—Marear la perdiz es esencial. Empezaría con comunicados de prensa en los que lo negaría todo y echaría las culpas a los abogados codiciosos. Defendería mi producto. El principal objetivo, después de que haya caído la bomba y mientras el polvo empieza a disiparse, es proteger la cotización de las acciones. Hoy han abierto a cuarenta y dos y medio, que ya era un precio bajo, pero en estos momentos están a treinta y tres. Haría salir al consejero delegado en televisión para que dijera las palabras tranquilizadoras de siempre y pondría a los de relaciones públicas a trabajar en la propaganda. También ordenaría a los abogados que prepararan una buena defensa y haría que los de ventas fueran a ver a los médicos para tranquilizarlos, diciéndoles que el medicamento no tiene nada de malo.

—Pero sí tiene algo malo.

—De eso ya me ocuparía después. Durante los primeros días, todo es manipulación, al menos en la superficie. Si los inversores llegan a convencerse de que el producto tiene algún defecto, huirán como ratas de un barco que se hunde y las acciones no dejarán de caer. Cuando las maniobras estuvieran en marcha, me iría a hablar en serio con los peces gordos. Luego, una vez descubierto el problema con el producto, llamaría a los expertos en números e intentaría calcular cuánto podrían costarnos las indemnizaciones. Uno no va a juicio con un medicamento defectuoso. Eso es como dar un cheque en blanco al jurado para que lo rellene a la hora de pronunciar el veredicto. No hay forma de controlar cuánto puede llegar a costar. Un jurado puede conceder un millón de dólares al demandante, mientras que el siguiente, en el estado de al lado, puede volverse loco y concederle veinte. Es como jugar a la ruleta rusa. Así pues, se trata de intentar llegar a un acuerdo. Como sin duda habrás aprendido, los abogados especializados en este tipo de demandas determinan sus porcentajes calculando sobre el total, de modo que resulta fácil entenderse con ellos.

—¿Qué cantidad crees que puede permitirse una empresa como Ackerman Labs?

—Su cobertura de seguro es de unos trescientos millones. Además de eso, tienen unos quinientos millones en efectivo, casi todos generados por el Dyloft. En el banco ya están apretándoles las tuercas. Si yo estuviera al mando, me prepararía para pagar unos mil millones, y lo haría deprisa.

—¿Y los de Ackerman lo harán deprisa?

—Dado que no me han contratado, debo suponer que no son demasiado listos. Llevo tiempo observando la empresa y debo decir que no me parecen muy listos. Como a todos los laboratorios farmacéuticos les horroriza la idea de tener que litigar en los tribunales. En lugar de utilizar un bombero como yo, lo harán a la antigua y se fiarán de sus abogados, quienes, como es natural, no tienen ninguna prisa en llegar a un acuerdo. Su bufete principal es Walker-Stearns, de Nueva York. No tardarás en tener noticias de ellos.

—De manera que nada de un acuerdo rápido.

—Tranquilo, solo hace una hora que has presentado la demanda.

—Lo sé, pero es que estoy gastándome todo el dinero que me diste.

—No te preocupes, dentro de un año serás aún más rico.

—Un año, ¿eh?

—Eso es lo que calculo. Primero hay algunos abogados que tienen que engordar. Los de Walker-Stearns pondrán a cincuenta de sus socios a trabajar en el caso con los contadores a toda marcha. La demanda colectiva del señor Worley vale cien millones de dólares para los propios abogados de Ackerman Labs, no lo olvides.

—¿Y por qué no se limitan a pagarme a mí esos cien millones para que me largue?

—Veo que empiezas a pensar como un verdadero especialista en demandas colectivas. La verdad es que los de Ackerman Labs te pagarán más que eso, pero antes tienen que pagar a sus abogados. Así es como se hace.

—Pero tú no lo harías de ese modo, ¿no?

—Por supuesto que no. Con el Tarvan, el cliente me dijo la verdad, lo cual no es frecuente. Yo hice bien mi trabajo. Te encontré, lo arreglé todo rápida y discretamente, y le salió barato: cincuenta millones y sin tener que pagar ni cinco a sus abogados.

La señorita Glick se asomó.

—Perdón, pero es el reportero del *Wall Sreet Journal*, que vuelve a llamar.

Clay miró a Pace.

—Habla con él y dale carnaza. Recuerda, el bando contrario tiene un regimiento de relaciones públicas dedicado por entero a tareas de manipulación.

A la mañana siguiente, el *Times* y el *Post* abrieron sus respectivas secciones de economía con sendos artículos sobre la demanda colectiva contra el Dyloft. Ambos mencionaban el nombre de Clay, lo cual le provocó un agradable escalofrío de satisfacción. De todas maneras, la mayor parte de la tinta estaba dedicada a recoger las respuestas del acusado. El consejero delegado de Ackerman Labs calificaba la iniciativa de «frívola» y de un «nuevo ejemplo del abuso del derecho a demandar por parte de ciertos abogados sin escrúpulos». El director de investigación añadía: «Dyloft ha superado todos las pruebas y controles y no hay indicio alguno de que tenga efectos secundarios perniciosos». Ambos diarios señalaban que el precio de las acciones de Ackerman Labs, que habían visto reducida su cotización a la mitad durante los tres trimestres anteriores, había recibido un nuevo golpe con aquella inesperada demanda.

Era el *Wall Street Journal* quien había captado mejor la noticia, al menos en opinión de Clay. Al comienzo de la entrevista, el reportero del periódico le había preguntado qué edad tenía. «¿Solo treinta y uno?», había dicho, lo cual le dio pie para plantearle toda una serie de preguntas sobre la experiencia que acumulaba, sobre el bufete y sobre otros asuntos. La historia de un David contra Goliat resultaba mucho más legible y entretenida que un árido informe financiero o de laboratorio, de manera que el artículo cobraba vida propia. Incluso le había enviado un fotógrafo, que le tomó unas cuantas fotografías mientras Clay posaba ante el regocijo de sus colaboradores.

En primera página, en la primera columna de la izquierda, el titular decía: UN DESCONOCIDO SE ENFRENTA A LOS PODEROSOS ACKERMAN LABS. Junto a él aparecía una caricatura realizada por ordenador de un sonriente Clay Carter. El primer párrafo decía:

> Hace menos de dos meses, el abogado de Washington Clay Carter volcaba todos sus esfuerzos en el sistema penal como un anónimo y mal pagado abogado de oficio. Ayer, como jefe de su propio bufete, presentó una demanda colectiva multimillonaria contra la tercera empresa farmacéutica más importante del mundo, arguyendo que su más reciente y milagroso medicamento, el Dyloft, no solo alivia los dolores causados por la artritis, sino que también provoca tumores en las vejigas de quienes lo toman.

El artículo estaba lleno de preguntas acerca de cómo Clay había conseguido experimentar una transformación tan radical en tan breve espacio de tiempo. Y puesto que él no podía mencionar el Tarvan ni nada relacionado con el caso, se había contentado con hablar vagamente de ciertos acuerdos de indemnización a los que había llegado en unos casos que le habían sido asignados siendo abogado de oficio. Ackerman Labs recibía algún que otro rapapolvo por su postura respecto al tema de las demandas colectivas y de los picapleitos que lo único que hacían era buscar la ruina de las empresas. Sin embargo, la mayor parte de la historia trataba de Clay y de su sorprendente ascenso a la cumbre de los especialistas en demandas colectivas. El artículo también tenía palabras amables para su padre, «un legendario abogado de Washington» que desde hacía tiempo se había «jubilado» en las Bahamas.

Glenda, de la OTO, alababa a Clay diciendo que era «alguien entregado a la causa de las defensa de los desfavorecidos», un generoso comentario que le valdría una invitación a almorzar en cualquier restaurante de moda. El presidente de la Academia Nacional de Abogados Criminalistas reconocía que nunca había oído hablar de Clay Carter pero que, aun así, estaba «muy impresionado por su trabajo».

Cierto profesor de Yale se quejaba de que aquello era «otro penoso ejemplo del pérfido abuso que se hace de nuestro sistema de demandas colectivas»; mientras que otro de Harvard aseguraba que se trataba de «el perfecto ejemplo de cómo una demanda colectiva podía utilizarse para perseguir a las empresas que infringían la ley».

—Asegúrate de que colgamos esto en nuestra web —le dijo Clay a Jonah, entregándole el artículo—. A nuestra gente le va a encantar.

18

Tequila Watson se declaró culpable del asesinato de Ramón Pumphrey y fue condenado a cadena perpetua. Aunque el *Post* no lo mencionaba en su artículo, una vez cumplidos veinte años de condena, tendría la posibilidad de solicitar la condicional. Lo que el periódico sí comentaba era que su víctima era una de las muchas asesinadas sin motivo aparente en una racha sorprendente incluso para una ciudad acostumbrada a unos índices muy altos de violencia sin sentido. La policía no podía aportar explicación alguna. Clay tomó nota para llamar a Adelfa y ver cómo le iba.

Tenía la sensación de que le debía algo a Tequila, pero no sabía exactamente qué. Tampoco tenía forma de compensar a su ex cliente, pero hizo todo lo posible para convencerse de que este se había pasado la vida enganchado a las drogas y de que, con Tarvan o sin Tarvan, igualmente habría acabado entre rejas de por vida. Sin embargo, nada de eso hizo que se sintiera más honorable ni mejor. Lo cierto, simple y llanamente, era que había dejado colgado a su cliente, que había preferido coger el dinero y enterrar la verdad.

Un par de páginas más adelante, otro artículo hizo que se olvidara por completo de Tequila Watson. El fofo rostro de Bennett van Horn aparecía bajo su casco con las iniciales, en una foto tomada en unas obras. En ella se le veía mirando fijamente unos planos en compañía de otro hombre identificado como ingeniero jefe del BVH Group. La empresa se había metido en un follón por culpa de un proyecto de urbanización que pretendía desarrollar cerca del antiguo campo de batalla de Chancellorsville, a una hora en coche al sur de Washington. Como de costumbre, Bennett tenía previsto levantar su habitual colección de casas pareadas, bloques de apartamentos, comercios, parques infantiles, pistas de tenis y el estanque de rigor, todo a menos de un kilómetro del histórico lugar donde el general Stonewall Jackson había sido abatido por los centinelas confederados. Grupos conservacionistas, abogados, historiadores militares, ecologistas y la Confederate Society, todos se habían alzado en armas contra el proyecto y se disponían a acabar con Excavadora Bennett. Como era de esperar, el *Post* se ponía al lado de aquellos grupos, al tiempo que no decía nada bueno acerca de Bennett. Sin embargo, los terrenos en cuestión eran propiedad de unos cuantos agricultores ya mayores, y por el momento Van Horn parecía tener la última palabra.

El artículo proseguía con historias de otros campos de batalla repartidos por Virginia que habían caído en manos de los promotores inmobiliarios. Una asociación llamada Civil War Trust se había puesto al frente de la lucha contra los especuladores. El *Post* presentaba al abogado como un radical que no tenía reparos en presentar las demandas que considerara necesarias con tal de preservar la historia y sus lugares, y recogía unas declaraciones en las que decía: «Estamos dispuestos a lo que sea, pero necesitamos dinero para pleitear».

Dos llamadas más tarde, Clay lo tenía al teléfono. Habló con él durante treinta minutos y, después de colgar, firmó un cheque de 100.000 dólares dirigido al Civil War Trust y a nombre de la Chancellorsville Litigation Fund.

La señorita Glick le entregó la nota de la llamada cuando pasó ante su mesa. Clay leyó el nombre un par de veces y todavía no había acabado de creérselo cuando se sentó en la sala de reuniones y marcó el número de teléfono.

—Con el señor Patton French, por favor —dijo por el auricular.

—¿De parte de quién?

—De parte de Clay Carter, de Washington.

—Oh, sí, señor Carter. El señor French lo está esperando.

La idea de que un abogado tan poderoso y ocupado como Patton French pudiera estar esperando su llamada le resultaba difícil de aceptar. Al cabo de unos segundos, el gran hombre en persona se ponía al aparato.

—Hola, Clay. Gracias por responder a mi llamada —dijo, con tanta naturalidad que lo pilló desprevenido—. Bonita historia la que ha publicado el *Journal*, ¿no? No está mal para tratarse de un desconocido. Escucha, lamento no haber podido saludarte cuando estuviste en Nueva Orleans. —Sonaba igual que la voz que Clay recordaba haber oído a través del micrófono, solo que mucho más relajada.

—No pasa nada —contestó mientras recordaba que a la reunión del Círculo de Letrados habían acudido casi doscientas personas.

No había habido razón para que Clay se encontrara con Patton French ni para que este supiera de su presencia allí. Estaba claro que French había hecho sus indagaciones.

—Me gustaría que nos viéramos, Clay. Creo que podríamos hacer negocios juntos. Hace un par de meses yo también andaba siguiendo la pista al Dyloft. Te me has adelantado, pero hay un montón de dinero en juego.

Clay no tenía ningunas ganas de liarse con Patton French; pero, por otra parte, sus métodos a la hora de arrancar enormes indemnizaciones a las grandes empresas eran legendarios.

—Creo que podríamos hablar.

—Mira, en estos momentos me dirijo a Nueva York. ¿Qué te parece si te recojo en el aeropuerto y me acompañas? Tengo un Gulfstream 5 nuevo que me encantaría enseñarte. Podemos quedarnos esta noche en Manhattan, cenar agradablemente y charlar de negocios. Mañana volverías a estar en casa. ¿Qué me dices?

—Bueno, la verdad es que estoy bastante ocupado. —Clay recordaba claramente la repugnancia que había sentido en Nueva Orleans, cuando French se había dedicado a presumir de sus juguetes a lo largo de todo su discurso: el yate, el Gulfstream, el castillo de Escocia...

—Estoy seguro de que lo estás. La verdad es que yo también. ¡Qué demonios, todos lo estamos! Pero este podría ser el viaje más provechoso que hagas en tu vida. No estoy dispuesto a aceptar un «no» como respuesta. Nos vemos en el Reagan National dentro de tres horas, ¿hecho?

Aparte de unas cuantas llamadas telefónicas y de un partido de *racquetball*, aquella noche Clay no tenía mucho más que hacer. Los teléfonos de la oficina no dejaban de sonar con las asustadas voces de los consumidores de Dyloft, pero él no se ocupaba de atenderlos. Hacía años que no estaba en Nueva York.

—Claro, ¿por qué no? —contestó, tan deseoso de ver cómo era un Gulfstream 5 como de cenar en un buen restaurante.

—Sabia decisión, Clay. Sabia decisión.

La terminal para vuelos privados del Reagan National estaba abarrotada de atareados ejecutivos y funcionarios que iban de un lado para otro. Cerca del mostrador de recepción, una atractiva joven, morena y con minifalda, sostenía en alto una hoja de papel con su nombre. Clay se presentó. Ella se llamaba Julia, sin más.

—Sígame, por favor —le dijo obsequiándolo con su perfecta sonrisa.

Les franquearon el paso a través de una de las puertas de salida y los llevaron en una furgoneta de cortesía. Docenas de Learjet, Falcon, Hawker, Challenger y Citation se hallaban estacionados o entrando y saliendo de la terminal. El personal de tierra los guiaba con mano experta, y los aviones pasaban uno detrás de otro, rozándose casi las alas y con los motores aullando. La escena ponía los pelos de punta.

—¿De dónde vienen? —preguntó Clay.

—De Biloxi —contestó Julia—. Allí es donde el señor French tiene la central.

—Hace un par de semanas tuve ocasión de escuchar al señor French en un seminario que dio en Nueva Orleans.

—Sí. Estuvimos allí. Raras veces estamos en casa.

—Se diría que le echa unas cuantas horas, ¿verdad?

—Sí, unas cien a la semana.

La furgoneta se detuvo ante el mayor de los aviones estacionados en la pista.

—Este es el nuestro —anunció Julia, y ambos se apearon de la camioneta. Un piloto cogió la bolsa de viaje de Clay y desapareció con ella.

Patton French lo esperaba a bordo. Como no podía ser de otra manera, estaba hablando por teléfono. Saludó a Clay con la mano, indicándole que pasara mientras Julia se hacía cargo de su chaqueta y le preguntaba qué le apetecía beber. Él le pidió un vaso de agua con una rodaja de limón, mientras miraba a su alrededor. Su primera visión de un reactor privado no pudo ser más impresionante. Los vídeos que había visto en Nueva Orleans no hacían justicia a la realidad.

El aroma que se respiraba era el de la piel, la mejor y más cara de las pieles. Los sillones, los sofás, los reposacabezas, los paneles e incluso las mesas estaban tapizados en distintos tonos tostados y azules. Las lámparas, los apliques y los tiradores eran de latón dorado. Los acabados de madera estaban barnizados y eran de una reluciente caoba. Parecía la mejor suite de un hotel de cinco estrellas, solo que con alas y motores a reacción.

Clay medía 1,80, pero todavía le sobraba espacio hasta el techo. La cabina era larga y al fondo tenía una especie de despacho. French se encontraba allí, pegado al teléfono. El bar y la cocina estaban justo detrás de la carlinga de los pilotos. Julia apareció con una copa de agua con hielo y limón.

—Será mejor que tome asiento —le dijo—. Vamos a despegar.

Cuando el avión empezó a moverse, French puso fin bruscamente a su conversación y se echó encima de Clay. Le dio la bienvenida con un poderoso apretón de manos y una dentuda sonrisa, mientras se disculpaba nuevamente por no haberlo saludado en Nueva Orleans. Era un hombre corpulento, con abundante cabello ondulado que empezaba a encanecer. Probablemente pasaba de los cincuenta, pero no había cumplido los sesenta. Todo él comunicaba fuerza y vigor. Se sentaron uno frente al otro a una de las mesas.

—¿Qué te parece? —dijo French, abarcando con un gesto de la mano el interior del aparato—. No está mal, ¿verdad?

—Realmente bonito.

—¿Todavía no tienes reactor propio?

—No —contestó, sintiéndose realmente fuera de lugar por no tenerlo. ¿En qué clase de abogado se estaba convirtiendo?

—Bueno, no tardarás en tenerlo, hijo. No se puede vivir sin uno. Julia, por favor, tráeme un vodka. Para mí, este es el cuarto. Me refiero a los aviones, no al vodka. Hacen falta doce pilotos para mantener en vuelo cuatro reactores. Doce pilotos y cinco Julias. ¿Verdad que es guapa?

—Sin duda.

—Sí, representa un montón de gastos, pero también nos depara un montón de honorarios. ¿Me oíste hablar en Nueva Orleans?

—Sí, resultó muy interesante —mintió Clay a medias. A pesar de lo repugnante que había resultado, también había sido interesante e ilustrativo.

—No me gusta nada presumir de dinero de esa manera ni darle tanto al tema, pero estaba actuando de cara a la galería.

La mayor parte de esos tipos me traerán, tarde o temprano, un caso con una demanda importante, así que debo estimular su entusiasmo. He creado el mayor bufete del país especializado en demandas colectivas, y lo único a lo que nos dedicamos es a perseguir a las grandes empresas. Cuando demandas a una multinacional como Ackerman Labs o a cualquiera de las que aparecen en *Fortune 500*, tienes que contar con la munición suficiente y tener ciertas influencias. Ellos tienen todo el dinero del mundo, de manera que yo intento nivelar un poco la balanza.

Julia le llevó la bebida y se puso el cinturón de seguridad para el despegue.

—¿Te apetece algo de comer? Julia puede prepararte lo que más te guste.

—No, gracias. Estoy bien.

French tomó un largo trago de vodka. Luego se recostó bruscamente y cerró los ojos, como si estuviera rezando, mientras el Gulfstream corría por la pista y se elevaba en el cielo. Clay aprovechó la ocasión para admirar el avión. Era tan lujoso que casi resultaba obsceno. ¡De 40 a 45 millones por un reactor privado! Y, según los comentarios que corrían por el Círculo de Letrados, la empresa que los fabricaba no daba abasto. La lista de espera era de dos años.

Pasaron unos minutos mientras el aparato ganaba altura y se estabilizaba. Luego Julia desapareció en la cocina. French salió de su estado de meditación y tomó otro trago de vodka.

—¿Es verdad toda la historia que ha publicado el *Journal*? —preguntó con toda calma. Clay tuvo la impresión de que los cambios de humor de French eran rápidos y espectaculares.

—Sí, por completo.

—Yo he salido en primera página un par de veces, pero nunca con nada bueno. No me sorprende que los abogados que nos especializamos en demandas colectivas les caigamos mal. En realidad caemos mal a todo el mundo. Es algo que ya irás aprendiendo. El dinero borra el mal sabor de esa imagen negativa. Tendrás que acostumbrarte. Todos lo hacemos. ¿Sabías que tuve ocasión de conocer a tu padre? — French entrecerraba los ojos y los movía en todas direcciones, como si se adelantara a sus propios pensamientos.

—¿De verdad? —Clay no estaba seguro de si debía creerlo o no.

—Fue hace veinte años. Yo estaba en el departamento de Justicia. Pleiteábamos por unas tierras que eran de los indios. Los indios se trajeron de Washington a Jarrett Carter y allí se acabó el pleito. Era muy bueno.

—Gracias —contestó Clay, lleno de orgullo.

—Tengo que decirte que la emboscada que has tendido a Ackerman Labs con el Dyloft es una maravilla, y una maravilla de lo menos corriente. En la mayoría de los casos, el rumor de que un medicamento tiene efectos secundarios perniciosos se propaga lentamente a medida que se van conociendo las quejas de los pacientes. Los médicos son lentos en reaccionar, entre otras razones porque suelen estar conchabados con los laboratorios y por lo tanto no tienen ningún interés en dar la voz de alarma. Además, en muchos estados son los primeros en ser demandados por haber recetado un medicamento defectuoso. Así pues, los abogados se van implicando despacio. El tío Luke, de repente, tiene sangre en la orina sin nada que lo explique y, al cabo de un mes de estar así, se decide a ir a ver a su médico de Podunk, que le retira el producto milagroso que le había recetado. A partir de ahí, puede que el tío Luke vaya a ver al abogado de la familia, que por lo general es un picapleitos de medio pelo que se dedica a testamentos y divorcios, y no sabría reconocer una demanda por daños aunque le cayera encima. Así que ya ves, lo normal es que lleve tiempo descubrir un mal medicamento. Lo que tú has hecho es de lo más infrecuente.

Clay se conformó con asentir y escuchar; y French, con seguir hablando. Aquello tenía que conducir a alguna parte.

—Todo ello me dice que cuentas con información privilegiada —declaró French, haciendo una pequeña pausa para permitir a su interlocutor que confirmara o negara su afirmación. Clay no dijo una palabra.

—Tengo una amplia red de contactos y de abogados que abarca de costa a costa —prosiguió French—. Pero, hasta hace unas semanas, no ha habido uno, ni siquiera uno, que haya oído el más mínimo rumor de que el Dyloft tenía problemas. Tenía a dos de mis hombres de la central haciendo labores preliminares con ese medicamento, pero estábamos muy lejos de plantearnos la posibilidad de una demanda. Y entonces es cuando me entero de tu jugada y veo tu sonriente rostro en el *Wall Street Journal*. Sé cómo funciona este juego, Clay, y por lo tanto sé que tienes información privilegiada que ha salido de dentro.

—La tengo, en efecto, y nunca hablo de ello.

—Bien. Eso hace que me sienta mejor. He visto tus anuncios. Es algo que controlamos habitualmente en todos los mercados. De hecho, el método de los quince segundos que has empleado ha demostrado ser el más eficaz. ¿Lo sabías?

—Pues no.

—Los golpeas a última hora de la noche o a primera de la mañana. Un rápido mensaje para asustarlos y a continuación un número de teléfono donde pueden encontrar ayuda. Yo mismo lo habré hecho más de mil veces. ¿Cuántos casos te ha proporcionado?

—No es fácil saberlo. La gente tiene que hacerse antes los análisis de orina. De todas maneras, los teléfonos no han dejado de sonar.

—Mi anuncio empieza a emitirse mañana. Tengo seis personas en plantilla que no hacen otra cosa que dedicarse a los anuncios. ¿Puedes creerlo? ¡Seis tíos dedicados a tiempo completo a la publicidad! Y no salen baratos.

Julia apareció con dos bandejas de comida, una de langostinos y la otra de fiambres y carne fría: jamón, *bresaola* y otras especialidades que Clay no reconoció.

—Tráenos una botella de ese blanco chileno —le pidió French—. Ya debería de estar frío. ¿Te gusta el vino? —preguntó cogiendo una gamba por la cola.

—Un poco, pero no soy ningún experto.

—A mí me encanta el vino. Solo en este avión debe de haber un centenar de botellas. —Otra gamba—. En fin, nosotros calculamos que ahí fuera debe de haber unos cien mil casos de Dyloft. ¿Estás de acuerdo con esa cifra?

—Yo diría que es un poco alta —contestó Clay cautelosamente.

—Los que en realidad me preocupan un poco son Ackerman Labs. ¿Sabías que ya los he demandado en un par de ocasiones?

—No. No lo sabía.

—Fue hace diez años, cuando tenían un montón de dinero disponible. Luego tuvieron una racha de malos consejeros delegados que se liaron a hacer toda una serie adquisiciones que resultaron ruinosas. En estos momentos tienen una deuda de unos diez millones. Fue una estupidez típica de los años noventa, cuando los bancos se pusieron a dar dinero a manos llenas a las empresas más solventes, y estas lo cogieron para comprar el mundo entero. Bueno, el caso es que Ackerman no corre riesgo de quebrar ni nada parecido, además, tienen una importante cobertura de seguro.

French iba sondeando, intentando pescar algo, y Clay decidió darle una pequeña satisfacción.

—Al menos tienen trescientos millones de cobertura. Y puede que otros quinientos para gastarse en el Dyloft.

French sonrió y casi babeó de gusto al oír aquella información.

—Material de primera, hijo. Esto que me cuentas es material de primera. ¿Tu fuente es buena?

—De primera. Contamos con gente de dentro que está dispuesta a tirar de la manta y con informes de investigación que no deberíamos tener. Con este asunto del Dyloft, los de

Ackerman Labs no pueden acercarse a un jurado ni a un kilómetro de distancia.

—¡Impresionante! —exclamó French, cerrando los ojos y asimilando aquellas palabras. Ni un abogado muerto de hambre que encontrara su primer cliente habría estado más contento.

Julia llegó con el vino y lo sirvió en dos elegantes copas. Clay tomó un sorbo directamente, pero French lo examinó detenidamente con la vista y el olfato antes de probarlo. Luego miró a Clay fijamente como quien se dispone a confesar un secreto.

—¿Sabes?, hay un curioso placer en esto de cazar a una de esas grandes empresas metiendo la pata. Es un placer que incluso es mejor que el sexo. Sí, Clay, para mí es el placer más grande que existe. Pillas a uno de esos codiciosos conglomerados sacando un producto que perjudica a la gente corriente y entonces te encargas de aplicarles el castigo que se merecen. La verdad es que vivo para eso. El dinero está muy bien, y me encanta, pero llega después, cuando ya los has cogido por las pelotas. Te digo que es algo que no pienso dejar por muchos millones que llegue a ganar. La gente cree que soy codicioso porque podría dejarlo ahora mismo y vivir como un rey sin dar golpe el resto de mi vida. ¡Qué aburrido sería! Créeme, prefiero seguir trabajando cien horas semanales desenmascarando a los malos. Esa es mi verdadera vida.

En esos momentos, el celo y la convicción de French resultaban contagiosos. Tenía el rostro iluminado por el fanatismo. Suspiró profundamente.

—¿Te gusta este vino?

—No. Tiene sabor a queroseno.

—Es verdad. Julia, tira esto a la basura y tráenos una botella del Meursault que compramos ayer.

Sin embargo, lo primero que hizo Julia fue darle un teléfono.

—Es Muriel —le dijo.

French lo cogió.

—Sí, Muriel, dime.

Julia se inclinó para llevarse el vino y, casi en un susurro, comentó:

—Muriel es la jefa de secretarias, la madre superiora, la única que puede localizar el señor French cuando sus esposas no lo consiguen.

French cortó la comunicación y cerró el móvil.

—Bueno, Clay, deja que te exponga la situación. Te garantizo que se trata de una situación que está pensada para hacerte ganar mucho más dinero en un período de tiempo más corto. Y cuando digo «mucho más», quiero decir mucho más.

—Soy todo oídos.

—Yo acabaré reuniendo tantos casos de Dyloft como tú. Ahora que has levantado la liebre, habrá un montón de abogados a la caza de clientes. Nosotros, es decir tú y yo, podríamos controlar la situación si trasladamos la demanda de donde la has presentado, en Washington, y nos la llevamos a mi terreno, en Mississippi. Eso aterrorizará a los de Ackerman Labs hasta un punto que ni imaginas. En estos momentos están preocupados porque los tienes pillados en Washington, pero al mismo tiempo piensan que eres un novato, que no tienes ni idea de cómo funcionan estas demandas colectivas y que es tu primera vez. Esa clase de cosas. En cambio, si sumamos tus casos a los míos y formamos un único paquete que trasladamos a Mississippi, a los de Ackerman les va a dar un ataque al corazón.

Clay se sentía mareado con las dudas y preguntas que se le ocurrían.

—Sigue, te escucho —fue lo único que acertó a responder.

—Tú conservas tus casos, y yo los míos. Los juntamos, y mientras otros afectados siguen firmando con otros abogados y estos se suben al carro, yo me presento ante el juez y le pido que designe un comité de demandantes. Lo hago muy a menudo. Yo seré el presidente, y tú también estarás porque fuiste el primero en presentar la demanda. Así controlaremos la evolución del pleito y procuraremos tenerlo todo organizado, aunque con esa panda de arrogantes nunca puedes estar seguro del todo. El comité nos cederá el control, y nosotros empezaremos a negociar con Ackerman enseguida. Conozco a sus abogados. Si tus fuentes son todo lo buenas que dices, podremos forzarlos a aceptar un acuerdo rápido.

—¿Cómo de rápido?

—Eso depende de varios factores: del número de casos que haya ahí fuera, de lo rápido que consigamos que firmen, de cuántos abogados se sumen a la batalla... Y también de algo muy importante: de lo graves que sean los daños que el Dyloft haya ocasionado a nuestros clientes.

—Eso ya puedo aclarártelo yo. Casi todos los tumores serán benignos.

French asimiló aquella mala noticia frunciendo el entrecejo, pero enseguida le vio el lado bueno.

—Bueno, pues mejor. Supongo que el tratamiento consistirá en cirugía citoscópica, ¿no?

—Exactamente. Es una intervención que se puede llevar a cabo sin necesidad de internar al paciente y que puede tener un coste de unos mil dólares.

—¿Y cuál es el pronóstico a largo plazo?

—El paciente queda como nuevo. No tiene más que dejar de tomar Dyloft, y todo vuelve a la normalidad; aunque para algunos de los que sufren artritis eso representa un retroceso poco agradable.

French olfateó el nuevo vino, lo hizo girar en la copa y por último lo cató.

—Mucho mejor, ¿no crees?

—Sí —confirmó Clay.

—El año pasado hice un viaje por Borgoña catando vinos. Me pasé una semana enjuagándome la boca y escupiendo. Una experiencia estupenda. —Tomó otro sorbo mientras ponía en orden sus pensamientos sin necesidad de escupir—. Bien

—dijo al fin—, mejor para nuestros clientes porque significa que no estarán tan enfermos como podrían estarlo; y mejor para nosotros porque las indemnizaciones llegarán más deprisa. Aquí, la clave está en conseguir los casos. Cuantos más casos tengamos, más control tendremos sobre la demanda colectiva. Más casos equivalen a más honorarios.

—Lo entiendo.

—¿Cuánto te estás gastando en los anuncios?

—Un par de millones.

—No está mal. No está nada mal.

French se moría de ganas de preguntar de dónde había sacado un novato como Clay tanto dinero, pero se controló y lo dejó correr.

Los motores redujeron notablemente la potencia cuando el avión inició el descenso inclinando ligeramente el morro.

—¿Cuánto dura el vuelo hasta Nueva York? —preguntó Clay.

—Desde Washington, unos cuarenta minutos. Esta maravilla roza los mil kilómetros por hora.

—¿En qué aeropuerto aterrizaremos?

—En Teterboro. Está en New Jersey. Todos los aviones privados van allí.

—Será por eso que no había oído hablar de él.

—Tu reactor está de camino, Clay. Prepárate. En cuanto a mí, quítame todos mis juguetes, si quieres, pero déjame el avión. Tienes que comprarte uno, ya verás.

—Creo que usaré el tuyo.

—Te sugiero que empieces con un pequeño Learjet. Se consiguen por un par de millones. Te harán falta dos pilotos, que has de calcular que te saldrán por unos setenta y cinco mil cada uno. Forma parte de los gastos habituales. Ya verás que no puedes pasarte sin él.

Era la primera vez en su vida que le aconsejaban sobre aviones a reacción.

Julia retiró las bandejas de comida y anunció que tomarían tierra en cinco minutos. Clay se quedó ensimismado contemplando el iluminado perfil de Manhattan recortándose en la oscuridad. French se durmió.

Aterrizaron y rodaron por la pista, pasando junto a una serie de hangares privados donde había aparcados o en reparación una docena de reactores.

—En este aeropuerto verás más aviones privados que en ningún otro lugar del planeta —le explicó French mientras ambos miraban por la ventanilla—. Todos los peces gordos de Manhattan los tienen aquí. Está a solo cuarenta minutos en coche de la ciudad. Si de verdad quieres estar a la última, lo que has de tener es un helicóptero que te lleve desde aquí hasta el centro. Son solo diez minutos.

—¿Y nosotros tenemos helicóptero? —preguntó Clay.

—No, pero si yo viviera aquí, tendría uno.

Una limusina los recogió en la pista, al pie del avión. Julia y los pilotos se quedaron, sin duda para dejarlo todo a punto y asegurarse de que el vino estaba a la debida temperatura en el viaje de regreso.

—Al Península —ordenó French al chófer.

—Sí, señor French —contestó el hombre.

¿Se trataba de una limusina alquilada o era propiedad de Patton? Seguro que el más importante de los abogados especialistas en demandas colectivas no utilizaba los servicios de una empresa de alquiler de vehículos. Clay decidió olvidarse del asunto. Al fin y al cabo, qué importancia podía tener.

—Siento curiosidad por tu anuncio —comentó French cuando se incorporaron al congestionado tráfico de Nueva York—. ¿Cuándo empezaste a emitirlo?

—El sábado por la noche, en noventa mercados distintos, de costa a costa.

—¿Y cómo procesas los resultados?

—Tengo nueve personas atendiendo el teléfono constantemente, siete auxiliares jurídicos y dos abogados. El lunes recibimos dos mil llamadas y tres mil ayer. Nuestra página web recibe unas ocho mil visitas diarias. Si aplicamos el porcentaje habitual de éxito, eso supone que ya tenemos unos mil clientes.

—¿Y el total a cuánto asciende?

—Entre cincuenta y setenta y cinco mil, según mi fuente, que hasta el momento ha resultado sumamente fiable.

—Me gustaría conocer a tu fuente.

—Ni lo sueñes.

French hizo crujir los nudillos y trató de encajar la negativa lo mejor que pudo.

—Tenemos que hacernos con esos casos, Clay. Mis anuncios empiezan a emitirse mañana. ¿Qué te parece si nos repartimos el país? Tú te quedas con el norte y el este y me das el sur y el oeste. Resultará más fácil para centrarse en los mercados pequeños y más sencillo a la hora de manejar los casos. Hay un tipo en Miami que saldrá por televisión dentro de unos días, y otro en California que te ha copiado el anuncio, te lo prometo. Mira, somos como tiburones, no somos más que buitres. La carrera hacia el tribunal ha empezado, Clay, y tenemos una ventaja considerable, pero detrás nuestro viene toda una estampida.

—Estoy haciendo cuanto puedo.

—Dime qué presupuesto tienes —dijo French, como si él y Clay fueran socios de toda la vida.

¡Qué demonios!, pensó Clay. Sentados los dos en la limusina, desde luego lo parecían.

—Dos millones para los anuncios y otros dos para los análisis de orina.

—Bien, esto es lo que haremos —dijo French sin la menor vacilación—: Dedica todo tu dinero a los anuncios y consigue los malditos casos, ¿vale? Yo adelantaré lo que haga falta para los análisis, para todos. Ya me ocuparé después de que Ackerman nos lo reembolse. Además, lo normal en un acuerdo de este tipo es que la empresa corra con los gastos clínicos.

—Esos análisis cuestan trescientos dólares cada uno.

—Creo que alguien te está jodiendo. ¿Sabes qué haré?, reuniré a unos cuantos analistas y enfermeros y nos saldrá mucho más barato.

Aquello hizo que French se acordara de una anécdota de sus primeros tiempos con la demanda de las Skinny Ben, cuando había transformado cuatro viejos autobuses Greyhound en clínicas ambulantes, y recorrido todo el país en busca de potenciales clientes. Clay escuchó con decreciente interés mientras cruzaban el puente George Washington. Luego, a esa anécdota siguió otra.

La suite de Clay en el Peninsula tenía una magnífica vista sobre la Quinta Avenida. Cuando estuvo dentro y a salvo, cogió el teléfono y empezó a buscar frenéticamente a Max Pace.

19

El tercer número de móvil le permitió localizar a Pace en algún lugar desconocido. En las últimas semanas, el hombre sin hogar había visitado Washington cada vez menos. Seguramente estaría en alguna parte, apagando un fuego, intentando que algún desdichado cliente pudiera ahorrarse unos cuantos millones en pleitos, aunque no quisiera reconocerlo. Tampoco tenía necesidad de hacerlo. Clay había aprendido a conocerlo lo suficiente para saber que era un bombero muy solicitado. Además, por ahí corrían infinidad de productos defectuosos.

Clay se sorprendió de lo reconfortante que le resultó escuchar la voz de Max Pace. Le explicó que se encontraba en Nueva York, le dijo con quién y por qué estaba allí. La primera palabra de Pace cerró el trato definitivamente.

—Brillante —dijo—. Sencillamente brillante.

—¿Lo conoces?

—Todos los de este negocio conocemos a Patton French —repuso Pace—. Nunca he tenido que hacer tratos con él, pero es una leyenda.

Clay le explicó los términos de la oferta de French. Pace no tardó nada en hacerse una idea y en empezar a reflexionar.

—Si trasladas las demandas a Biloxi, en Mississipi, las acciones de Ackerman se van a llevar otro palo de los buenos —comentó—. En estos momentos ya están sufriendo enormes presiones, presiones de los bancos y de los accionistas. Es una gran idea, Clay. ¡Adelante!

—Muy bien, dalo por hecho.

—Ah, no te pierdas el *New York Times* de mañana. Publica una gran historia del Dyloft con el primer informe médico. Es devastador.

—Estupendo.

Se sirvió una cerveza del minibar —ocho dólares, pero qué más daba— y se sentó un buen rato ante los ventanales y contempló el bullicio de la Quinta Avenida. No resultaba totalmente tranquilizador tener que fiarse exclusivamente de Max Pace cuando se trataba de buscar consejo; pero la verdad era que no tenía a nadie más a quien acudir. Nadie, ni siquiera su padre, lo había enfrentado con decisiones semejantes: «Vamos a coger tus cinco mil casos de allí y vamos a juntarlos con mis cinco mil de aquí para presentar no dos sino una demanda conjunta. Además te pongo encima de la mesa un millón para los gastos médicos mientras tú doblas tus gastos de publicidad. De este modo nos llevaremos una tajada del cuarenta por ciento más gastos y ganaremos una fortuna. ¿Qué te parece, Clay?».

A lo largo del último mes había ganado más dinero del que había soñado jamás, y en esos momentos, a medida que la situación se le iba de las manos, tenía la sensación de que se lo estaba gastando aún más deprisa. No dejaba de repetirse que debía ser audaz, ir a por todas y arriesgarse, que solo de ese modo se haría asquerosamente rico. Sin embargo, otra voz interior lo apremiaba para que bajara el ritmo, para que no malgastara el dinero, sino que lo guardara y así le duraría para siempre.

Ya había transferido un millón de dólares a una cuenta en el extranjero, no para esconderlo, sino para protegerlo. No lo tocaría, nunca, en ninguna circunstancia. Suponiendo que se equivocara y lo perdiera todo, aún le quedaría lo suficiente para retirarse. Saldría a hurtadillas de la ciudad, como había hecho su padre, y nunca volvería.

El millón de dólares de su cuenta secreta constituía su compromiso.

Intentó llamar al bufete, pero todas las líneas estaban ocupadas. Buena señal. Al final consiguió contactar con Jonah a través del móvil. Lo encontró en su despacho.

—Esto se está convirtiendo en una casa de locos —dijo en tono fatigado—. Es un caos total.

—Me parece estupendo.

—¿Por qué no vienes a echar una mano?

—Mañana.

A las 7.32, Clay encendió el televisor y vio su anuncio en un canal por cable. El Dyloft le pareció aún más amenazador estando en Nueva York.

La cena fue en el Montrachet, no por la cocina, que no estaba mal, sino por la carta de vinos, que era la más extensa de todos los restaurantes de la ciudad. French quería probar varios tintos de Borgoña para acompañar sus chuletas de ternera. El sumiller le presentó cinco botellas, cada una con una copa distinta. En la mesa apenas quedó sitio para el pan y la mantequilla.

El sumiller y French se enzarzaron en una conversación ininteligible mientras hablaban de las distintas características de cada botella. Clay se aburrió como una ostra. Él habría preferido una cerveza y una hamburguesa, aunque en un futuro veía que sus gustos iban a cambiar de forma notable.

Mientras los vinos se aireaban, French le dijo:

—He llamado a mi despacho. Ese abogado de Miami del que te he hablado ya está saliendo por televisión con sus anuncios sobre el Dyloft. Ha montado dos clínicas para atender a los pacientes que se le presenten, y según parece están desfilando como si fueran ganado. Se llama Carlos Hernández y es bueno, muy bueno.

—Ya sabes que es imposible que mi gente pueda atender todas las llamadas —repuso Clay.

—Solo quiero saber si vamos a estar juntos en esto.

—Vamos a revisar nuestro acuerdo.

French sacó al instante un documento doblado por la mitad.

—Este es el memorándum de nuestro pacto —le dijo, entregándoselo y sirviéndose vino de la primera botella—. Viene a ser un resumen de lo que hemos hablado.

Clay lo leyó con todo detenimiento y firmó al pie. Entre sorbo y sorbo, French firmó a continuación. El acuerdo quedó sellado.

—Mañana presentaremos la demanda conjunta en Biloxi —dijo French—. Lo haré nada más llegar a casa. Tengo a dos abogados trabajando en ello en estos momentos. Tan pronto como haya sido presentada, puedes retirar la tuya de Washington. Conozco al abogado que dirige el departamento jurídico de Ackerman Labs. Creo que puedo hablar con él. Si la empresa estuviera dispuesta a negociar directamente con nosotros, prescindiendo de sus asesores externos, podría ahorrarse un montón de dinero y dárnoslo a nosotros; además, todo iría mucho más rápido. En cambio, si es el bufete externo quien se hace cargo de las negociaciones, eso podría costarnos medio año de tiempo perdido.

—Unos cien millones, ¿verdad?

—Algo así. Ese dinero podría ser nuestro.

Un móvil sonó en uno de los bolsillos de French. Este lo cogió con una mano y lo abrió mientras sostenía la copa de vino con la otra.

—Disculpa —le dijo a Clay.

Fue una conversación sobre el Dyloft con otro abogado, alguien de Texas, a todas luces un viejo amigo que parecía capaz de hablar aun más rápidamente que French. Las chanzas fueron corteses, pero French se mostró cauteloso.

—¡Maldita sea! —exclamó al colgar.

—¿Competencia?

—Y de la gorda. Su nombre es Vic Brennan, un importante abogado de Houston, muy listo y muy agresivo. Se ha lanzado en pos del Dyloft y quiere saber cuál es el plan.

—Pero tú no le has dicho nada.

—De todas maneras lo sabe. Mañana empezará a lanzar una campaña de anuncios en radio, prensa y televisión. Seguro que conseguirá hacerse con unos cuantos miles de casos. —Durante unos instantes se consoló con unos sorbos de vino que le hicieron sonreír—. La carrera ha empezado, Clay. ¡Tenemos que conseguir esos casos!

—Pues la situación se va a poner peor.

French estaba saboreando su Pinot Noir, de manera que no pudo contestar, pero lo miró con expresión interrogativa.

—Según mis fuentes, mañana el *New York Times* sacará la noticia, el primer informe sobre los efectos perniciosos del Dyloft.

En lo que a la cena se refería, Clay no habría podido decir nada menos oportuno. French se olvidó de sus chuletas de ternera, que todavía no habían salido de la cocina, y también de los exquisitos vinos que tenía delante, aunque logró acabar con parte de ellos en las tres horas siguientes. Pero qué abogado especialista en demandas colectivas podría haber disfrutado de la comida y de la bebida sabiendo que el *New York Times* se disponía a denunciar a su próximo demandado y su peligroso medicamento.

El teléfono sonó insistentemente, pero fuera seguía estando oscuro. Cuando Clay consiguió abrir los ojos y enfocar claramente los dígitos del reloj, vio que este marcaba las cinco y media.

—¡Despierta! —gruñó French—. ¡Y abre la puerta!

Cuando Clay consiguió llegar a trompicones hasta la puerta y abrir, French la empujó y entró en tromba, llevando los periódicos y una taza de café.

—¡Increíble! —exclamó, lanzando un ejemplar del *Times*

en la cama de Clay—. Escucha, hijo, no puedes pasarte todo el día durmiendo. ¡Tienes que leer esto!

Iba vestido con un albornoz del hotel y con unas zapatillas de ducha.

—Pero si todavía no han dado las seis.

—Y yo hace más de treinta años que solo duermo un par de horas. Hay demasiadas demandas ahí fuera esperándome.

Clay solo llevaba unos calzoncillos bóxer. French se sentó y leyó de nuevo la noticia a través de las gafas de lectura que llevaba en la punta de su gruesa nariz, mientras tomaba grandes sorbos de café.

No mostraba el menor síntoma de resaca. Clay había acabado hartándose del espectáculo del vino, que le sabía todo igual, y terminó la cena con agua; pero French no quiso darse por vencido e insistió en declarar vencedora una de las botellas, aunque estaba ensimismado con el asunto del Dyloft y lo hizo sin convicción.

El *Atlantic Journal of Medicine* informaba de que cierta diloftamina comercializada con el nombre de Dyloft causaba tumores de vejiga en un 6 por ciento de los pacientes que la habían tomado durante un año.

—Ha subido. Antes eran un cinco por ciento —comentó Clay mientras leía.

—Sí. ¿No es estupendo?

—No tanto si perteneces a ese seis por ciento.

—Yo no pertenezco.

Algunos médicos ya estaban desaconsejando el medicamento. Ackerman Labs había emitido un tímido comunicado negándolo todo y atribuyendo la culpa del escándalo a la voracidad de ciertos abogados sin escrúpulos. De todas maneras, daba la impresión de que alguien de la empresa empezaba a encogerse. La FDA no había hecho comentarios. Un médico de Chicago se explayaba a gusto diciendo lo estupendo que era el Dyloft y lo encantados que estaban con él sus pacientes. Las buenas noticias, si es que podían considerarse buenas, eran que los tumores no parecían ser malignos. Mientras Clay leía el reportaje, tuvo la sensación de que Max Pace conocía su contenido desde hacía un mes.

El periódico solo dedicaba un párrafo a la demanda colectiva presentada por cierto joven abogado de Washington al que no mencionaba.

La cotización de las acciones de Ackerman había caído desde los 42,50 dólares al inicio de la sesión del lunes hasta los 32,50 al cierre del miércoles.

—Tendríamos que haber impedido que se publicara esta maldita historia —protestó French.

Clay se mordió la lengua y se guardó el secreto, uno de los pocos que se había reservado en las veinticuatro horas anteriores.

—Podemos leerlo otra vez en el avión —dijo French—. Será mejor que nos marchemos de aquí.

Cuando Clay llegó al bufete y saludó a sus fatigados colaboradores, las acciones cotizaban a 28 dólares. Consultó en internet los últimos movimientos del mercado y siguió su evolución durante los siguientes quince minutos, calculando sus ganancias. Teniendo en cuenta la rapidez con la que se estaba gastando el dinero por un lado, resultaba reconfortante ver beneficios por el otro.

Jonah fue el primero que se asomó a verlo.

—Anoche estuvimos aquí hasta las doce —comentó—. Todo esto es una locura.

—Y todavía irá a más —anunció Clay—. Vamos a doblar el número de anuncios.

—Pues no podremos mantener el ritmo.

—Contrata más auxiliares.

—También necesitamos informáticos. Al menos, dos. No podemos incorporar los datos con la rapidez suficiente.

—¿Puedes encontrarlos?

—Quizá localice a un par temporales. Conozco a un chaval, puede que a dos, que tal vez estén dispuestos a venir por las noches. Así no nos rezagaríamos tanto.

—Pues búscalos.

Jonah se dio la vuelta para marcharse, pero en vez de eso cerró un momento la puerta.

—Clay, escucha, quería comentarte algo, pero que quede entre tú y yo, ¿vale?

Clay miró a su alrededor. Allí no había nadie más.

—¿De qué se trata?

—Bueno, tú eres un tío inteligente y todo eso, pero ¿estás seguro de dónde te has metido con este asunto? Me refiero a que estás gastando el dinero más deprisa que nunca. ¿Qué pasaría si algo saliera mal?

—¿Estás preocupado?

—Todos lo estamos un poco, ¿vale? El bufete ha despegado a lo grande. Queremos quedarnos y trabajar lo que haga falta, queremos ganar pasta y todo eso, pero ¿qué ocurre si resulta que metes la pata y te quedas con el culo al aire? Lo siento, pero me parece que es una pregunta razonable.

Clay se levantó y fue a sentarse en una esquina de la mesa.

—Mira, seré muy sincero contigo. Creo saber lo que estoy haciendo, pero como es la primera vez, no estoy seguro del todo. Es una apuesta formidable. Si gano, nos meteremos en el bolsillo dinero a lo grande. Si pierdo, seguiremos en la brecha, solo que no nos habremos hecho ricos.

—De acuerdo. Si tienes oportunidad, díselo a los demás, ¿quieres?

—Lo haré.

El almuerzo consistió en un sándwich y diez minutos de descanso en la sala de reuniones. Jonah le enseñó las últimas cifras. Durante los últimos tres días, las líneas de teléfono habían atendido 71.000 llamadas, y la página web había recibido un promedio de 8.000 visitas diarias solicitando información. Los folletos explicativos y los contratos de prestación de servicios jurídicos estaban siendo enviados con la mayor celeridad posible, aunque empezaban a sufrir retrasos. Clay autorizó a Jonah para que contratara a dos informáticos a tiempo parcial. Paulette recibió el encargo de buscar otros cuatro auxiliares para que trabajaran en la Fábrica; y la señorita Glick, de contratar a las secretarias que hicieran falta para hacerse cargo de toda la correspondencia con los clientes.

Clay les describió su reunión con Patton French y los puso al corriente de la nueva estrategia; luego les entregó copias del reportaje del *Times*, que habían estado demasiado ocupados para poder leer.

—La carrera está en marcha, amigos —les dijo, haciendo lo posible para motivarlos a pesar del cansancio—, y los tiburones empiezan a rondar a nuestros clientes.

—Los tiburones somos nosotros —contestó Paulette.

Patton French llamó por la tarde e informó a Clay de que la demanda colectiva había sido modificada para incluir a los demandantes de Mississippi, y presentada en los tribunales de Biloxi.

—Ya la tenemos justo donde queríamos, socio —le dijo.

—Yo retiraré mañana la de aquí —contestó Clay, confiando en no estar regalando su demanda.

—¿Piensas filtrarlo a la prensa?

—No lo había pensado —contestó Clay, que tampoco tenía la menor idea de cómo se filtraba una noticia.

—Deja que yo me ocupe.

Las acciones de Ackerman Labs cerraron el día a 26,25 dólares. Eso representaba sobre el papel unos beneficios de 1.625.000 dólares si Clay se decidía a comprar en esos momentos y cubría su venta a corto plazo. Decidió esperar. Las noticias de que la demanda se había presentado en Biloxi se sabrían por la mañana, y solo servirían para hacer bajar las acciones aun más.

A medianoche se encontraba sentado a su escritorio, hablando con un caballero de Seattle que llevaba casi un año tomando Dyloft y que estaba espantado por la posibilidad de haber desarrollado un tumor. Clay le aconsejó que consultara a un médico lo antes posible para hacerse un análisis de orina. Le dio la dirección de la página web y le prometió enviarle toda la información a primera hora del día siguiente. Cuando colgó, el hombre estaba al borde del llanto.

20

Las malas noticias sobre el milagroso Dyloft siguieron apareciendo. Se publicaron otros dos estudios médicos, uno de los cuales argumentaba convincentemente que Ackerman Labs había escatimado fondos en el desarrollo del medicamento y utilizado toda su influencia para conseguir que fuera aprobado por las autoridades. Al final, la FDA decidió retirarlo del mercado.

Naturalmente, esas malas noticias eran estupendas para los abogados, y el frenesí fue en aumento a medida que los rezagados iban sumándose. Los pacientes que habían tomado Dyloft recibieron advertencias por escrito de Ackerman Labs y también de sus propios médicos. Tras esos siniestros mensajes les llegaron los ominosos ofrecimientos de servicios de los abogados especializados en demandas colectivas. La correspondencia directa resultó muy efectiva. En todos los mercados importantes se recurrió a poner anuncios en los periódicos. Los teléfonos de la línea directa no dejaban de aparecer por televisión. La amenaza de tumores creciendo descontroladamente hizo que prácticamente todos los que tomaban Dyloft acabaran poniéndose en contacto con un abogado.

Patton French nunca había visto una demanda conjunta que se montara con tanta facilidad como aquella. Gracias a que él y Clay habían sido los primeros en presentarse ante los tribunales de Biloxi, su acción también fue la primera en ser admitida. Todos los demás demandantes que quisieran presentar la suya tendrían que unirse a la de ellos, y el comité de demandantes se llevaría una tajada adicional. El juez encargado del caso, que era amigo de French, no tardó en designar a los cinco letrados que componían el comité: French, Clay, Carlos Hernández (de Miami) y otros dos colegas de Nueva Orleans. En teoría, el comité tenía que dirigir el largo y complicado juicio contra Ackerman Labs. En realidad, lo que haría sería mover papeles y ocuparse del complicado trámite administrativo de mantener organizados a unos 50.000 clientes representados por sus respectivos abogados.

Un demandante individual siempre podía optar por salirse de la demanda colectiva y enfrentarse a Ackerman Labs por su cuenta en un juicio aparte. A medida que los abogados de todos los rincones del país reunían sus casos y organizaban sus coaliciones, empezaron a surgir los inevitables problemas. Algunos no estaban de acuerdo con la demanda colectiva de Biloxi y querían presentar una propia. Otros despreciaban a Patton French. Había varios que deseaban que el juicio se celebrara en sus respectivas jurisdicciones para tener así la oportunidad de conseguir un veredicto espectacular.

Sin embargo, French ya había pasado otras veces por todo aquello. Se embarcó en su Gulfstream y voló de costa a costa, para reunirse con otros abogados que acumulaban casos a centenares y, mal que bien, mantener unida la frágil coalición con la promesa de que el acuerdo de indemnización de Biloxi sería el más cuantioso.

Se puso en contacto con el abogado corporativo de Ackerman Labs, un viejo veterano que había intentado jubilarse en dos ocasiones sin que los directores de la casa se lo permitieran. El mensaje que French le hizo llegar fue claro y conciso: «Empecemos a hablar del acuerdo de indemnización sin que intervengan vuestros asesores externos porque sabes que no irás a juicio con ese medicamento». Ackerman Labs empezó a prestar atención.

A mediados de agosto, French convocó una reunión de los abogados del Dyloft en el enorme rancho que poseía cerca de Ketchum, en Idaho, y le dijo a Clay que su asistencia era obligada por su condición de miembro del comité. Además, el resto de los colegas estaba deseoso de saludar al desconocido que había destapado el caso.

—Y hay otra razón —añadió—: con esos tipos no puedes perderte ni una reunión; de lo contrario te apuñalan por la espalda a la primera oportunidad.

—Allí estaré.

—Te enviaré uno de mis aviones —le ofreció French.

—No, gracias. Llegaré por mi cuenta.

Clay alquiló un Lear 35, una monada de reactor mucho más pequeño que un Gulfstream. Dado que iba a viajar solo, no necesitaba más. Se encontró con la tripulación en la terminal del Reagan National, donde se cruzó con otros peces gordos —todos mayores que él— e intentó aparentar por todos los medios que eso de viajar en su propio avión privado no suponía nada especial para él. Sabía perfectamente que era propiedad de la compañía de chárter, pero durante los tres días siguientes sería solo suyo.

Cuando despegó rumbo norte, contempló el Potomac y el Lincoln Memorial, y vio pasar rápidamente bajo las alas el centro de la ciudad. Allí se encontraba su bufete y, un poco más lejos, las dependencias de la Oficina del Turno de Oficio. Se preguntó qué dirían Glenda, Jermaine y los demás que había dejado allí si lo vieran en ese instante.

¿Qué pensaría Rebecca?

Si hubiera aceptado aguantar con él un mes más...

La verdad era que había tenido muy poco tiempo para pensar en ella.

El avión cruzó las nubes, y la vista desapareció. Washington no tardó en quedar a kilómetros de distancia. Clay Carter se dirigía a una reunión secreta con algunos de los abogados más ricos y poderosos de Norteamérica, los especialistas en acciones colectivas, los que tenían la inteligencia y el coraje necesarios para enfrentarse a las corporaciones más poderosas.

¡Y todos ellos deseaban conocerlo!

Su reactor era el más pequeño de los que había en el aeropuerto de Ketchum-Sun Valley. Mientras rodaba por la pista, pasando junto a varios Gulfstream y Challenger, se le ocurrió la ridícula idea de que quizá el Lear no fuera apropiado para él y que igual necesitaba uno mayor. Entonces soltó una carcajada, riéndose de sí mismo: allí estaba él, en la suntuosa cabina tapizada de piel de un Lear de tres millones de dólares, y lo único que se le ocurría era que necesitaba otro avión más grande. Al menos, se dijo, todavía le quedaba la capacidad para reír. ¿Qué sería de él cuando dejara de hacerlo?

Se detuvieron junto a un reactor que le resultó conocido. En la cola llevaba pintado el código 000AC: cero, cero, cero, acción colectiva. El hogar lejos del hogar del mismísimo Patton French. El Gulfstream hacía que el Lear pareciera pequeño en comparación, y Clay contempló durante unos momentos aquel símbolo del lujo aéreo con una pizca de envidia.

Le estaba esperando una furgoneta conducida por un sujeto que pretendía imitar sin éxito a un vaquero. Por suerte, no era especialmente hablador, de modo que Clay pudo disfrutar en silencio de los cuarenta y cinco minutos que duró el trayecto por una empinada y serpenteante carretera. Como era de esperar, el rancho de French era digno de aparecer en una postal y muy nuevo. La mansión principal imitaba el estilo de las cabañas de los bosques, pero tenía el suficiente número de alas y anexos para albergar un bufete entero. Otro vaquero se hizo cargo del equipaje de Clay.

—El señor French lo está esperando en la terraza de atrás —le dijo, como si Clay hubiera estado allí muchas otras veces.

Cuando Clay encontró a su anfitrión, el tema de conversación era Suiza y cuál de las estaciones de esquí de ese país era la mejor. Los oyó hablar mientras se acercaba. Los otros cuatro miembros del comité de demandantes se hallaban repantigados en sus tumbonas, contemplando las montañas, fumando gruesos cigarros y con una copa en la mano. Cuando se percataron de la presencia de Clay, se pusieron en pie con la misma presteza que si un juez hubiera entrado en la sala de un tribunal. Durante los primeros tres minutos de conversación, Clay oyó que lo tildaban de «brillante», «audaz», «valiente», y su favorita: «visionario».

—Tienes que explicarnos cómo descubriste lo del Dyloft —dijo Carlos Hernández.

—No os dirá una palabra —intervino French mientras preparaba a Clay uno de sus demoledores cócteles.

—Vamos, no te hagas de rogar —comentó Wes Saulsberry, el siguiente de los miembros del comité en serle presentado. Todavía no habían pasado ni cinco minutos, pero Clay ya sabía que, hacía tres años, Wes había ganado medio millón de dólares demandando a una empresa tabaquera.

—Soy una tumba.

El otro abogado de Nueva Orleans era Damon Didier, uno de los oradores durante el seminario del Círculo de Letrados. Didier era un tipo de ojos de acero y rostro tan inexpresivo que Clay se preguntó cómo se las arreglaba para conectar con un jurado. Enseguida se enteró de que Didier se había hecho de oro cuando un barco que transportaba a los niños de un colegio se hundió en el lago Pontchartrain. Qué desgracia.

Todos hablaban de sus medallas y distinciones, como si fueran héroes de guerra. «Esta me la dieron por aquella explosión de un barco cisterna que mató a veinte personas.» «Esta la conseguí cuando se quemaron aquellos muchachos de la plataforma petrolífera.» «Esta gorda de aquí la recibí por mi campaña contra Skinny Ben.» «Esta cuando combatí contra el consorcio tabaquero.» «Esta por mi lucha contra aquella mutua sanitaria.»

Dado que Clay no tenía batallitas que contar, se limitó a escuchar. La del Tarvan habría dejado a todos con la boca abierta, pero no podía mencionarla siquiera.

Cuando un mayordomo con un atuendo a lo Roy Rogers informó a French de que la cena se serviría en una hora, se levantaron todos, entraron en la mansión y bajaron por una escalera a una sala de juegos donde había varias mesas de billar y grandes pantallas de proyección. Aproximadamente una docena de individuos, todos blancos, bebían, charlaban y jugaban al billar.

—Aquí tienes al resto de los conspiradores —susurró Hernández al oído de Clay.

Patton se los fue presentando de uno en uno. Los nombres, las caras y los lugares de origen. Seattle, Topeka, Boston y otros más; también Effingham, en Illinois. No tardaron en confundirse en la mente de Clay. Todos rindieron pleitesía al joven y «brillante» letrado que los había sorprendido con su audaz ataque contra el Dyloft.

—Yo vi tu anuncio la primera noche que lo emitieron —dijo Bernie no-sé-qué, de Boston—. Nunca había oído hablar del Dyloft, de manera que llamé a tu número y se puso un tío muy simpático. Le conté que llevaba un tiempo tomándolo y me informó de todo. Luego me metí en tu página web y me pareció una gran idea. Me dije a mí mismo que me había dejado ganar por la mano y, tres días más tarde, ya tenía montada mi propia línea directa Dyloft y salía en antena.

Todos se echaron a reír, seguramente porque todos ellos tenían una historia parecida que contar. A Clay nunca se le había ocurrido que otros abogados pudieran llamar a su línea y aprovecharse de su página web para birlarle clientes. Pero ¿por qué se extrañaba?

Cuando por fin las muestras de admiración hubieron terminado, French anunció que todavía quedaban algunas cuestiones de las que hablar antes de la cena, que, dicho de paso, iba a contar con una formidable selección de vinos australianos.

A Clay la cabeza ya le daba vueltas después del primer habano y la primera bomba de vodka. Era con diferencia el abogado más joven de los presentes y se sentía como un novato en todos los sentidos, especialmente cuando se trataba de beber. Se hallaba ante auténticos profesionales.

El abogado más joven. El reactor más pequeño. El hígado más frágil. Decidió que ya era hora de cambiar las cosas.

Tomaron asiento alrededor de French, que vivía especialmente para momentos como aquel.

—Como sabéis —empezó diciendo—, he dedicado mucho tiempo a estar con Wicks, el abogado corporativo de Ackerman Labs. El resumen es que están dispuestos a llegar a un acuerdo y a hacerlo rápidamente. Les están cayendo palos de todos lados y quieren quitarse este asunto de encima lo antes posible. En estos momentos, sus acciones cotizan tan bajas que temen la posibilidad de que les hagan una oferta pública de acciones hostil. Sienten que los buitres, y entre ellos estamos nosotros, se acercan a la presa. Si logran calcular cuánto va a costarles lo del Dyloft, es posible que puedan reestructurar su deuda y aguantar. Lo que no quieren es un pleito que no se acabe nunca, con varios frentes abiertos y con veredictos distintos. Y tampoco tienen ningunas ganas de tener que desembolsar más dinero aún para pagarse una defensa.

—Pobre gente —dijo alguien.

—Los de *Business Week* han hablado de quiebra —comentó otro—. ¿Sabes si han recurrido a esa amenaza?

—Todavía no, y no espero que lo hagan. Ackerman cuenta con demasiados activos. Acabamos de realizar los análisis financieros, y mañana repasaremos los números. Nuestros chicos estiman que la empresa cuenta con entre dos y tres mil millones para zanjar el asunto del Dyloft.

—¿Qué cobertura de seguro tienen?

—Solo trescientos millones. Hace un año que la empresa tiene a la venta su división de cosméticos. Piden mil millones por ella. Su valor real es de unas tres cuartas partes. Podrían desprenderse de ella por la mitad de lo que piden y todavía les quedaría dinero suficiente para indemnizar a todos nuestros clientes.

Clay se había dado cuenta de que los clientes rara vez eran mencionados. Los buitres se acercaron aun más a French, que prosiguió:

—Necesitamos aclarar dos cuestiones. Primera: cuántos demandantes potenciales hay ahí fuera. Segundo: cuánto puede valer cada caso.

—¿Por qué no los sumamos todos? —gruñó alguien de Texas—. Yo tengo un millar.

—Está bien, sumemos. Yo tengo mil ochocientos —dijo French—. ¿Y tú, Carlos?

—Yo, dos mil —contestó Hernández, tomando nota.

—¿Tú, Wes?

—Novecientos.

El abogado de Topeka tenía seiscientos, el que menos. Dos mil fue la cifra más alta hasta que French se reservó lo mejor para el final.

—¿Y tú, Clay? —preguntó mientras los demás guardaban silencio.

—Tres mil doscientos —contestó Clay, componiéndoselas para poner cara de póquer. Sus nuevos colegas parecieron debidamente impresionados.

—¡Bien hecho, chaval! —exclamó alguien. Pero Clay sospechó que tras aquellas sonrisas y los «¡Bien hecho, chaval!» se ocultaban auténticas envidias.

—En total suman veinticuatro mil —dijo Carlos tras un rápido cálculo.

—Yo creo que fácilmente podemos multiplicarlo por dos, lo cual nos acercaría a los cincuenta mil, el número que Ackerman Labs ha previsto. Dos mil millones a repartir entre cincuenta mil nos da unos cuarenta mil por caso. No es un mal punto de partida.

Clay hizo sus propios números: 40.000 dólares multiplicados por sus 3.200 casos daba una cifra cercana a los 120 millones, y un tercio de eso... El cerebro dejó de funcionarle, y las piernas le temblaron.

—¿La empresa sabe exactamente cuántos de esos casos pueden haber desembocado en un tumor maligno? —preguntó Bernie, de Boston.

—No. No lo sabe. Calcula que un uno por ciento.

—Eso significa quinientos casos.

—A un mínimo de un millón cada uno.

—Eso suma otros quinientos millones.

—Solo un millón me suena a broma.

—En Seattle, cinco millones por muerte.

—Aquí estamos hablando de homicidio involuntario.

Como era de suponer, cada abogado tenía su propia opinión, y todos la hacían oír a la vez. French decidió poner orden y dijo:

—¡Vamos a cenar!

La cena resultó un fracaso. La mesa del comedor era una pieza entera de madera barnizada que había salido de un solo árbol, un único y majestuoso arce rojo que se había mantenido en pie durante siglos hasta que cayó bajo el hacha del capricho de un rico norteamericano. Como mínimo cabían cuarenta comensales sentados a su alrededor. Ellos eran solo dieciocho esa noche y habían sido sabiamente separados porque, de otro modo, habrían podido llegar a las manos.

En un salón rebosante de personalidades egocéntricas, donde cada uno era el mejor abogado que Dios había dado a la creación, el charlatán más despreciable era Victor K. Brennan, un texano gritón y de voz gangosa. A la tercera o cuarta copa de vino, cuando todavía tenía el filete a medio comer, empezó a quejarse de que 40.000 dólares por caso era una cantidad ridícula; y que él tenía un cliente que ganaba millones y que, gracias al Dyloft, padecía un tumor maligno.

—Puedo conseguir que cualquier jurado de Texas le conceda diez millones por los perjuicios sufridos y otros veinte en concepto de indemnización punitiva.

La mayoría de los presentes estuvieron de acuerdo. Algunos llegaron a decir que en sus respectivas jurisdicciones incluso podrían conseguir más. French se mantuvo firme en su teoría de que si unos pocos lograban millones, entonces la masa de demandantes se llevaría poca cantidad. Brennan no estuvo de acuerdo, pero fue incapaz de rebatir el argumento de French; no obstante, albergaba la vaga sospecha de que Ackerman Labs tenía mucho más dinero del que parecía.

El grupo se mostró dividido en ese punto, pero las filas se movían con tal rapidez y las alianzas cambiaban de bando con tanta facilidad que Clay tuvo dificultades para estar seguro de dónde estaba cada cual. French desafió a Brennan a que demostrase que la indemnización punitiva podía ser fácilmente apoyada con pruebas.

—Pero tú tienes los documentos, ¿no? —quiso saber Brennan.

—Clay ha aportado algunos informes. Los de Ackerman todavía no lo saben, y vosotros aún no los habéis visto; pero dudo que los veáis si os salís de la demanda conjunta.

Los diecisiete comensales —sin contar a Clay— se olvidaron de los cubiertos y de la cena y empezaron a gritar todos a la vez mientras los camareros desaparecían rápidamente. Clay se los imaginó fácilmente: agazapados y muertos de miedo en la cocina. Brennan tenía ganas de pelearse con alguien. Wes Saulsberry no quería dar su brazo a torcer. Los comentarios subieron de tono. En pleno fragor de la discusión, Clay se volvió para mirar a French y lo vio olfatear otra copa de vino, tomar un sorbo y cerrar los ojos con delectación.

¿Cuántas broncas como aquella habría presenciado? Cientos, seguramente. Clay dio un bocado a su filete.

Cuando las aguas se calmaron, Bernie, de Boston, contó un chiste sobre un sacerdote católico y la mesa estalló en carcajadas. Todos siguieron disfrutando de la cena y de los vinos durante cinco minutos, hasta que Albert, de Topeka, sugirió la estrategia de llevar a Ackerman Labs a la quiebra. Era algo que ya había hecho en un par de ocasiones con otras empresas, y siempre con buenos resultados. Las dos veces, las empresas habían aprovechado los beneficios de la legislación concursal para eludir a los bancos y demás acreedores, haciendo que de paso Albert, de Topeka, y sus clientes ganaran aún más dinero. Quienes no estuvieron de acuerdo lo manifestaron claramente. Albert, de Topeka, se lo tomó como un insulto personal, y no tardó en desatarse otra discusión.

Se pelearon por cualquier cosa: por los documentos, por la conveniencia o no de presentar una querella y olvidarse de llegar a un rápido acuerdo por daños, por las ventajas que los respectivos territorios concedían a cada cual, por la publicidad engañosa, por los gastos, por los honorarios... Clay notó que se le hacía un nudo en el estómago, pero no dijo nada. El resto parecía estar disfrutando de la cena mientras discutían con dos o tres de sus colegas a la vez.

Aprende de esta experiencia, se dijo Clay.

Cuando la cena más larga a la que Clay había asistido finalizó al fin, French llevó a todo el mundo de vuelta a la sala de billar, donde les aguardaban más licores y habanos. Los que habían pasado tres horas chillándose e insultándose empezaron a beber y a reírse como si fueran socios de un club. Clay se retiró y, no sin esfuerzo, logró encontrar su habitación.

El espectáculo de Barry y Harry estaba programado para las diez de la mañana del sábado, una hora bastante tardía para que todo el mundo se hubiera olvidado de la resaca y se hubiera metido entre pecho y espalda un potente desayuno. French ofreció la posibilidad de ir a pescar truchas o a tirar al plato, pero nadie pareció interesado en tales actividades.

Barry y Harry eran propietarios de una empresa de Nueva York que no hacía otra cosa que analizar la situación financiera de las empresas elegidas. Tenían recursos, contactos, espías y la reputación de saber encontrar la verdad bajo las apariencias. French los había hecho ir para una presentación de una hora de duración.

—Nos cuesta doscientos de los grandes —le dijo orgullosamente a Clay entre susurros—, pero haremos que Ackerman nos los devuelva.

Hacían sus presentaciones repartiéndose el trabajo: Barry se ocupaba de los gráficos y Harry del puntero, como dos profesores ante un atril. Ambos ocuparon un pequeño estrado dispuesto en la sala de billar. Por una vez, los abogados no abrieron la boca.

Ackerman Labs contaba con una cobertura de seguro de, por lo menos, 500 millones de dólares; 300 por responsabilidad ante terceros y otros 200 en concepto de reaseguros. El análisis de los fondos generados fue sumamente denso y requirió la intervención coordinada de Barry y Harry para aclararlo. Los números y los porcentajes no tardaron en abrumar a todos los presentes.

Hablaron de la división de cosméticos de Ackerman Labs, por la que, en el peor de los casos, la empresa podía conseguir 600 millones. También había una con sede en México, dedicada a los plásticos, de la que Ackerman estaba dispuesta a desprenderse a cambio de 200 millones. La deuda de la compañía quedó aclarada en quince minutos.

Barry y Harry también eran abogados, de modo que se hallaban en situación de evaluar correctamente cuál sería la reacción de la empresa ante un desastre como el de la demanda conjunta por daños del Dyloft.

—Lo más prudente para Ackerman sería que se aviniera a

llegar a un acuerdo extrajudicial por daños, pero repartido en fases. Es lo que llamamos un «acuerdo milhojas» —puntualizó Harry.

Clay estaba seguro de que era el único entre los reunidos que no sabía lo que significaba un acuerdo milhojas.

—La primera fase serían dos mil millones para todos los demandantes de primer nivel —explicó Harry, teniendo la bondad de exponer la receta del milhojas.

—Creemos que dicha fase podría quedar concluida en un plazo de noventa días —puntualizó Barry.

—La segunda fase serían quinientos millones para los demandantes de segundo nivel, los afectados por tumores malignos y que todavía no han fallecido.

—Y la tercera fase quedaría abierta por un plazo de cinco años para cubrir los casos de posibles defunciones.

—Creemos que Ackerman puede pagar entre dos mil quinientos y tres mil millones a lo largo del próximo año, además de otros quinientos en un plazo de cinco años más.

—Si por algún motivo estas cantidades se superaran, la empresa podría entrar en una situación de quiebra.

—Lo cual no resulta aconsejable en el caso de Ackerman Labs, puesto que los bancos tienen demasiados derechos de prioridad.

—Y una quiebra reduciría drásticamente el flujo monetario y se tardaría de tres a cinco años en alcanzar una indemnización aceptable.

Como era de esperar, los abogados se pasaron un buen rato discutiendo. Vincent, de Pittsburg, estaba especialmente decidido a impresionar a sus colegas con sus conocimientos financieros, pero Harry y Barry lo pusieron enseguida en su sitio. Al cabo de una hora, ambos se fueron a pescar.

French volvió a tomar las riendas de la situación. Se habían tratado todos los temas. No quedaba nada de que discutir. Había llegado el momento de ponerse de acuerdo con respecto al plan que había que seguir.

El primer paso consistiría en hacerse con todos los demás casos, costara lo que costase. Dado que habían conseguido reunir la mitad del total, aún quedaban montones de demandantes del Dyloft sueltos por ahí. Era menester encontrarlos. Había que localizar a los abogados de segunda que tuvieran veinte o treinta casos y convencerlos para que se sumaran a la demanda conjunta.

El segundo paso sería celebrar una conferencia para llegar a un acuerdo transaccional con Ackerman Labs en un plazo de sesenta días. El comité directivo de los demandantes se ocuparía de programarla y de enviar las correspondientes notificaciones.

El tercer paso supondría hacer el máximo esfuerzo para mantener a todos los demandantes dentro de la acción conjunta. En el número estaba la fuerza. Quienes decidieran salirse e ir a juicio por su cuenta, no tendrían acceso a los documentos más perjudiciales para Ackerman Labs. Sencillo. Implacable. Así eran las demandas conjuntas.

Todos los presentes pusieron algún tipo de objeción, pero la alianza se mantuvo. Parecía que el caso del Dyloft llevaba camino de terminar en el acuerdo más rápido de la historia de las demandas colectivas, y todos empezaban a oler el dinero.

21

La siguiente reorganización del joven bufete se produjo siguiendo la misma caótica pauta de la primera, y por las mismas razones: demasiados nuevos clientes, demasiado nuevo papeleo, personal insuficiente, una cadena de mando poco clara y una dirección aún menos clara porque ninguno de sus altos cargos —quizá con excepción de la señorita Glick— había asumido nunca tareas directivas. Tres días después de que Clay regresara de Ketchum, Paulette y Jonah fueron a verlo a su despacho con una larga lista de problemas que necesitaban atención urgente. Se respiraban aires de motín. Todos tenían los nervios de punta, y el cansancio no hacía más que empeorarlo todo.

Según las estimaciones más fiables, el bufete había reunido 3.320 casos de Dyloft, y puesto que todos ellos eran muy recientes, todos ellos requerían atención inmediata. Sin contar a Paulette, que a efectos prácticos y a regañadientes estaba asumiendo el cargo de directora del despacho; sin contar a Jonah, que pasaba diez horas al día ante los ordenadores intentando no quedarse regazado; y naturalmente sin contar a Clay, porque era el jefe y se había pasado el tiempo concediendo entrevistas y viajando a Idaho, el bufete había contratado dos abogados y contaba con diez auxiliares jurídicos, ninguno de los cuales tenía más de tres meses de experiencia, salvo Rodney.

—En estos momentos no podría decirte quién vale y quién no —comentó Paulette—. Es demasiado pronto.

Había calculado que cada auxiliar podía hacerse cargo de entre cien y doscientos casos.

—Esa gente, nuestros clientes, está asustada —comentó—. Están asustados porque de repente resulta que tienen tumores que antes no tenían. Están asustados porque los problemas del Dyloft están saliendo en todos los medios y, ¡qué diablos!, están asustados porque nosotros les hemos dado un susto de muerte.

—Quieren que alguien les hable, sentirse apoyados. Y sobre todo quieren encontrar al otro lado del teléfono a su abogado y no a un auxiliar sobrecargado de trabajo. Si no corregimos la situación, me temo que vamos a empezar a perder clientes muy pronto.

—No vamos a perder a ningún cliente —declaró Clay, pensando en todos los tiburones que había visto en casa de French y en que estarían encantados si podían darse un festín con las presas que a él se le escaparan.

—Nos estamos ahogando con el papeleo —dijo Paulette, tomando el relevo de Jonah y haciendo caso omiso del comentario de su jefe—. Todas las pruebas médicas preliminares han de ser examinadas y verificadas por otro especialista. En estos momentos me parece que tenemos unas cuatrocientas personas que están esperando esa verificación. Escucha, Clay, estos casos son serios. Se trata de gente que podría morir. Alguien tiene que ocuparse de coordinar la labor de los médicos y los especialistas. Y eso, Clay, es algo que nadie está haciendo ahora mismo.

—De acuerdo —aceptó este—. ¿Cuántos abogados crees que necesitamos?

Paulette cruzó una mirada de cautela con Jonah. Ninguno de los dos sabía exactamente la respuesta.

—No sé... ¿Diez?

—Al menos diez —ratificó Jonah—. Diez ahora mismo, pero puede que sean necesarios más en el futuro.

—Bien, porque vamos a intensificar la campaña de los anuncios —anunció Clay.

Se produjo un largo y tenso silencio mientras Paulette y Jonah digerían la noticia. Clay les había explicado por encima su reunión en casa de French, pero no había entrado en detalles; les había asegurado que todos los casos que tenían en cartera no tardarían en rendir grandes beneficios, pero se había guardado para sí la estrategia de los acuerdos. French le había advertido que irse de la lengua podía significar perder casos. Dado que la lealtad de sus colaboradores resultaba todavía una incógnita, lo mejor era que no supieran demasiado.

Un bufete vecino acababa de despedir a treinta y cinco de sus asociados. Su economía era débil, la facturación había disminuido y se avecinaba una fusión. Fuera cual fuese el motivo, la noticia había sido una sorpresa en Washington porque el mercado de trabajo de los abogados era habitualmente a prueba de balas. ¿Despedir abogados? ¿En Washington? ¿Cuándo se había visto eso?

Paulette propuso contratar a algunos de ellos, ofrecerles un contrato por un año, sin más promesas ni adelantos. Clay se ofreció a hacer las llamadas pertinentes, antes que nada, a la mañana siguiente. También se ocuparía de buscar un nuevo despacho y de amueblarlo.

Jonah había tenido la curiosa idea de contratar a un médico durante un año, alguien encargado de coordinar los análisis con las pruebas médicas.

—Podemos contratar a uno recién salido de la universidad por cien mil al año —comentó—. No tendría demasiada experiencia, pero ¿qué más da? Solo se dedicará a despachar papeleo.

—Está bien, que no se hable más.

El siguiente punto de la lista de Jonah era la página web. Los anuncios la habían hecho muy popular, pero por eso mismo necesitaban a alguien que se ocupara de ella a tiempo completo, para actualizarla semanalmente con las últimas novedades de la demanda colectiva y de las malas noticias del Dyloft.

—Nuestros clientes están deseando que se les dé toda la información posible.

Para aquellos que no eran usuarios de internet —y Paulette calculaba que al menos la mitad entraba en dicha categoría—, el boletín informativo del Dyloft resultaba esencial.

—Necesitamos a alguien que se ocupe de prepararlo y enviarlo —aseguró.

—¿Podrías encontrar a esa persona?

—Supongo.

—Pues hazlo.

Paulette miró a Jonah, como si cualquier otro comentario le correspondiera hacerlo a él. Jonah dejó la libreta e hizo crujir los nudillos.

—Escucha, Clay. Estamos gastando un dineral en este asunto. ¿Estás seguro de dónde te estás metiendo y de lo que estás haciendo?

—No del todo, pero confiad en mí, ¿vale? Vamos a ganar una fortuna con esta historia. Lo único es que, antes de que llegue ese momento, tenemos que gastar un poco.

—¿Y tú tienes todo ese dinero?

—Lo tengo.

Pace lo llamó para que fueran a tomar una copa en un bar de Georgetown, cerca de casa de Clay. Estaba de paso en la ciudad, y como de costumbre se mostró muy vago respecto a dónde había estado y del fuego que estaba apagando. Ese día había suavizado el atuendo y optado por el marrón en vez del negro: botas de piel de serpiente marrón, chaqueta de ante marrón... Clay supuso que formaba parte de su disfraz. Cuando iban por la primera cerveza, Pace sacó el tema del Dyloft y quedó claro que, fuera cual fuese el proyecto en el que estuviera metido en ese momento, todavía tenía que ver con Ackerman Labs.

Clay, con el mejor estilo del abogado experto en lides judiciales, le trazó un colorista relato de su viaje al rancho de French, de la panda de chorizos que había conocido allí, de la cena de tres horas durante las cuales todos habían discutido con todos mientras comían y bebían, y del espectáculo de Barry y Harry. No tuvo el menor reparo en ofrecerle todo tipo de detalles, porque Pace sabía más que nadie.

—Conozco a Barry y Harry —dijo como si se tratara de un par de personajes del hampa.

—Parecía que conocían bien su trabajo, aunque por dos de los grandes no se podía esperar menos.

Clay le habló de Carlos Hernández, de Wes Saulsberry y de Damon Didier, sus nuevos colegas del comité de demandantes, y Pace le contestó que los conocía a todos.

Cuando llegó la segunda ronda de cervezas, Pace preguntó:

—Has vendido tus acciones de Ackerman, ¿verdad? —Su tono era confidencial, y miró alrededor, por si alguien les estuviera escuchando; pero se trataba de un bar de estudiantes, y la noche era floja.

—Cien mil acciones a cuarenta y dos con cincuenta —contestó Clay orgulloso.

—Ackerman Labs ha cerrado hoy a veintitrés.

—Lo sé. Todos los días miro la cotización.

—Bien. Es hora de cubrir la venta y volver a comprar. Hazlo sin falta a primera hora de la mañana.

—¿Se avecina algo gordo?

—Sí, y ya que estás en ello, compra cuanto puedas a veintitrés y abróchate el cinturón de seguridad.

—¿Un viaje movido?

—Hasta el doble, de movido.

Seis horas más tarde, Clay se encontraba en el despacho antes de que amaneciera, intentando prepararse para otra jornada de puro frenesí. Y ansioso también por ver la apertura de los mercados. Su lista de asuntos pendientes ocupaba dos páginas, casi todas relacionadas con la titánica tarea de contratar diez nuevos abogados con efecto inmediato y hallar un lugar donde instalarlos. Parecía condenado al fracaso, pero no le quedaba más alternativa que intentarlo. Llamó a un corredor de fincas a las siete de la mañana, al que casi sacó de la ducha. A las ocho y media tuvo una entrevista de diez minutos con un abogado recién despedido llamado Oscar Mulrooney. El infeliz había sido un alumno destacado de Yale al que habían fichado por una millonada, y luego despedido, cuando el bufete naufragó. También resultaba que llevaba dos meses casado y que necesitaba el trabajo desesperadamente. Clay lo contrató en el acto por 75.000 al año. Mulrooney tenía cuatro amigos, también de Yale, que estaban en la calle en busca de trabajo.

—Pues ya puedes llamarlos —le dijo Clay.

A las diez, llamó a su corredor de bolsa y cubrió su venta de Ackerman Labs obteniendo unos beneficios de más de 1.900.000 mil dólares que utilizó por entero para comprar otras 100.000 acciones a 23 dólares. Estuvo toda la mañana pendiente de las cotizaciones online. Ni un cambio.

Oscar Mulrooney regresó a mediodía acompañado por sus amigos, todos tan entusiasmados como *boy scouts*. Clay los contrató también y les encomendó la tarea de alquilar el mobiliario de la que iba a ser su oficina, contratar las líneas de teléfono y, en definitiva, hacer todo lo necesario para que iniciaran su nueva carrera de abogados especialistas en demandas colectivas. Oscar sería el encargado de contratar otros cinco abogados más e instalarlos en sus respectivos despachos.

La oficina de Yale acaba de nacer.

A las cinco de la tarde, hora de la costa Oeste, Philo Products anunció su intención de comprar las acciones ordinarias en circulación de Ackerman Labs por un precio de 50 dólares cada una. Eso equivalía a una absorción en toda regla por un total de

1.400 millones de dólares. Clay presenció el acontecimiento solo, en la sala de reuniones, porque los demás estaban demasiado ocupados atendiendo los malditos teléfonos. Los canales de economía se colapsaron con la noticia. La CNN envió a toda prisa a un pelotón de reporteros a White Plains, en Nueva York, la sede de Ackerman Labs, y allí montaron guardia ante la puerta principal como si la maltrecha compañía fuera a presentarse ante las cámaras para llorar su desgracia.

Un interminable número de analistas de mercado y expertos en ese tipo de operaciones salieron en pantalla para manifestar un montón de opiniones carentes de fundamento. El Dyloft fue mencionado desde el principio y varias veces. Aunque Ackerman Labs había sufrido una racha de malos presidentes y consejeros delegados, quedó claro que el Dyloft le había dado la puntilla.

¿Y si resultaba que Philo era en realidad el fabricante del Tarvan y el cliente de Max Pace? ¿Y si Philo había utilizado a Clay como marioneta para conseguir comprar Ackerman Labs por aquel precio de 1.400 millones de dólares? De todas maneras, lo más preocupante era qué repercusiones tendría toda aquella operación en el futuro del Dyloft. Por muy agradable que le resultara calcular lo que acababa de ganar con su reciente compra de acciones de Ackerman Labs, no podía evitar preguntarse si eso no suponía el fin de su sueño con el Dyloft.

La única verdad era que no había forma de saberlo. Él no era más que el actor secundario de una formidable operación entre dos empresas gigantes. Para tranquilizarse, se dijo que Ackerman Labs tenía importantes activos, y que la compañía había lanzado al mercado un producto deficiente que había perjudicado a un montón de gente.

Patton French lo llamó desde su avión, en alguna parte entre Florida y Texas, y le pidió que no se moviera de donde estaba durante una hora más o menos. El comité de los demandantes necesitaba reunirse urgentemente para una conferencia online. Su secretaria ya estaba preparándola.

French volvió a llamarlo al cabo de una hora. Había aterrizado en Beaumont, donde tenía previsto reunirse al día siguiente con unos cuantos abogados que deseaban ayuda en unos casos para combatir cierto medicamento contra el colesterol. Se trataba de casos que podían llegar a valer mucho dinero. De todas maneras, no había podido localizar a los demás miembros del comité. Había hablado con Barry y Harry, que estaban en Nueva York, y ninguno de los dos estaba preocupado por la compra de Philo.

—Ackerman controla doce millones de sus propias acciones, que ahora valen al menos cincuenta dólares cada una, pero que puede que valgan bastante más cuando se haya disipado la polvareda. La empresa acaba de ganar seiscientos millones solo en patrimonio neto. Además, el gobierno tiene que aprobar la absorción, y como era de esperar, querrán tener solventado el problema de la demanda antes de dar su visto bueno. Además, Philo es conocida por su aversión a comparecer ante los tribunales. Les gusta llegar a acuerdos rápidos y discretos.

Me recuerda al Tarvan, pensó Clay.

—En conjunto, son buenas noticias —dijo French mientras al fondo sonaba el zumbido de un fax. A Clay no le costó imaginarlo caminando arriba y abajo por la cabina del Gulfstream mientras esperaba en la pista de Beaumont—. Te mantendré informado —dijo antes de cortar la comunicación.

22

A Rex Crittle le habría gustado echar una reprimenda, largar un sermón, dar unas cuantas lecciones, pero su cliente —a quien tenía en esos momentos sentado frente a él, al otro lado de la mesa— parecía completamente indiferente a los números que acababa de presentarle.

—Tu bufete solo tiene seis meses de vida —dijo, mirando por encima de los lentes de lectura y de la pila de documentos que tenía ante él: ¡las pruebas de que el bufete de aprendices de Clay Carter II estaba administrado por una panda de incompetentes!—. Nada más empezar, tus gastos generales ya alcanzaban la considerable suma de setenta y cinco mil al mes. Tres abogados, un auxiliar, un alquiler nada despreciable y otras minucias. Pero en estos instantes han pasado a ser de medio millón mensual, y no dejan de aumentar.

—Ya sabes lo que dicen: hay que gastar para ganar —contestó Clay tomando un sorbo de café y disfrutando secretamente con la desazón de su contable, que sin duda era el sello del buen profesional: aquel a quien las cifras quitaban el sueño aún más que a su jefe.

—Pero es que no los estás ganando —arguyó Crittle con cautela—. En los últimos tres meses el bufete no ha generado beneficio alguno.

—Pero ha sido un buen año.

—Desde luego. Quince millones en concepto de honorarios suponen un año magnífico. El problema es que se están evaporando. Solo el mes pasado gastaste catorce mil dólares en concepto de alquiler de aviones.

—Ahora que lo mencionas, estoy pensando en comprar uno. Te necesitaré para que me prepares los números.

—Ya te los tengo preparados. De hecho, es precisamente lo que estamos haciendo ahora mismo, y la verdad es que no puedes justificarlo.

—La cuestión no es esa. La cuestión es si puedo permitírmelo.

—No. No puedes permitírtelo.

—Aguanta, Rex, la ayuda está en camino.

—Supongo que te estás refiriendo a los casos del Dyloft, ¿no? Pues mira, este caso te está costando cuatro millones en publicidad, trescientos mil al mes la página web, a los que hay que añadir ahora otros tantos por la hoja informativa. Todo eso sin contar con los auxiliares que tienes en Manassas y todos esos abogados que acabas de incorporar.

—Yo creo que la pregunta es si resultaría mejor un leasing de cinco años o comprarlo directamente.

—¿De qué estás hablando?

—Del Gulfstream.

—¿Qué es un Gulfstream?

—El mejor avión a reacción privado del mundo.

—¿Y qué diablos piensas hacer con un Gulfstream?

—Volar.

—¿Y puedes decirme exactamente por qué necesitas tú uno?

—Es el avión preferido de los abogados especialistas en demandas colectivas.

—Eso sí que tiene sentido.

—Ya sabía yo que lo entenderías.

—¿Sabes lo que llega a valer uno de esos trastos?

—Cuarenta o cuarenta y cinco millones.

—Lamento darte malas noticias, Clay, pero no tienes cuarenta o cuarenta y cinco millones.

—Cierto. Por lo tanto, creo que me inclinaré a favor del leasing.

Crittle se quitó las gafas de lectura y se masajeó su larga y estrecha nariz, como si estuviera sufriendo un ataque de jaqueca.

—Escucha, Clay, yo soy solo tu contable; pero no estoy seguro de si hay alguien más a tu alrededor que te esté diciendo que aminores el ritmo. Tómatelo con calma, amigo. Has ganado una fortuna, disfrútala. No necesitas un bufete tan grande y con tantos abogados. No necesitas aviones privados. ¿Qué va a venir a continuación? ¿Un yate?

—Pues sí.

—¿Lo dices en serio?

—Sí.

—Pero si yo pensaba que odiabas los yates.

—Y los odio. Pero es para mi padre. ¿Podría amortizarlo?

—No.

—Apuesto a que sí.

—¿De qué manera?

—Lo alquilaré cuando no lo utilice.

Crittle dejó de frotarse la nariz y volvió a colocarse las gafas.

—Como quieras. Se trata de tu dinero.

Se reunieron en Nueva York, en terreno neutral, en el sombrío salón de baile de un viejo hotel, cerca de Central Park; el último lugar que alguien habría imaginado para celebrar tan importante encuentro.

A un lado de la mesa se sentaban cinco miembros del comité de demandantes del Dyloft, entre los cuales se contaba un joven Clay Carter que se sentía bastante fuera de lugar; tras ellos había un número indeterminado de ayudantes, colaboradores y recaderos a sueldo del señor Patton French. Al otro estaba el equipo de Ackerman Labs, encabezado por Cal Wicks, un distinguido veterano, escoltado por un séquito parecido.

La semana anterior, el gobierno había aprobado la fusión entre Ackerman Labs y Philo Products con un valor pactado por acción de 56 dólares, lo cual, para Clay, había supuesto un beneficio de unos seis millones de dólares más. Clay había enterrado la mitad de esa cifra en el extranjero para no volver a tocarlos más. Así pues, la venerable empresa fundada un siglo antes por los hermanos Ackerman iba a convertirse en parte del conglomerado Philo, una empresa con la mitad de sus ingresos, pero mucho menos endeudada y mucho mejor administrada.

Mientras tomaba asiento, disponía sus papeles encima de la mesa e intentaba convencerse a sí mismo de que sí, ¡maldita sea!, pertenecía a aquel universo, notó que el otro bando le lanzaba algunas miradas ceñudas. Los de Ackerman Labs conocían al fin al audaz joven que había dado inicio a la pesadilla del Dyloft.

Puede que en esos momentos Patton French contara con un montón de apoyo, pero no lo necesitaba. Tomó las riendas de la primera sesión, y enseguida consiguió tener callado a todo el mundo salvo a Wicks, que se limitó a intervenir cuando lo consideró necesario. La mañana transcurrió con el recuento de los casos. La demanda colectiva presentada en Biloxi acumulaba 36.700 denuncias. Un grupo independiente de abogados de Georgia tenía otras 5.200 y amenazaba con ejercer otra acción conjunta por su cuenta y riesgo. French se mostró convencido de poder disuadirlos. Otros abogados habían optado por mantenerse fuera de la acción colectiva y planeaban ir a juicio en solitario en cada una de sus jurisdicciones. Nuevamente, French no consideró que fueran motivo de preocupación porque no disponían de los documentos cruciales ni tenían posibilidades de conseguirlos.

Empezó un baile de cifras que no tardó en aburrir a Clay. La única que le interesaba era la que hacía referencia a los casos del Dyloft que había logrado reunir: 5.380. Tenía más que nadie, aunque French había logrado acercarse brillantemente con unos 5.000.

Después de tres horas de interminables estadísticas y cifras, acordaron hacer una pausa de una hora para comer. El comité de demandantes subió a una suite donde encontraron solo sándwiches y agua. French se pasó un buen rato al teléfono, hablando y gritando a la vez. Wes Saulsberry quería tomar un poco el aire, de modo que invitó a Clay a dar un paseo alrededor de la manzana. Caminaron tranquilamente por la Quinta Avenida a lo largo del parque. Estaban a mediados de noviembre, y el aire que arrastraba las hojas por el suelo era fresco y ligero. Una estupenda época para disfrutar de Nueva York.

—Me encanta cuando vengo de visita y me encanta cuando me marcho —le confesó Saulsberry—. En estos momentos, en Nueva Orleans seguimos a treinta y tantos grados con una humedad insoportable.

Clay se limitaba a escuchar. Estaba demasiado absorto en la excitación del momento, en el acuerdo para el que solo faltaban unas horas, en los cuantiosos honorarios y en la embriagadora sensación de saberse joven, rico y sin compromisos.

—¿Cuántos años tienes? —le preguntó Saulsberry.

—Treinta y uno.

—Cuando yo tenía treinta y tres, mi socio y yo cerramos un acuerdo de indemnización por la explosión de un barco cisterna que nos supuso un montón de dinero. Fue un caso horrible. Hubo una docena de hombres abrasados. Mi socio cogió los catorce millones que le tocaron y se jubiló; yo invertí los míos en mí. Abrí un bufete con abogados entregados a su trabajo, gente que amaba verdaderamente lo que hacía. Construí un edificio en el centro de Nueva Orleans y desde entonces no he dejado de contratar a los mejores profesionales que he encontrado. En estos momentos somos noventa, y en los últimos diez años hemos ganado ochocientos millones en honorarios. ¿Y sabes qué fue de mi antiguo socio? Pues una triste historia. Uno no se jubila con treinta años. No es normal. En su caso, acabó metiéndose buena parte del dinero por la nariz, esnifando coca, ya sabes. Luego, tres matrimonios nefastos y problemas con el juego. Hace dos años lo contraté como auxiliar jurídico con un sueldo de sesenta mil, y vale mucho más que eso.

—La verdad es que no he pensado en jubilarme —comentó Clay.

Mentira.

—Pues no lo hagas. Estás a punto de ganar un dineral, y te lo mereces. Disfrútalo. Cómprate un avión o un yate. Cómprate una casa en la playa o un apartamento en Aspen. Date todos los caprichos, pero reinvierte cuanto puedas en tu bufete. Acepta el consejo de un viejo que ya ha pasado por eso.

—Gracias, de verdad.

Llegaron a la esquina con la Setenta y tres y giraron hacia el este. Saulsberry todavía no había acabado.

—¿Sabes algo de los casos de pintura a base de plomo?

—La verdad es que no.

—No son tan conocidos como los casos de medicamentos defectuosos, pero resultan sumamente lucrativos. Fui yo quien levantó la liebre; hará unos diez años de eso. Nuestros clientes son colegios, iglesias, hospitales, todos ellos con un montón de capas de pintura a base de plomo en las paredes. Un producto de lo más peligroso. Hemos demandado a varios fabricantes y alcanzado acuerdos de indemnización con algunos de ellos. Un par de miles de millones, hasta la fecha. El caso es que, durante la investigación que hicimos de cierta empresa, descubrí un asunto que podría dar pie a una estupenda demanda colectiva que quizá pueda interesarte. Yo no puedo ocuparme de ella debido a un conflicto de intereses.

—Soy todo oídos.

—La empresa se encuentra en Reedsburg, Pensilvania, y fabrica el mortero que los paletas emplean en la construcción. Se trata de un producto de lo más tosco, pero es una mina de oro en potencia. Según parece, la empresa está teniendo problemas con el producto o, al menos, con un lote. Resulta que al cabo de dos o tres años, se deshace; y cuando el mortero se deshace, las paredes se desmoronan. Los daños se circunscriben a la zona de Baltimore y afectan a unas dos mil viviendas. El asunto está empezando a salir a la luz.

—¿Cuál es la cuantía de los daños?

—Arreglar cada casa cuesta unos quince mil dólares.

Quince mil multiplicado por dos mil. Con unos honorarios de una tercera parte, el abogado que llevara el caso podría embolsarse diez millones de dólares. Clay estaba aprendiendo a calcular muy deprisa.

—La cuestión de las pruebas no tiene mayor dificultad —explicó Saulsberry—. La empresa sabe que está con el culo al aire, de modo que le interesará llegar a un acuerdo.

—Me gustaría poder echarle un vistazo,

—Te enviaré el expediente, pero tienes que guardar el secreto de que he sido yo tu confidente.

—¿Te llevarás un porcentaje?

—No. Es mi forma de darte las gracias por lo del Dyloft. No hará falta que te diga que, si un día encuentras la forma de devolverme el favor, será un bonito detalle. Así es como trabajamos algunos de nosotros, Clay. El mundillo de los especialistas en demandas colectivas está lleno de ególatras y piratas que solo esperan poder rebanarte el gaznate; sin embargo, algunos nos protegemos entre nosotros.

Por la tarde, Ackerman Labs se avino a pagar un mínimo de 62.000 dólares a cada uno de los demandantes del Grupo 1, los aquejados por tumores benignos que podían ser extirpados mediante una simple intervención quirúrgica, cuyo costo también sería cubierto por la empresa. En dicha categoría había unos 40.000 demandantes que cobrarían inmediatamente. La mayor parte de las discusiones que siguieron trataron de las condiciones necesarias que tendrían que cumplir los demandantes para poder beneficiarse de la indemnización. Cuando se planteó la cuestión de los honorarios de los abogados, se entabló una feroz disputa. Al igual que la mayoría de los demás abogados, Clay había firmado un contrato condicional que le garantizaba una tercera parte de las cantidades cobradas, pero lo normal era que en casos como aquel el porcentaje se redujera. French se mostró notablemente agresivo en el debate y aprobación de la complicada fórmula que se adoptó. Al fin y al cabo, se trataba de su dinero. En el último momento, Ackerman Labs aceptó que el porcentaje de los honorarios del Grupo 1 fuera del 28 por ciento.

Los demandantes del Grupo 2 eran aquellos aquejados de tumores malignos, y dado que su tratamiento llevaría meses o años, la cuantía de la indemnización quedó abierta. No se puso límite a dichos daños, lo cual, según Barry y Harry, era la prueba de que Philo Products se hallaba de algún modo detrás de la maniobra, sosteniendo a Ackerman Labs con dinero en efectivo. Los abogados se llevarían el 25 por ciento del Grupo 2, aunque Clay no llegó a entender exactamente la razón. French manejaba los números demasiado deprisa.

El Grupo 3 lo constituían los demandantes del Grupo 2 que iban a morir por culpa del Dyloft. Y ya que no se había producido todavía fallecimiento alguno, esa acción conjunta también se dejó abierta. El límite de los honorarios para esos casos quedó fijado en el 22 por ciento.

A las siete de la tarde se levantaron de la mesa y quedaron en reunirse al día siguiente para acabar de pulir los detalles de los grupos 2 y 3. Mientras bajaban en el ascensor, French entregó a Clay una hoja con cifras impresas.

—No está mal por un día de trabajo, ¿verdad?

Se trataba de un resumen de los casos de Clay y de los honorarios que le correspondían, a los que había que sumar un siete por ciento derivado de su participación en el comité de demandantes.

El total bruto, solo por el Grupo 1, ascendía a 106 millones de dólares.

Cuando por fin se encontró a solas, fue hasta la ventana de su habitación y contempló la caída de la noche sobre Central Park. Estaba claro que el Tarvan no lo había inmunizado contra la impresión de hacerse súbitamente millonario. Se sentía aturdido, entumecido. Permaneció un buen rato sin moverse, mientras una serie de pensamientos inconexos cruzaban su sobrecargado cerebro. Se tomó dos botellitas de whisky del mueble bar, pero no le hicieron el menor efecto.

Sin moverse de la ventana llamó a Paulette, que descolgó el auricular antes del segundo timbrazo.

—Vamos. Suéltalo ya —dijo ella cuando reconoció la voz de Clay.

—La primera ronda acaba de finalizar.

—¡No te andes con rodeos!

—Acabas de ganar diez millones —contestó. Las palabras salieron de sus labios, pero su voz parecía ser la de otro.

—No me mientas, Clay...

—Es la verdad. No te estoy mintiendo.

Se produjo una pausa cuando Paulette se echó a llorar. Clay retrocedió y se sentó en el brazo del sofá. Durante unos segundos también sintió ganas de llorar.

—¡Oh, Dios mío! —logró articular Paulette.

—Volveré a llamarte dentro de un momento —le dijo Clay.

Jonah se encontraba todavía en su despacho. Empezó a pegar gritos por teléfono. Luego lo soltó y fue en busca de Rodney. Clay los oyó, hablando al fondo. Una puerta se cerró de golpe, y Rodney habló por el auricular.

—Tú dirás.

—Tu parte son diez millones —repitió Clay por tercera vez, jugando a Papá Noel como nunca más volvería a jugar.

—Gracias, Dios mío. Gracias, Dios mío. Gracias, Dios mío —repitió Rodney mientras Jonah gritaba al fondo.

—Sí, cuesta creerlo —reconoció Clay.

Por un instante, volvió a ver a Rodney sentado en su viejo cubículo de la OTO, rodeado de papeles y expedientes por todas partes, con las fotos de su mujer y sus hijos pinchadas en un corcho. Un buen hombre agobiado por el trabajo y un sueldo de miseria. ¿Qué le diría a su esposa cuando la llamara, más tarde?

Jonah descolgó otro teléfono, y los dos pasaron un rato hablando de cómo había ido la reunión, quién estaba, dónde se había celebrado... Ninguno de los dos quería colgar, pero Clay les dijo que había prometido volver a llamar a Paulette.

Cuando hubo acabado de ponerla al corriente de las noticias, se sentó en la cama y se quedó allí largo rato, entristecido por el hecho de no tener a nadie con quien compartir aquel momento. Imaginó a Rebecca y, de repente, pudo escuchar su voz y notar su contacto. Si ella quería, podían comprar una casa en la Toscana o en Maui, donde le apeteciera, y allí se instalarían con una docena de críos y ni un solo pariente político, con niñeras, sirvientas y un cocinero; puede que hasta con un mayordomo. La enviaría con el avión un par de veces al año para que fuera a ver a sus padres y a discutir con ellos.

Pero también cabía la posibilidad de que los Van Horn no fueran tan insoportables si tenían un centenar de millones en la familia, aunque estos estuvieran fuera de su alcance y solo les sirvieran para presumir.

Apretó las mandíbulas y marcó el número de Rebecca. Era miércoles, una noche tranquila en el club de golf. Seguramente estaría en su apartamento. Al cabo de tres timbrazos, ella respondió «¿Dígame?», y su voz hizo que le temblaran las piernas.

—Hola. Soy yo, Clay —dijo intentando sonar natural.

No se habían hablado desde hacía seis meses, pero el hielo se rompió al instante.

—Hola, forastero —contestó ella en tono cordial.

—¿Cómo estás?

—Bien. Ocupada, como siempre.

—Lo mismo que yo. Estoy en Nueva York, cerrando unas negociaciones.

—He oído que las cosas te van bien últimamente.

Bonito eufemismo.

—No me va mal. No puedo quejarme. ¿Y tu trabajo?

—Me quedan seis días.

—¿Piensas dejarlo?

—Sí. Me espera la boda. ¿No te has enterado?

—Sí, algo he oído. ¿Cuándo será?

—En diciembre. El 20.

—Pues no recuerdo haber recibido una invitación.

—Eso es porque no te la he enviado. No creí que quisieras venir.

—Seguramente tienes razón. ¿Estás segura de que quieres casarte?

—¿Por qué no hablamos de otra cosa, Clay?

—Es que en realidad no hay otra cosa, ¿no crees?

—¿Estás saliendo con alguien?

—Las mujeres no dejan de perseguirme por toda la ciudad. ¿Se puede saber de dónde has sacado a ese tío?

—También he oído que te has comprado una casa en Georgetown.

—De eso ya hace un tiempo —contestó, aunque estaba encantado de que ella se hubiera enterado. Quizá sintiera curiosidad por sus recientes éxitos—. Oye, Rebecca, ese tío es un gusano.

—Clay, por favor, no lo estropees.

—Es un gusano, y lo sabes, Rebecca.

—Mira, Clay, voy a colgar.

—No te cases con él, Rebecca. Corre el rumor de que es gay.

—Es un gusano, es gay... ¿Qué más? Vomítalo todo de una vez, Clay. Te sentirás mejor.

—No lo hagas, Rebecca. Tus padres se lo comerán vivo. Además, tus hijos se le parecerán, una panda de pequeños gusanos.

El teléfono enmudeció.

Se tumbó en la cama y se quedó mirando el techo mientras seguía escuchando su voz y comprendía lo mucho que la echaba de menos. El teléfono sonó de repente, sobresaltándolo. Era Patton French, desde el vestíbulo, que lo esperaba con una limusina. Le aguardaban tres horas de cena y copas. Alguien tenía que hacerlo.

23

Todos los participantes habían jurado guardar el secreto. Los abogados habían firmado prolijos acuerdos de confidenciali- dad en los que se comprometían a mantener en secreto todo lo referente a las negociaciones y a las indemnizaciones del Dyloft.

Antes de marcharse de Nueva York, Patton French había advertido a los suyos.

—La noticia saldrá en los periódicos en menos de cuaren- ta y ocho horas. Philo la filtrará a la prensa y hará que suba el precio de las acciones.

A la mañana siguiente, el *Wall Street Journal* publicó la noticia. Como era de esperar, echaba la culpa a los abogados: «Abogados especialistas en acciones conjuntas fuerzan un rápido acuerdo respecto al Dyloft», proclamaba el titular. Había varias fuentes anónimas que tenían bastante que decir, y los detalles eran exactos. Se había establecido un fondo de 2.500 millones de dólares para la primera ronda de indemni- zaciones, y quedaba otro potencial de 1.500 millones más, en reserva para posibles contingencias futuras.

Las acciones de Philo Products abrieron a 82 dólares y subieron rápidamente hasta los 85. Un analista financiero comentó que el mercado reaccionaba favorablemente ante el anuncio del acuerdo de indemnización. La compañía podría controlar sus gastos judiciales, no tendría que enfrentarse a un largo pleito y a la amenaza de una condena ejemplar. El caso había quedado resuelto fuera de los tribunales, y fuentes de la empresa lo consideraban un éxito. Clay siguió desde el televisor de su despacho la evolución de las noticias.

También atendió las llamadas de los reporteros. A las once se presentó uno del *Journal*, acompañado por un fotógrafo, y Clay descubrió que sabía tanto como él mismo de los términos del acuerdo de indemnización.

—Estas cosas siempre se acaban sabiendo —le comentó el periodista—. Incluso sabíamos en qué hotel se habían encerrado.

Clay respondió a todas sus preguntas, pero siempre de manera extraoficial. Luego, oficialmente, se negó a hacer comentarios sobre el acuerdo indemnizatorio; pero le facilitó cierta información sobre sí mismo, sobre su rápido ascenso desde el anonimato de la OTO hasta convertirse en un abogado de éxito, especialista en demandas conjuntas, sobre su nuevo bufete y demás. A medida que hablaba comprendió que estaba dando pie a un reportaje, y que este sería espectacular.

A la mañana siguiente lo leyó online, antes de que amaneciera. Allí aparecía su rostro, uno de aquellos bocetos a tinta que el *Wall Street Journal* había popularizado, acompañado del titular: «El Rey de los Pleitos: de 40.000 a 100.000.000 de dólares en seis meses». Y el subtítulo: «¡Hay que ser un amante del derecho!».

Era un extenso reportaje y trataba exclusivamente de él: de sus antecedentes, de su infancia en Washington, de su padre, de sus estudios en la Facultad de Georgetown; contaba con numerosas citas textuales de Glenda y Jermaine, de la OTO, y de uno de sus profesores, al que no recordaba; y ofrecía un breve resumen de la demanda contra el Dyloft. La mejor parte era una larga charla con Patton French en la que «el famoso especialista en demandas colectivas» describía a Clay Carter como «nuestra más brillante promesa», una persona «intrépida», «un nuevo protagonista con el que había que contar», y ante cuyo nombre «el mundo de las grandes empresas tenía que echarse a temblar»; y por último lo describía como «el nuevo Rey de los Pleitos».

Lo leyó dos veces y después se lo envió por e-mail a Rebecca, acompañándolo de una nota en la que decía: «Rebecca, por favor, espera. Clay». Se lo envió a su apartamento y a su despacho; y de paso, le quitó la nota y lo envió también a la sede del BVH Group. Faltaba un mes para la boda.

Cuando por fin llegó a la oficina, la señorita Glick le entregó un montón de mensajes: la mitad de ellos era de viejos compañeros de la facultad que en broma le pedían dinero prestado; la otra mitad era de periodistas de las más variadas especialidades. En el bufete reinaba más caos que de costumbre. Paulette, Jonah y Rodney seguían flotando en una nube y eran incapaces de concentrarse. Además, todos sus clientes deseaban cobrar la indemnización inmediatamente.

Afortunadamente, fue la oficina de Yale, bajo la brillante dirección del emergente Oscar Mulrooney, la que se ocupó de poner a punto un plan para sobrevivir hasta el cobro de la indemnización. Clay mandó llamar a Mulrooney, lo instaló en un despacho de la oficina principal, le dobló el sueldo y dejó que se encargara de dirigir el follón.

Necesitaba tomarse un respiro.

Dado que el pasaporte de Jarrett Carter había sido discretamente confiscado por el departamento de Justicia de Estados Unidos, los movimientos de su titular se hallaban considerablemente restringidos. Aunque no había intentado regresar al país desde que se había marchado, y de eso hacía seis años, tampoco estaba seguro de que le permitieran hacerlo. El apaño que le había permitido desaparecer de Washington sin que lo acusaran formalmente tenía muchos cabos sueltos.

—Será mejor que nos quedemos en las Bahamas —le dijo a Clay por teléfono.

Despegaron de Ábaco en un Cessna Citation V, otro juguete de la flota aérea que Clay acababa de descubrir, rumbo a Nassau, a media hora de distancia de vuelo. Jarrett esperó a que estuvieran en el aire antes de abrir la boca.

—Bueno, cuéntame lo que quieras contarme —dijo mientras bebía una cerveza.

Iba vestido con unos arrugados vaqueros cortos, sandalias y una vieja gorra de pescador. Era la perfecta imagen del refugiado que se gana la vida en la isla llevando una vida de pirata.

Clay abrió una lata de cerveza y empezó con el Tarvan para acabar con el Dyloft. Jarrett había oído rumores sobre el éxito de su hijo, pero no había leído los diarios y siempre había procurado olvidarse de cualquier noticia de casa. Necesitó otra cerveza para hacerse a la idea de lo que significaba tener cinco mil clientes a la vez.

La cifra de cien millones de dólares le hizo cerrar los ojos y palidecer —o al menos parecer un poco menos bronceado—, y le llenó la atezada frente de arrugas. Meneó la cabeza, tomó un trago de cerveza y se echó a reír.

Clay siguió contando, decidido a terminar su historia antes de que aterrizaran.

—¿Y qué estás haciendo con el dinero? —preguntó Jarrett, todavía recuperándose de la sorpresa.

—Gastármelo como un loco.

En la terminal del aeropuerto de Nassau tomaron un taxi, un Cadillac de 1974 conducido por un chófer que fumaba marihuana y que los dejó sanos y salvos en el Sunset Hotel & Casino de Paradise Island, que miraba al puerto de Nassau.

Jarrett se encaminó hacia las mesas de blackjack con los 5.000 dólares en efectivo que su hijo acababa de darle; Clay fue hacia la piscina y las cremas bronceadoras. Lo único que le apetecía era sol y biquinis.

La embarcación era un catamarán de 22 metros de eslora salido de un astillero de Fort Lauderdale que fabricaba buenos veleros. Su capitán y vendedor era un viejo y excéntrico inglés llamado Maltbee, que tenía por único ayudante a un isleño que hacía las labores de marinero de cubierta. Maltbee bufó y refunfuñó hasta que hubieron salido del puerto y enfilado hacia la bahía. Iban a pasar medio día en aguas soleadas y tranquilas, probando el barco, una embarcación con la que, según Jarrett, se podía ganar dinero de verdad.

Cuando los motores se apagaron y fueron izadas las velas, Clay bajó a inspeccionar los camarotes. En principio se suponía que podían dormir ocho personas a bordo, además de las dos de la tripulación. Las cabinas eran estrechas y reducidas, como el resto del interior del barco. La ducha resultaba demasiado pequeña para poder darse la vuelta en ella, y la cámara del capitán habría cabido de sobra en el cuarto trastero de su casa de Georgetown. Eso significaba vivir en un velero.

Según Jarrett, era imposible ganar dinero con la pesca deportiva. El negocio resultaba demasiado esporádico, y para generar beneficios era necesario alquilar el barco todos los días, y en ese caso el trabajo acababa siendo demasiado agotador. Los buenos marineros eran difíciles de encontrar y las propinas siempre se quedaban cortas. Por lo general, los clientes resultaban tolerables; pero también había muchos insoportables que bastaban para amargar la vida. Jarrett llevaba cinco años trabajando como capitán de un barco de pesca de alquiler, y el trabajo empezaba a pasarle factura.

El dinero de verdad estaba en el alquiler de veleros privados para grupos pequeños de gente con dinero que deseaban trabajar en lugar de dejarse malcriar. Marineros «de verdad pero no tanto». El secreto estaba en conseguir un buen velero —a ser posible de propiedad y libre de cargas— y navegar con él durante un mes por el Caribe con un solo grupo a bordo. Jarrett tenía un amigo en Freeport que llevaba haciéndolo desde hacía años con un par de barcos, y se ganaba bien la vida. Los clientes escogían el recorrido y trazaban el rumbo, decidían los menús y la bebida y se hacían a la mar treinta días con un capitán y un marinero.

—Eso son diez mil pavos a la semana —comentó Jarrett—, sin contar que navegas, disfrutando del viento, del sol y del mar, yendo de un lado para otro. Es muy distinto de la pesca deportiva, pues si la gente no pesca su pez espada se cabrea de mala manera.

Cuando Clay salió de los camarotes, Jarrett se encontraba al timón, muy relajado, como si hubiera pasado toda la vida patroneando veleros. Clay se acercó y se estiró bajo el sol.

Encontraron un poco de viento, y el catamarán se deslizó veloz sobre el agua de la bahía, mientras Nassau se perdía en la distancia. Clay se había quedado en pantalón corto e iba cubierto de crema bronceadora. Se disponía a dar una cabezada cuando Maltbee se sentó junto a él.

—Su padre me ha dicho que es usted quien tiene el dinero. —Maltbee ocultaba sus ojos tras unas gafas de sol.

—Supongo que así es —contestó Clay.

—El barco cuesta cuatro millones de dólares, es prácticamente nuevo y uno de los mejores que tenemos. Fue construido para uno de esos empresarios «punto com» que perdió su fortuna más rápidamente de lo que la ganó. Una panda de infelices, si me permite que se lo diga. En fin, el caso es que no tenemos forma de deshacernos de él. Estamos dispuestos a venderlo por tres millones, aunque si lo compra por ese precio es posible que lo demanden por robo. Si pone el barco a nombre de una empresa de alquiler de embarcaciones de las Bahamas se podrá beneficiar de un montón de ventajas fiscales. No sabría darle más detalles, pero tenemos un abogado en Nassau que se ocupa de todo el papeleo; eso suponiendo que esté sobrio en algún momento.

—Yo soy abogado.

—¿Ah, sí? ¿Y cómo es que está sobrio?

Los dos se echaron a reír sin ganas.

—¿Y qué me dice de la amortización?

—Fuerte, muy fuerte, pero eso es algo que dejo en manos de los abogados como usted. Yo soy solo el vendedor. De todas maneras, me parece que a su viejo le gusta. La verdad, estos barcos hacen furor desde aquí hasta Sudamérica. Le hará ganar dinero.

Al menos eso fue lo que aseguró el vendedor, que tampoco era un lince. Si Clay se decidía a comprar un barco a su padre, se contentaba con que este cubriera gastos y no se convirtiera en un pozo sin fondo. Maltbee desapareció tan rápidamente como había aparecido.

Tres días más tarde, Clay firmó un contrato de compraventa del barco por un valor de 2.900.000 dólares. El abogado, que a decir verdad no estuvo completamente sobrio en ninguna de las dos reuniones que mantuvo con Clay, puso la empresa de chárter a nombre de Jarrett exclusivamente. La embarcación constituía el regalo de un hijo a un padre, un bien que debía permanecer oculto en las islas, igual que el propio Jarrett.

Durante su última noche en Nassau, mientras cenaban en un tugurio lleno de traficantes, evasores de impuestos y tipos que se habían negado a pagar la pensión a sus ex mujeres, casi todos ellos norteamericanos, Clay arrancó la pata de un centollo y planteó la pregunta que llevaba semanas rumiando.

—¿Hay alguna posibilidad de que puedas volver alguna vez a Estados Unidos?

—¿Para qué?

—Para ejercer la abogacía. Para convertirte en mi socio. Para pleitear y dar guerra de nuevo.

La pregunta hizo sonreír a Jarrett: la idea de que padre e hijo pudieran trabajar juntos, el hecho de que Clay quisiera tenerlo a su lado, la posibilidad de volver a tener un despacho propio, de llevar una vida respetable. Clay aún vivía a la sombra que él había dejado tras de sí. Sin embargo, dados sus recientes éxitos, la nube sin duda se estaba reduciendo.

—Lo dudo, Clay. Entregué mi licencia y prometí que me mantendría alejado.

—¿Y no te gustaría volver?

—Puede que para limpiar mi nombre, pero no para ejercer nuevamente el derecho. Dejé atrás muchas cosas, muchos enemigos que todavía esperan la ocasión. Tengo cincuenta y cinco años y ya soy mayor para volver a empezar.

—¿Y dónde estarás dentro de diez años?

—Mira, Clay, yo no pienso en esos términos. No creo en el calendario ni en las listas de tareas programadas. Eso de marcarse objetivos es una estúpida costumbre típicamente norteamericana, pero no es para mí. Intento vivir cada día; puede que piense un poco en el mañana, pero no más. Planear el futuro me parece ridículo.

—Está bien, lamento habértelo preguntado.

—Mira, Clay, vive el momento. El mañana ya se ocupará de sí mismo. Yo diría que en estos momentos estás bastante ocupado.

—Sí, el dinero me tiene bastante ocupado.

—Bien, pero no lo malgastes tontamente, hijo. Ya sé que ahora te parece imposible, pero te sorprenderá. Verás que te salen nuevos amigos por todas partes y que las mujeres empiezan a lloverte del cielo.

—¿Y cuándo será eso?

—Tú espera. En una ocasión leí un libro, *El oro de los necios* o algo así. Eran historias sobre pobres idiotas que habían tirado sus fortunas por la ventana. Una lectura fascinante. Búscalo.

—Creo que paso.

Jarrett dio un bocado a una gamba y cambió de conversación.

—¿Piensas ayudar a tu madre?

—Seguramente no. No necesita que la ayude nadie. Su marido es rico, ¿recuerdas?

—¿Cuándo fue la última vez que hablaste con ella?

—Hace ya once años, papá. ¿Por qué te interesa?

—Es solo curiosidad. Resulta extraño: te casas con una mujer, vives veinticinco años con ella y a veces te preguntas qué estará haciendo.

—Oye, ¿por qué no hablamos de otra cosa?

—¿De Rebecca?

—No, mejor de otra cosa.

—Como quieras. ¿Y si vamos a las mesas de dados? Me sobran cuatro mil dólares.

Cuando el señor Ted Worley, de Upper Marlboro, Maryland, recibió el abultado sobre del bufete de Clay Carter II, lo abrió enseguida. Había leído varias noticias sobre el acuerdo de indemnización del Dyloft y también había consultado regularmente la página web del medicamento esperando ver alguna señal que le indicara que había llegado la hora de cobrar de Ackerman Labs.

La carta decía:

> Estimado señor Worley:
>
> Felicidades, su reclamación de acción conjunta contra Ackerman Labs se ha resuelto en el Tribunal de Distrito de Estados Unidos correspondiente al distrito del sur de Mississippi. Como demandante del Grupo 1, su parte del acuerdo asciende a 62.000 dólares. De conformidad con el contrato de servicios de asistencia legal suscrito entre usted y este bufete, se establece una cuota de un 28 por ciento en concepto de honorarios deducible de la indemnización global. El tribunal ha aprobado además una deducción de 1.400 dólares en concepto de gastos judiciales. En consecuencia, la suma neta que percibirá por su acuerdo es de 43.240 dólares.

Le rogamos que tenga la bondad de firmar los impresos de aceptación y de devolvérnoslos sin más tardanza en el sobre adjunto.

Atentamente,

Oscar Mulrooney, abogado

—¡Maldita sea! ¡Cada vez un abogado distinto! —exclamó el señor Worley mientras ojeaba las páginas del informe. Había una copia del acta del tribunal en la que se aprobaba la indemnización y una notificación dirigida a los demandantes que, de repente, no le apeteció leer.

¡43.240 dólares! ¿Esa era la formidable cantidad que iba a recibir de un maldito gigante farmacéutico que había sacado a sabiendas al mercado un medicamento defectuoso que le había provocado cuatro tumores de vejiga? ¿43.240 dólares por meses de miedo y angustia sin saber si iba a vivir o a morir? ¿43.240 dólares por haber tenido que sufrir que le metieran por el pene una sonda con un microbisturí y le extirparan los tumores uno a uno a través de la uretra? ¿43.240 dólares por semanas meando sangre y coágulos?

Dio un respingo al recordarlo.

Llamó seis veces y dejó seis encendidos mensajes en el contestador hasta que el señor Oscar Mulrooney se dignó devolverle la llamada.

—¿Quién demonios es usted? —preguntó en el tono más amable del que fue capaz.

En los últimos diez días, Oscar Mulrooney se había convertido en un experto a la hora de atender aquel tipo de llamadas, de modo que explicó pacientemente que era el abogado del bufete encargado del caso.

—¡Esta indemnización es una tomadura de pelo! —exclamó el señor Worley—. ¡Cuarenta y tres mil doscientos cuarenta dólares son un robo!

—Señor Worley, su indemnización es de sesenta y dos mil dólares.

—Sí, hijo, pero yo solo me llevo cuarenta y tres mil doscientos cuarenta.

—No, señor Worley. Usted se lleva sesenta y dos mil dólares. Pero acordó ceder una tercera parte a su abogado, sin el cual no cobraría ni un céntimo. En este caso, el porcentaje se ha reducido a un veintiocho por ciento. Tenga en cuenta que la mayoría de los bufetes se llevan entre un cuarenta y un cincuenta por ciento.

—¡Vaya, ahora resultará que he sido afortunado! Pues ¿sabe que le digo?, que no acepto el acuerdo.

Llegados a ese punto, Oscar Mulrooney le explicó larga y detalladamente las razones por las que Ackerman Labs no podía pagar más sin ir a la quiebra, circunstancia que dejaría al señor Worley con los bolsillos vacíos.

—Todo esto que me cuenta me parece muy bonito, pero sigo sin aceptar el acuerdo.

—No tiene otra opción, señor Worley.

—¡Y una mierda que no!

—Léase el contrato de servicios de asistencia legal, señor Worley. Es la página once del legajo que le hemos enviado. El párrafo ocho, el que aparece bajo el epígrafe «Preautorización». Léalo y comprobará que autorizó a sus abogados a que llegaran a cualquier acuerdo que superara los cincuenta mil dólares.

—Lo recuerdo perfectamente, pero también que se me dijo que esa cantidad era el punto de partida. Yo esperaba mucho más.

—Señor Worley, su indemnización ya ha sido aprobada por el tribunal. Así funcionan las acciones conjuntas. Si no firma el pliego de aceptación, su parte pasará al bote y, al final, irá a parar a manos de otro.

—¡Son ustedes una panda de chorizos! ¿Lo sabía? ¡No sé quiénes son peores, si el laboratorio que ha fabricado ese medicamento o los abogados que me están exprimiendo como un limón!

—Lamento que lo vea de este modo.

—¡Ustedes no lamentan una mierda! ¡Los diarios dicen que se han embolsado cien millones de dólares! ¡Ladrones! —gritó el señor Worley antes de colgar de golpe y arrojar el diario al suelo.

24

El protagonista de la cubierta del número de diciembre de *Capitol* era Clay Carter, que aparecía bronceado y con un elegante traje de Armani, sentado al borde de la mesa de su recién decorado despacho. Había sido una frenética decisión de última hora que había sustituido a un reportaje titulado *Navidad en Potomac*, la habitual sección en la que un rico senador abría las puertas de su mansión de Washington para que todo el mundo la admirara junto a su recién adquirida joven esposa. La adinerada pareja —y sus perros, sus gatos, su decoración y recetas favoritas— había pasado a las páginas interiores porque Washington era ante todo una ciudad donde lo que importaba era el dinero y el poder. ¿Cuántas veces tenía una revista la oportunidad de publicar en exclusiva la increíble historia del abogado sin un céntimo que se convierte en millonario de la noche a la mañana?

Así pues, allí estaba Clay, en el jardín de su casa, con su perro —que había pedido prestado a Rodney—; posando ante el vacío estrado de los jurados, como si acabara de arrancarles un veredicto favorable; y naturalmente lavando su flamante Porsche. En la entrevista confesaba que su pasión era navegar, y que tenía un velero recién comprado, fondeado en las Bahamas. No había romances en su horizonte inmediato, y el reportaje lo calificaba como el soltero más codiciado de la ciudad.

En las últimas páginas de la revista aparecían las fotos de las novias que iban a contraer nupcias, seguidas de los anuncios de boda. No había niña bien ni joven casadera que no soñara con el momento de aparecer en las páginas de *Capitol Magazine*. Cuanto mayor era la foto, más importante era la familia; y se sabía de madres ambiciosas que, regla en mano, medían el tamaño de las fotos de sus hijas y lo comparaban con el de sus rivales para presumir ante ellas u ofenderse de por vida.

Y allí estaba Rebecca van Horn, resplandeciente, sentada en un sillón de mimbre en algún jardín; una preciosa foto estropeada por el rostro de su prometido, el honorable Jason Shubert Myers IV, acurrucado a su lado y a todas luces disfrutando del momento. Las bodas eran para las novias, no para los novios. Así pues, ¿a santo de qué debían aparecer en los anuncios de boda?

Bennett y su mujer habían tirado de los hilos oportunos, porque el anuncio de la boda de Rebecca era el segundo en tamaño entre una docena más. Seis páginas más atrás, Clay se topó con un anuncio a toda página del BHV Group: el soborno.

Clay disfrutó pensando en la desazón que el artículo estaría sembrando en esos momentos en el hogar de los Van Horn. La boda de Rebecca, el gran acontecimiento social con el que Bennett y Barbara esperaban impresionar a todo el mundo había sido eclipsado por su antiguo enemigo. ¿Cuántas veces vería su hija publicado su anuncio de boda en *Capitol Magazine*? ¿Cúantas molestias se habían tomado para asegurarse de que este se exhibiera debidamente? Y todo para que, en el último momento, él, Clay Carter, les estropeara la función.

Y lo mejor estaba todavía por llegar.

Jonah ya había anunciado que su retiro era una auténtica posibilidad. Acababa de pasar diez días en Antigua acompañado no por una sino por dos chicas; pero al regresar a Washington en plena tormenta de nieve de diciembre, había confesado a

Clay que no se sentía ni física ni emocionalmente capacitado para seguir ejerciendo la abogacía. Tenía cuanto podía desear, de modo que su trayectoria profesional había llegado a su fin. También él había estado buscando un velero. Había encontrado a una chica a la que le encantaba navegar y que, dado que salía de un matrimonio desastroso, también necesitaba pasar un tiempo disfrutando del mar. Jonah era de Anápolis y, a diferencia de Clay, había navegado toda su vida.

—Escucha, Jonah, necesito una tía que sea un bombón; a ser posible rubia —le explicó Clay sentado ante el escritorio de Jonah.

Habían cerrado la puerta. Eran las seis de la tarde de un miércoles, y Jonah acababa de abrir su primera cerveza del día. Tenían una norma no escrita que decía que estaba prohibido beber antes de las seis. De otro modo, Jonah habría empezado a hacerlo después de comer.

—¿Cómo, el soltero más deseado de la ciudad tiene problemas para encontrar tías?

—Llevo demasiado tiempo fuera de circulación. Pienso asistir a la boda de Rebecca y quiero hacerlo llevando del brazo a un bombón que se convierta en el centro de la fiesta.

—¡Vaya, esta sí que es buena! —contestó Jonah, riendo y rebuscando en el fondo de un cajón.

Solo alguien como él era capaz de tener un fichero de mujeres. Removió papeles hasta que encontró lo que andaba buscando: el recorte de una revista que entregó a Clay. Se trataba de un anuncio de lencería para unos grandes almacenes. La deslumbrante y joven diosa prácticamente no llevaba nada de cintura para abajo, mientras que de cintura para arriba se limitaba a cubrirse los pechos con los brazos. Clay recordó haberla visto en un anuncio de televisión. La revista llevaba fecha de hacía cuatro meses.

—¿La conoces?

—Claro que la conozco. ¿Acaso crees que hago colección de anuncios de lencería?

—No me sorprendería.

—Se llama Ridley. Al menos ese es el nombre por el que se la conoce.

—¿Y vive aquí? —Clay seguía admirando a la belleza del anuncio en blanco y negro.

—Es de Georgia.

—¿Una chica del sur?

—No, hombre, no. De un país que se llama Georgia, por Rusia, creo. Llegó a Estados Unidos en un programa de intercambio de estudiantes y ya no se marchó.

—Parece que tenga dieciocho años.

—Veintitantos.

—¿Es muy alta?

—Metro setenta y cinco, más o menos.

—Pues tiene unas piernas kilométricas.

—¿Te estás quejando?

Haciendo un esfuerzo para aparentar indiferencia, Clay le devolvió el recorte.

—¿Algún defecto?

—Sí. Se rumorea que es bi.

—¿Que es qué?

—Que le gustan tanto las chicas como los chicos.

—Vaya por Dios.

—En su caso, no está confirmado; pero es frecuente entre las modelos. Por lo que sé, podría tratarse simplemente de un rumor.

—¿Has salido con ella?

—No. Un amigo de un amigo, sí. La tengo en mi lista. Solo estaba esperando confirmación. ¿Por qué no pruebas? Si no te gusta buscaremos otra.

—¿Puedes encargarte de llamarla?

—Claro. No hay problema ahora que te has convertido en míster portada, en el soltero más deseado, en el Rey de los Pleitos. Me pregunto si en Georgia saben qué es un pleito.

—Si tienen suerte, no lo sabrán. Anda, llama.

Quedaron para cenar en el restaurante de moda, un japonés frecuentado por gente joven y con dinero. Ridley era aún más guapa en persona que en foto. Cuando fueron acompañados a una de las mejores mesas, situada en el centro del restaurante, todas las cabezas se volvieron para mirarla, las conversaciones se interrumpieron y los camareros acudieron en tropel. Su ligero acento extranjero era el toque perfecto y lo bastante exótico para añadir una pizca más de seducción al conjunto, si la hubiera necesitado.

Los trapos de mercadillo de segunda mano le sentaban estupendamente. En su caso, el desafío consistía en vestir de tal manera que la ropa no hiciera competencia a sus rubios cabellos, a sus ojos verde mar, a sus marcados pómulos y al resto de sus perfectas facciones.

Su verdadero nombre era Ridal Petashnakol, y tuvo que deletrearlo dos veces para que Clay consiguiera pronunciarlo. Por suerte, las modelos, lo mismo que los futbolistas, podían sobrevivir solo con el nombre de pila; de manera que era Ridley para todos y para todo. No bebía alcohol, así que pidió un zumo de arándanos. Clay rogó para que no encargara un plato de zanahorias crudas para cenar.

Ella tenía belleza; y él, dinero. Y puesto que no podían hablar de ninguna de ambas cosas, estuvieron un rato conversando de vaguedades hasta que encontraron algo a lo que aferrarse. Ella era georgiana, no rusa, y no le importaba ni sabía nada de política, terrorismo o fútbol. Pero el cine... ¡Ah, el cine! Había visto todas las películas que se podían ver, incluso los bodrios más infumables. Los fracasos de taquilla figuraban entre sus favoritas. Clay empezó a tener serias dudas.

No es más que un rollo de una noche, se dijo Clay, hoy cenamos, mañana vamos a la boda de Rebecca, y se habrá acabado.

Ridley hablaba cinco idiomas, pero dado que eran todos

de países de Europa del Este, no parecían demasiado útiles para progresar en la vida. Para satisfacción de Clay, pidió un primero, un segundo y un postre. La conversación no fue cosa fácil, pero ambos pusieron la mejor buena voluntad. No tenían nada en común. El abogado que él llevaba dentro deseaba un examen a fondo del testigo: nombre auténtico, edad, grupo sanguíneo, profesión del padre, ingresos, antecedentes maritales, historial sexual —¿es verdad que eres bi?—; aun así, logró contenerse y no parecer fisgón en absoluto. En un par de ocasiones intentó profundizar un poco, pero como no consiguió nada volvió al tema de las películas. Ridley conocía a todos los actores de veinte años de serie B y con quién salían. Francamente aburrido, pero no más que tener un grupo de abogados parloteando sin cesar de sus últimos éxitos con demandas colectivas. Clay se acabó, el solo, la botella de vino y se relajó un tanto. Era un borgoña tinto. Patton French se habría sentido orgulloso. Ojalá sus colegas especialistas en demandas colectivas pudieran verlo en esos momentos, sentado frente a aquella monada de Barbie.

El único punto negativo era aquel feo rumor. Era imposible que le gustasen las mujeres. Era demasiado perfecta, demasiado exquisita, demasiado atrayente para el sexo opuesto. ¡Estaba destinada a convertirse en la clásica esposa-trofeo! No obstante, había algo en ella que le hacía sospechar. Cuando el impacto de su belleza desapareció —y fueron necesarias un par de horas y una botella de vino para eso—, Clay se dio cuenta de que no estaba yendo más allá de la superficie. Y eso solo podía significar que, una de dos, o no había nada bajo la superficie o que lo que había estaba escondido.

Cuando llegó el postre —una mousse de chocolate con la que ella jugueteó pero no se comió—, él la invitó a que lo acompañara a una boda. Le confesó que la novia era una antigua novia, pero le mintió al decirle que mantenían una relación de amigos. Ridley se encogió de hombros, como si hubiera preferido ir al cine.

—¿Por qué no? —contestó.

Cuando se internó por el camino de acceso del Potomac Country Club, Clay sintió que lo embargaba la emoción del momento. Su última visita a aquel condenado lugar se había producido hacía más de siete meses y había acabado siendo una torturante cena con los padres de Rebecca. Entonces había aparcado su viejo Honda detrás de las pistas de tenis; esa noche llegaba al volante de su flamante Porsche. Entonces había evitado al aparcacoches para no tener que darle propina; esa noche le daría una especialmente generosa. Entonces había llegado solo, temiendo las horas que le esperaban con los Van Horn; esa noche iba acompañado de la escultural Ridley, que se colgaba de su brazo y cruzaba las piernas de modo que el corte de su falda se abría hasta la cintura. Entonces se había sentido como un intruso hollando terreno sacro; esa noche el Potomac Club habría aceptado en el acto su solicitud de socio solo con que él hubiera firmado el cheque correspondiente.

—Vamos a la boda de los Van Horn —le dijo al guardia de la entrada, y el hombre los dejó pasar sin chistar.

Llegaban con una hora de retraso. En el momento adecuado. El salón de baile estaba abarrotado, y un grupo de rhythm and blues tocaba en un rincón.

—No te alejes de mi lado —le susurró Ridley cuando entraron—. No conozco a nadie de aquí.

—No te preocupes —la tranquilizó Clay.

Permanecer juntos no iba a suponer ningún problema porque, aunque fingía lo contrario, él tampoco conocía a los invitados.

Las cabezas se volvieron al instante. Las mandíbulas se descolgaron. La mayoría de los hombres, que llevaba una copa encima, no se privó de mirar fijamente a Ridley cuando ella y su acompañante entraron.

—¡Hola, Clay! —gritó alguien.

Clay se volvió y vio el sonriente rostro de Randy Spino, un antiguo compañero de clase de la universidad que trabajaba en algún megabufete y que en ningún caso se habría dignado dirigirle la palabra en semejante lugar. Si se hubieran cruzado por la calle, quizá Spino le hubiera dicho: «¿Qué tal?»; pero nunca en una fiesta en un club de golf, y menos aún en una dominada por gente de bufetes poderosos.

Sin embargo, allí estaba, tendiéndole la mano mientras se deshacía en sonrisas hacia Ridley. Un nutrido grupo lo siguió rápidamente, y Spino se encargó de hacer las presentaciones entre sus amigos y su amigo Clay Carter y Ridley-sin-más. Ella se aferró con más fuerza todavía al brazo de Clay.

Todos querían decirle hola; pero, para hablar con ella, tenían que pasar antes por él, de modo que solo pasaron unos segundos antes de que alguien dijera:

—Eh, Clay, felicidades por haber dado en la cresta a Ackerman Labs.

Era la primera vez que Clay veía al individuo que lo felicitaba. Supuso que se trataba de un abogado, seguramente de algún bufete importante de los que representaban a grandes empresas como Ackerman Labs, y antes incluso de que la frase acabara, supo que esta era fruto de la envidia. Y del deseo de ver de cerca a Ridley.

—Gracias —contestó, como si fuera lo más normal del mundo.

—Conque cien millones, ¿eh? ¡Guau! —Ese otro comentario también provenía de un desconocido, uno que parecía estar borracho.

—Bueno, la mitad se va en impuestos —se justificó Clay—. Hoy en día, ¿quién puede salir adelante solo con cincuenta millones?

El grupo estalló en carcajadas, como si Clay hubiera contado el chiste de la temporada. Llegó más gente. Todos hombres que buscaban acercarse a aquella deslumbrante rubia que les resultaba vagamente familiar. Seguramente no lograban reconocerla vestida y a todo color.

Un tipo estirado comentó:

—Nosotros tenemos a Philo. No sabes cuánto nos alegramos cuando se cerró el acuerdo del Dyloft.

Esa era una de las afecciones que sufría la mayoría de los abogados de Washington. Todas las grandes empresas del mundo contaban con representación jurídica en Washington, aunque solo fuera nominalmente; y por lo tanto, todas las transacciones y disputas entre ellas tenían graves repercusiones para los abogados de la ciudad. Una refinería de Tailandia saltaba por los aires, y el abogado decía: «Sí, ya hemos pillado a Exxon»; una película fracasaba en taquilla, y alguien decía: «Ya tenemos a Disney»; un todoterreno volcaba, y alguien decía: «Hemos cazado a Ford». Clay estaba harto del juego de «ya tenemos a...».

Le entraron ganas de decir: «Y yo tengo a Ridley, así que las manos fuera»; pero se contuvo.

Alguien subió al estrado para decir algo, y el salón quedó en silencio. Los novios se disponían a abrir el baile, después bailarían el novio y su madre, y así sucesivamente. La gente se acercó para ver mejor. La orquesta empezó a tocar «Smoke Gets in Your Eyes».

—Es muy guapa —susurró Ridley al oído de Clay.

Y realmente así era. Y bailaba con Jason Myers; un Myers que, a pesar de ser casi cinco centímetros más bajo, parecía ser la única persona en el mundo para ella. Rebecca sonreía y resplandecía mientras ambos evolucionaban lentamente por la pista de baile, aunque era ella quien hacía la mayor parte del trabajo puesto que el novio estaba más tieso que una escoba.

Clay sintió deseos de atacar, de saltar por encima de los invitados y, con todas sus fuerzas, arrear un puñetazo al mamón de Jason. Luego rescataría de allí a su chica y le pegaría un tiro a su madre si ella los encontraba.

—Todavía la quieres, ¿verdad? —le preguntó Ridley en un susurro.

—No. Se acabó —le contestó en voz baja.

—La quieres. Se te nota.

—No.

Aquella noche, los recién casados irían a alguna parte para consumar el matrimonio; aunque, conociendo a Rebecca tan íntimamente como la conocía, Clay sabía que no había llegado hasta ese momento sin sexo previo. Seguramente había cogido a ese gusano de Myers y lo había introducido en los placeres de la cama. Afortunado él. Todas las cosas que Clay había enseñado a Rebecca, ella las estaba enseñando a otro. No era justo.

Le resultaba doloroso observarlos, y se preguntó qué estaba haciendo allí. Dar carpetazo, poner punto final, eso estaba haciendo; sin embargo, quería que Rebecca lo viera —y también a Ridley—, que supiera que las cosas le iban sobre ruedas y que no la echaba de menos.

Ver bailar a Excavadora Bennet resultó desagradable, pero por otros motivos. El hombre se mostraba partidario de la teoría de bailar sin mover los pies del sitio, y cuando intentó mover el trasero lo cierto es que la orquesta se echó a reír. Tenía las mejillas rojas y brillantes por culpa del exceso de Chivas.

Jason Myers bailó con Barbara van Horn que, vista a cierta distancia, tenía todo el aspecto de haber llegado de una sesión al por mayor con su cirujano plástico. Había logrado embutirse en un vestido que, siendo muy bonito, era unas cuantas tallas demasiado pequeño, de manera que los michelines sobresalían por todas partes y amenazaban con reventarlo en cualquier momento. Para acabar de arreglarlo, se había puesto la sonrisa más cargada de Botox que cabía imaginar, sin una arruga. Myers bailaba con ella y se la devolvía como si fueran a ser amigos para siempre. El muy idiota no sabía que ella ya lo estaba apuñalando por la espalda. Y lo más triste era que seguramente ella tampoco: tal era la naturaleza de la bestia.

—¿Te apetece bailar? —preguntó alguien a Ridley.

—Lárgate —le soltó Clay, y llevó a Ridley a la pista de baile, donde los invitados se agitaban al ritmo de un buen Motown. Si una Ridley estática podía ser una obra de arte, en pleno movimiento se convertía sin duda en patrimonio de la humanidad. Se movía con una elegancia natural y un innato sentido de la música, luciendo un escote lo bastante pronunciado para no dejar a la vista más de lo debido y un corte en la falda que se abría dejando entrever generosas porciones de muslo. Varios grupos de hombres se acercaron para mirar.

Y también Rebecca observaba. Había hecho una pausa para charlar con sus invitados y se fijó en el revuelo. Entonces miró hacia la pista y vio a Clay bailando con una belleza despampanante. También ella se sorprendió al ver a Ridley, pero por otros motivos. Siguió charlando unos momentos y después fue hacia la pista.

Entretanto, Clay se esforzaba denodadamente por no quitarle ojo a Rebecca y al mismo tiempo no perderse ni una de las contorsiones de Ridley. La canción terminó, y la orquesta empezó a tocar una más lenta. Justo en ese instante, Rebecca se interpuso entre los dos.

—Hola, Clay —dijo, haciendo caso omiso de Ridley—. ¿Te apetece bailar?

—Claro —contestó él.

Ridley se encogió de hombros y se alejó sola antes de que una nube de moscones se le echara encima. Escogió al más alto, le echó los brazos al cuello y empezó a menearse.

—No recuerdo haberte invitado —dijo Rebecca, pasando un brazo por encima del hombro de Clay.

—¿Quieres que me vaya? —Él la atrajo hacia sí, pero el voluminoso vestido de novia de Rebecca no le permitió lograr el contacto que deseaba.

—La gente nos está mirando —dijo ella sonriendo de cara a la galería—. ¿Por qué has venido?

—Para celebrar que te has casado y para echar un vistazo a tu nuevo muchacho.

—No seas grosero, Clay. Estás sufriendo un ataque de celos.

—Estoy algo más que celoso. Tengo ganas de partirle la cara.

—¿De dónde has sacado a esa?

—Vaya, ¿quién está celoso ahora?

—Yo.

—No te preocupes, Rebecca, no está a tu altura en la cama.

—Pues Jason no está mal.

—Mira, no me interesa saberlo. Tú limítate a no quedarte embarazada, ¿vale?

—Eso no es asunto tuyo.

—Lo es, y mucho.

Ridley y su acompañante pasaron junto a ellos y, por primera vez, Clay tuvo una buena vista de su espalda, de toda la que quedaba al aire porque su vestido empezaba justamente un poco por encima de sus redondas y firmes nalgas. Rebecca también la vio.

—¿La tienes en nómina?

—Todavía no.

—¿Es menor de edad?

—¡Oh, no! Es francamente adulta. Dime que todavía me quieres.

—No te quiero.

—Mientes.

—Creo que lo mejor será que te vayas ahora y te lleves a esa contigo.

—Pues claro. Es tu fiesta. No he venido a estropeártela.

—Esa es precisamente la razón de que estés aquí, Clay. —Se separó un poco pero siguió bailando.

—Escucha, Rebecca, aguanta así un año más, ¿vale? Para entonces tendré doscientos millones y podremos largarnos de este maldito lugar en mi avión y pasar el resto de nuestra vida de yate en yate. Tus padres nunca nos encontrarán.

Rebecca se detuvo y dio un paso atrás.

—Adiós, Clay.

—Te esperaré... —contestó Clay, pero fue interrumpido por Bennett van Horn, que lo empujó a un lado, dijo «Disculpa» y se llevó a su hija al otro extremo de la pista de baile, arrastrando los pies.

Barbara fue la siguiente. Tomó a Clay de la mano y le regaló una sonrisa artificial además de forzada.

—Oye, no montes una escena —masculló entre dientes, mientras intentaba simular que bailaban.

—Señora Van Horn, ¿cómo está usted? —dijo Clay, preso del abrazo de la pitón.

—Estaba bien hasta que te he visto. Estoy segura de que nadie te ha invitado a nuestra fiesta.

—No se preocupe, ya me iba.

—Bien. No me gustaría tener que llamar a los de seguridad.

—Eso no será necesario.

—Te ruego que no le estropees su momento, ¿me oyes?

—Como he dicho, ya me iba.

La música se detuvo, y Clay se libró del abrazo de la señora Van Horn. Una nueva nube de moscones se materializó alrededor de Ridley, pero Clay los espantó, y los dos se refugiaron en el fondo del salón, donde la barra del bar estaba teniendo más éxito que la orquesta. Clay pidió una cerveza, y se planteaba salir de allí cuando otro grupo de curiosos —deseosos de hablar de acciones conjuntas y de acercarse a Ridley— los rodeó.

Al cabo de unos minutos de hablar de tonterías con gente a la que detestaba, un corpulento individuo embutido en un esmoquin alquilado se le acercó y le susurró al oído:

—Buenas noches, soy de Seguridad.

Tenía un rostro agradable y parecía muy profesional.

—No se preocupe. Ya me marcho —repuso Clay en voz baja.

Lo estaban echando de la boda de los Van Horn. Estaba siendo expulsado del gran Potomac Country Club. Mientras se alejaba conduciendo, con Ridley acurrucada junto a él, declaró para sus adentros que sin duda aquel había sido uno de sus grandes momentos.

25

El anuncio del *Capitol* decía que los recién casados pasarían la luna de miel en algún lugar de México. Clay decidió que también él se marcharía de viaje. Si alguien merecía pasarse un mes de descanso en una isla, ese era él.

El que había sido su formidable equipo había perdido completamente el norte. Puede que por culpa de las vacaciones o del dinero. Lo mismo daba. Cualquiera que fuese el motivo, Jonah, Paulette y Rodney pasaban cada vez menos horas en el bufete.

Y lo mismo hacía Clay. El despacho estaba dominado por la tensión y las disputas, y había un montón de clientes del Dyloft descontentos por lo reducido de las indemnizaciones percibidas. El correo era brutal. Evitar el teléfono se había convertido en un deporte. Más de un cliente había averiguado la dirección de la oficina y se había presentado ante la señorita Glick exigiendo ver al tal señor Carter que, como de costumbre, se hallaba fuera, asistiendo a algún juicio importante. La verdad era que pasaba la mayor parte del tiempo parapetado tras la puerta cerrada de su despacho, capeando alguna tormenta. Un día, tras una jornada especialmente complicada, llamó a Patton French en busca de consejo.

—Anímate, muchacho —le dijo French—. Forma parte del paisaje. Estás ganando un dineral con las demandas colectivas, y esto no es más que la cara menos amable del negocio. Hay que tener el pellejo bien curtido.

El pellejo más curtido del bufete era el de Oscar Mulrooney, que seguía maravillando a Clay con sus dotes organizativas y su ambición. Mulrooney trabajaba quince horas diarias, no dejaba de azuzar a su equipo de Yale para cobrar las indemnizaciones del Dyloft con la mayor celeridad posible y se hacía cargo de las tareas más desagradables. Con Jonah hablando abiertamente de sus planes de dar la vuelta al mundo en velero, con Paulette comentando aquí y allá su intención de pasar un año en África dedicada a estudiar arte, y con Rodney haciendo lo mismo respecto a su inminente renuncia, estaba claro que no tardaría en haber plazas libres para los puestos clave.

Y resultaba igualmente obvio que Oscar hacía méritos para convertirse en socio o, como mínimo, para llevarse una parte del pastel. Seguía estudiando a conciencia la demanda colectiva, que seguía haciendo furor, presentada contra las Skinny Ben, las pastillas para adelgazar que habían salido defectuosas, y estaba convencido de que, a pesar de los cuatro años de incesante campaña publicitaria sobre el asunto, todavía había por ahí unos diez mil casos que carecían de representación legal.

La sucursal de Yale contaba en esos momentos con once abogados, siete de los cuales habían estudiado efectivamente en la universidad de ese nombre; y la Fábrica había pasado de tener nueve a contar con doce auxiliares jurídicos, todos metidos hasta las cejas en el papeleo. A pesar de todo, Clay no tenía el menor reparo de dejarlo todo en manos de Mulrooney durante unas semanas. Estaba seguro de que, cuando regresara, el bufete funcionaría mejor que al marcharse.

A pesar de lo difícil que le resultaba, la Navidad se había convertido para él en una época que procuraba olvidar. No tenía familia con quien pasarla. Rebecca siempre se había esforzado por incluirlo en los cualesquiera que fueran los planes de los Van Horn; pero, aunque él le agradecía el detalle, descubrió que pasar la Nochebuena en un apartamento vacío viendo viejas películas en blanco y negro y bebiendo vino barato era un plan mucho mejor que abrir los regalos con aquella gente. Ninguno de los obsequios que les hizo había sido suficientemente bueno.

La familia de Ridley seguía en Georgia y no era probable que saliera de allí. Al principio, ella creyó que no podría cambiar sus compromisos profesionales para poder pasar unas semanas fuera de la ciudad, y su determinación para conseguirlo acabó enterneciendo a Clay. Parecía desear de corazón volar con él hasta las islas y jugar en la playa. Al final acabó plantando a uno de sus clientes y diciéndole que, si quería despedirla, que lo hiciera.

Fue su primer viaje en un avión privado, y Clay descubrió que deseaba impresionarla en todos los sentidos posibles. El vuelo sin escalas desde Washington hasta Santa Lucía duró cuatro horas y un millón de kilómetros. Cuando salieron de Washington, el tiempo era frío y gris, y cuando se bajaron del avión, el sol y el calor los golpearon con fuerza. Pasaron las aduanas sin despertar una mirada, al menos Clay. Todos los hombres se volvieron para admirar a Ridley. Curiosamente, Clay empezaba a acostumbrarse. Por su parte, ella parecía totalmente indiferente. Hacía tanto tiempo que se había convertido en su forma de ganarse la vida que sencillamente hacía caso omiso de todo el mundo, lo cual no hacía sino empeorar la situación de los mirones. Una criatura tan exquisita, perfecta de la cabeza a los pies, y al mismo tiempo tan altiva, tan intocable...

Subieron a bordo de un pequeño aparato para el vuelo de quince minutos hasta Mustique, la exclusiva isla propiedad de ricos y famosos, una isla con todo lo necesario salvo una pista de aterrizaje para aviones privados. Las estrellas del rock, del cine y los multimillonarios tenían allí sus mansiones. La casa que iba a ser de ellos durante los días siguientes había sido propiedad de un príncipe que se la vendió a un empresario «punto com» que, a su vez, la alquilaba cuando no estaba.

La isla era una montaña rodeada por las cristalinas aguas del Caribe. Desde mil metros de altura parecía verde y frondosa, como una foto de postal. Ridley se agarró al asiento cuando iniciaron el descenso y la diminuta pista de aterrizaje apareció ante sus ojos. El piloto llevaba un sombrero de paja y lo mismo habría podido tomar tierra con los ojos vendados.

Marshall, el chófer que también hacía funciones de mayordomo, los esperaba con una gran sonrisa y un todoterreno descubierto. Dejaron sus ligeras bolsas en la parte de atrás y enfilaron por una serpenteante carretera. Nada de hoteles ni de urbanizaciones de casas pareadas. Nada de turistas ni de tráfico. Durante diez minutos no se cruzaron con ningún otro vehículo. La casa se hallaba en la ladera de una montaña, como Marshall la describió, aunque a duras penas se la podía llamar «loma». La vista era espectacular, a más de 50 metros sobre el nivel del mar y ante la infinitud del Caribe. No se divisaba ninguna otra isla y tampoco barcos ni gente.

La casa tenía cuatro o cinco dormitorios —Clay acabó perdiendo la cuenta— repartidos alrededor del ala principal y conectados por anchos caminos embaldosados. Pidieron el almuerzo, lo que les apeteciera porque disponían de un cocinero permanentemente a su servicio, y también de un jardinero, dos doncellas y el mayordomo. El personal vivía en algún lugar de la propiedad. Antes de que hubieran tenido tiempo de deshacer las maletas, Ridley ya se había casi desnudado y zambullido en la piscina. No llevaba la parte de arriba del biquini, y la minúscula pieza de abajo apenas se veía. Justo cuando Clay creía que empezaba a acostumbrarse a verla, volvió a notar que la cabeza le daba vueltas.

Cuando llegó la comida, Ridley se puso algo encima. Marisco fresco, naturalmente: gambas a la plancha y ostras. Dos cervezas después, Clay se dirigió tambaleante a la hamaca para una larga siesta. Al día siguiente sería Nochebuena, pero le dio igual. Rebecca estaría en algún hotel para turistas, encerrada con su pequeño Jason, pero también le dio igual.

Dos días después de Navidad, Max Pace llegó acompañado. Su nombre era Valeria, y era una mujer curtida y atlética, de escaso maquillaje y aun más escasa sonrisa. Max era un tipo con un indudable atractivo, pero su amiga carecía de él por completo. Afortunadamente, Valeria no se quitó la ropa en la piscina, y cuando Clay le estrechó la mano, la notó callosa. Al menos no sería una tentación para Ridley.

Pace no tardó en cambiarse, ponerse un bañador y lanzarse al agua. Valeria se calzó unas botas de excursionista y preguntó cuál era el sendero más próximo. Hubo que consultar a Marshal, que lamentó no conocer ninguno. Aquello disgustó a Valeria, que igualmente partió en busca de peñascos a los que trepar. Entretanto, Ridley desapareció en el salón, donde había una amplia colección de películas.

Dado que Pace y Clay no tenían nada de que hablar que no fuera sobre negocios, fueron directamente al grano y enseguida quedó claro que Pace tenía algo en mente.

—Tengo algo que contarte —dijo después de haberse tumbado un rato al sol.

Fueron al bar y pidieron algo de beber.

—Hay otro medicamento —empezó a decir Pace, y Clay olfateó dinero al instante—, y es de los importantes.

—Bien. Volvemos a la carga.

—Sí, pero esta vez el plan será un poco distinto. Quiero una parte del pastel.

—¿Para quién trabajas?

—Para mí. Y para ti. Me llevo el veinticinco por ciento de los honorarios netos.

—¿Cuál es la parte buena?

—Que podría ser un asunto más gordo que el Dyloft.

—Entonces puedes llevarte el veinticinco por ciento. Más, si quieres.

Los dos habían compartido tantos trapos sucios que Clay no podía decirle que no.

—El veinticinco es lo justo —contestó Max tendiéndole la mano. El trato quedó cerrado.

—Veamos de qué se trata.

—Existe un medicamento hormonal femenino llamado Maxatil que lo usan más de cuatro millones de mujeres menopáusicas y posmenopáusicas de entre cuarenta y cinco y setenta y cinco años. Salió al mercado hace cinco años y fue otro de esos medicamentos milagro. Alivia los sofocos y demás síntomas de la menopausia. Es muy eficaz. También se dice que conserva la fortaleza de los huesos y reduce la hipertensión y el riesgo de un ataque al corazón. La empresa que lo fabrica es Goffman.

—¿Goffman? ¿La de las maquinillas de afeitar y los enjuagues bucales?

—Esa misma. El año pasado facturó por valor de veintiún mil millones de dólares. La más fiable de entre las empresas fiables. Poco endeudamiento, buena administración. En la mejor tradición norteamericana. Pero resulta que con el Maxatil se dieron demasiada prisa. Lo de siempre: los beneficios prometían ser cuantiosos, el medicamento parecía totalmente fiable. Se las arreglaron para que la FDA lo aprobara a toda prisa, y durante los primeros años todos estuvieron contentos. Los médicos estaban encantados, y la mujeres más encantadas aún porque les funcionaba de maravilla.

—¿Pero...?

—Pero causa problemas. Grandes problemas. Un estudio del gobierno ha estado monitorizando durante cuatro años a veinte mil mujeres que han tomado ese medicamento. El estudio acaba de completarse y el informe correspondiente saldrá en las próximas semanas. Será devastador porque, en cierto porcentaje de mujeres, resulta que el Maxatil aumenta el riesgo de cáncer de mama, de ataques cardíacos y de aploplejías.

—¿En qué porcentaje?

—Alrededor de un ocho por ciento.

—¿Quién conoce la existencia de ese informe?

—Muy poca gente. Yo tengo una copia.

—¿Por qué será que no me sorprende?

Clay dio un largo trago, apuró la botella y buscó a Marshall con la mirada. El corazón le latía a toda velocidad. De repente, Mustique le parecía aburrido.

—Ya hay algunos abogados al acecho, pero todavía no han visto el informe del gobierno. Alguien ha presentado una demanda en Arizona, pero no se trata de una acción conjunta.

—¿Qué es?

—Un simple caso de daños y perjuicios al viejo estilo.

—¡Qué aburrido!

—No lo creas. El abogado en cuestión es un tipo de carácter llamado Dale Mooneyham, de Tucson. Suele presentar sus demandas de una en una y nunca pierde. Está a punto de ser el primero en demandar a Goffman, lo cual podría marcar la pauta de todo el acuerdo de indemnización. La clave está en ser los primeros en presentar la primera demanda colectiva. Es algo que aprendiste de Patton French.

—Podemos ocuparnos nosotros —contestó Clay, como si fuera algo que había hecho toda la vida.

—Lo sé. Y esta vez puedes hacerlo solo, sin French y esa panda de piratas. Preséntala en Washington y después lánzate al ataque con una campaña de anuncios. Será algo gordo.

—Como el Dyloft.

—Solo que esta vez tú estarás al mando. Yo me quedaré entre bastidores, tirando de los hilos y haciendo el trabajo sucio. Tengo un montón de contactos entre la gente de dudosa reputación que puede ayudarnos. Será tu demanda, y llevando tu nombre, Goffman correrá a esconderse.

—¿Crees que se llegará a un acuerdo rápido?

—Seguramente no tan rápido como con el Dyloft; pero la verdad, es que ese fue más rápido de lo normal. Tendrás que hacer bien los deberes: reunir las pruebas necesarias, contratar a los expertos de turno, demandar a los médicos que han estado recetando el fármaco y poner toda la carne en el asador para el primer juicio. Tendrás que convencer a Goffman de que no quieres un acuerdo indemnizatorio, sino que lo que quieres es un juicio, un gran espectáculo para el público, y en tu terreno.

—¿Y dónde está la trampa? —preguntó Clay, intentando parecer cauteloso.

—No hay ninguna a simple vista, salvo que te costará millones en publicidad y en tareas de preparación previa.

—Eso no es problema.

—Vaya, parece que te gusta gastar.

—Bueno, no he hecho más que rascar la superficie.

—Hay otra cosa: me gustaría cobrar un millón de dólares por adelantado a cuenta de mi participación.

El hecho de que Pace le pidiera dinero sorprendió a Clay. Sin embargo, con todo lo que había en juego y con el secreto del Tarvan que compartían, no se hallaba en posición de negárselo.

—Conforme —contestó.

Estaban tumbados en las hamacas cuando Valeria regresó, bañada en sudor y con aspecto un poco más relajado. Se quitó toda la ropa y se lanzó a la piscina.

—Una típica chica de California —comentó Pace en voz baja.

—¿Va en serio? —preguntó Clay con cierta cautela.

—Llevamos años viéndonos de vez en cuando —se limitó a contestar Pace.

La chica de California exigió una cena donde no hubiera carne, pescado, pollo, huevos ni queso. Tampoco quería alcohol. Clay pidió pez espada a la brasa para el resto. La cena acabó rápidamente, con Ridley ansiosa por correr a refugiarse en su dormitorio y con Clay igualmente deseoso de librarse de Valeria.

Pace y su amiga se quedaron un par de días, es decir un día más, que resultó, cuando menos, demasiado largo. El propósito de la visita había sido exclusivamente hablar de negocios, y una vez cerrado el trato, Pace estaba listo para marcharse. Clay los vio alejarse acompañados por un Marshall que conducía más rápidamente que de costumbre.

—¿Vendrán más invitados? —preguntó Ridley temerosa.

—¡No, por favor!

—¡Estupendo!

26

Al terminar el año, todo el piso de encima del bufete quedó vacío. Clay alquiló la mitad y reorganizó la oficina instalando allí a los doce auxiliares jurídicos y a las cinco secretarias de la Fábrica. Los abogados de la sección de Yale también fueron trasladados a la avenida Connecticut, un territorio de alquileres más elevados donde se sintieron más a gusto. Quería tener a todo su personal cerca y bajo un mismo techo porque tenía planeado hacerlos trabajar hasta que no se aguantaran en pie.

Se lanzó contra el año que empezaba con un feroz calendario de trabajo: en el despacho a las seis, desayunado; la comida y, a veces, la cena sin levantarse de su escritorio. A menudo se quedaba en la oficina hasta las ocho o las nueve de la noche y dejaba bien claro que esperaba lo mismo de aquellos que desearan seguir con él.

Jonah no quiso. Se marchó a mediados de enero. Vació su despacho rápidamente y se despidió de igual modo. Lo esperaba su velero. No hacía falta que Clay se molestara en llamar; bastaba con que le transfiriera el dinero a una cuenta de Aruba.

Oscar Mulrooney tomó las medidas del despacho de Jonah antes incluso de que este saliera por la puerta. Era más grande y tenía mejores vistas, lo cual le importaba bien poco; pero se hallaba mucho más cerca del de Clay, y eso era lo importante. Mulrooney había olfateado dinero, dinero del bueno en forma de cuantiosos honorarios. No había podido aprovecharse del Dyloft y estaba decidido a no dejar pasar otra ocasión. Él y los demás colegas de la sección de Yale se habían dejado engañar por el derecho de sociedades que habían aprendido a apreciar en la universidad y estaban dispuestos a cobrarse su venganza en efectivo. Y qué mejor modo de conseguirlo que yendo a saco captando clientes y corriendo tras las ambulancias. No había nada que indignara más a los estirados ejecutivos de las grandes corporaciones. Las demandas colectivas no eran una variante del ejercicio de la abogacía, sino una audaz y arriesgada actividad empresarial.

El anciano donjuán griego que se había casado con Paulette Tullos, para abandonarla después, se había enterado de que se había hecho millonaria. Se presentó en Washington, la llamó al coqueto apartamento donde la había instalado y le dejó varios mensajes en el contestador. Cuando Paulette oyó su voz, huyó corriendo y cogió el primer avión a Londres, donde había pasado las vacaciones. Desde entonces, no había vuelto. Envió unos cuantos correos electrónicos a Clay mientras este se hallaba en Mustique, poniéndolo al corriente de su apuro y dándole instrucciones precisas para que se ocupara de su divorcio cuando él regresara. Clay rellenó los papeles correspondientes, pero no halló rastro del griego ni tampoco de Paulette. Puede que volviera o puede que no. «Lo siento, Clay», le dijo por teléfono, «pero la verdad es que no me apetece seguir trabajando».

Así pues, Oscar Mulrooney se convirtió en el hombre de confianza de Clay, en su socio no oficial con grandes aspiraciones. Él y su equipo habían estado estudiando el cambiante paisaje de las demandas conjuntas. Se aprendieron las leyes y los procedimientos aplicables, se leyeron los artículos de los entendidos en el tema y las historias de la guerra de trincheras de los abogados. Había docenas de páginas web: una aseguraba tener la lista de todas las demandas conjuntas pendientes de indemnización en Estados Unidos, un total de 11.000; otra mostraba a los posibles demandantes la manera de incorporarse a una demanda conjunta y cobrar una indemnización; otra estaba especializada en juicios relacionados con la salud de las mujeres; otra estaba dedicada a los hombres; había varias que se ocupaban de las fallidas píldoras adelgazantes Skinny Ben; un buen número se centraba en las demandas interpuestas contra la industria tabaquera. Jamás había habido tantos recursos intelectuales y económicos unidos y apuntando contra los fabricantes de productos defectuosos.

Mulrooney trazó un plan. Con tantas demandas conjuntas presentadas, el bufete podía dedicar sus considerables recursos a cazar nuevos clientes. Gracias a que Clay disponía de dinero suficiente para gastarlo en anuncios y campañas de publicidad, podían concentrarse en las acciones conjuntas más lucrativas y buscar a los clientes que todavía no hubieran sido captados. Tal como había sucedido con el Dyloft, casi todas las demandas en las que se había llegado a un acuerdo tenían algún capítulo abierto durante un tiempo para permitir cobrar a los casos que en el futuro tuvieran derecho a ello. El bufete de Clay podía limitarse a recoger las sobras de otros despachos especializados en acciones conjuntas, pero a cambio de unos honorarios más elevados. Tomó como ejemplo el caso de las Skinny Ben: la estimación más ajustada del número de demandantes en potencia rondaba los 300.000, y cabía la posibilidad de que aún hubiera otros 100.000 sin identificar que carecían de representación legal. El pleito se había resuelto, y la compañía estaba soltando el dinero, aunque a regañadientes. Lo único que tenía que hacer un demandante era presentarse ante el comité administrador de la acción conjunta, demostrar documentalmente los daños médicos sufridos y cobrar el dinero.

Lo mismo que un general moviendo sus tropas, Clay destinó dos abogados y un auxiliar jurídico al frente de las Skinny Ben. Eso fue menos de lo que Mulrooney había solicitado, pero Clay tenía planes más ambiciosos y se dedicó a preparar la demanda contra el Maxatil, una acción que pensaba dirigir personalmente. El informe del gobierno, que nadie había leído todavía —y que Max Pace sin duda había robado—, tenía 140 páginas y estaba lleno de datos demoledores. Clay lo estudió a fondo dos veces antes de pasárselo a Mulrooney.

Una nevada noche de finales de enero se quedaron trabajando con el informe hasta pasada la medianoche y trazaron un detallado plan de ataque. Clay asignó a Mulrooney y a dos abogados más, junto con dos auxiliares y tres secretarias, al caso del Maxatil.

A las dos de la madrugada, mientras los copos de nieve azotaban los cristales de la sala de reuniones, Mulrooney le anunció que tenía que plantearle una cuestión poco agradable.

—Clay, necesitamos más dinero —declaró.

—¿Cuánto más?

—Mira, en estos momentos somos trece abogados que venimos de bufetes donde nos ganábamos bien la vida. Diez de nosotros estamos casados y tenemos hijos y estamos sufriendo importantes presiones. Tú nos ofreciste contratos por un año y setenta mil dólares, y créeme si te digo que aceptamos encantados. No te imaginas lo que supone estudiar derecho en un sitio como Yale, o cualquier otro parecido, que te contraten y te mimen los mejores bufetes, casarte y de repente verte en la calle sin nada. No es lo mejor para el ego, ¿sabes?

—Lo entiendo.

—Me doblaste el sueldo y no sabes cuánto te lo agradezco. Yo me las voy arreglando, pero los demás van muy justos, y se trata de personas que tienen su orgullo.

—¿De qué cantidades estamos hablando?

—No me gustaría perder a nadie. Son tipos brillantes y se parten la espalda trabajando.

—Te diré lo que vamos a hacer, Oscar. Últimamente me siento generoso. Les haré a todos un contrato por un año más a doscientos mil por cabeza, pero a cambio quiero horas a destajo. Nos hallamos a las puertas de algo grande, más grande que lo del año pasado. Si tus chicos cumplen, habrá una bonificación para todos. Y estoy hablando de una jugosa bonificación. Por razones que podrás imaginar, me encantan las bonificaciones. ¿Trato hecho?

—Trato hecho, jefe.

La nevada era demasiado intensa para que pudieran regresar en coche a sus casas, de modo que siguieron con su maratón. Clay disponía de unos informes preliminares que demostraban que una empresa de Reedsburg estaba fabricando mortero defectuoso para la construcción. Era el informe que Wes Saulsberry le había dicho en Nueva York que le pasaría. Los materiales para la construcción no resultaban tan interesantes como los tumores de vejiga, pero el dinero era igual de bueno. Clay y Oscar decidieron encargar el caso a un equipo de dos abogados y un auxiliar para que fueran preparando la acción colectiva y buscaran posibles demandantes.

Pasaron juntos diez horas seguidas en la sala de reuniones; bebían café, mordisqueaban rosquillas endurecidas, veían cómo la nevada se convertía en una tormenta de nieve y planificaban el año que tenían por delante. Aunque la sesión había empezado como un intercambio de ideas, acabó desembocando en algo más importante: empezó a tomar forma un nuevo bufete, uno con una idea bien clara y definida de adónde se dirigía y en qué iba a convertirse.

¡El presidente del país lo necesitaba! A pesar de que todavía faltaban un par de años para la reelección, los enemigos del primer mandatario ya estaban reuniendo fondos a carretadas. Se trataba de un hombre que siempre, desde sus tiempos de senador novato, había apoyado a los abogados; él mismo había ejercido la abogacía en su juventud, en una pequeña ciudad, y se enorgullecía de ello. Pero en esos momentos recababa la ayuda de Clay para poner coto a los egoístas intereses de los poderosos. El camino que proponía para conocer personalmente a Clay recibía el nombre de Listado Presidencial, y estaba formado por un selecto grupo de influyentes letrados y dirigentes capaces de firmar cuantiosos cheques y pasar un rato charlando de las cuestiones de actualidad.

El enemigo estaba planeando un nuevo ataque llamado Ley de Reforma del Sistema de Daños y Perjuicios y Acciones Conjuntas con la que pretendían no solo limitar las indemnizaciones por daños y perjuicios, sino también las cantidades adicionales que los jueces podían determinar en concepto punitivo. Se trataba de un intento de desmontar el sistema de acciones conjuntas (que tan buen resultado había dado a los abogados especializados en el asunto) e impedir, entre otras cosas, que los pacientes demandaran a sus médicos.

El presidente se mantendría firme, como siempre, pero necesitaba ayuda. La elegante carta de tres hojas de papel con el membrete dorado de la Casa Blanca finalizaba con una solicitud de dinero, de mucho dinero. Clay llamó a Patton French para pedirle consejo y, para su sorpresa, lo encontró en su despacho de Biloxi. French, fiel a sí mismo, se mostró brusco.

—Firma el condenado cheque, muchacho.

Hubo un intercambio de llamadas entre Clay y el director del Listado Presidencial. Más adelante no recordaría cuánto había pensado donar inicialmente, pero no estaba muy lejos de los 250.000 dólares que acabó firmando. Un correo recogió el cheque y lo llevó a la Casa Blanca. Cuatro horas más tarde, otro correo entregó a Clay un sobre del anterior destinatario. Se trataba de una nota manuscrita en un tarjetón del presidente.

Querido Clay:
Estoy en una reunión del gabinete (intentando no dormirme), de lo contrario lo habría llamado. Gracias por su apoyo. ¿Por qué no cenamos y tenemos ocasión de conocernos?

Iba firmada por el presidente.

Era un bonito gesto, pero a cambio de un cuarto de millón de dólares, Clay no esperaba menos. Al día siguiente, otro correo le llevó una gruesa invitación de parte de la Casa Blanca. En el sobre se leía: «Se requiere confirmación inmediata». Se trataba de una invitación para que Clay y una acompañante asistieran a una cena que se iba a celebrar en honor del presidente de Argentina. De etiqueta, naturalmente. La urgencia obedecía a que solo faltaban cuatro días para la recepción. Resultaba sorprendente lo que uno podía comprar en Washington con 250.000 dólares.

Como no podía ser de otro modo, Ridley necesitaba un vestido nuevo; y ya que Clay iba a pagarlo de su bolsillo, fue de compras con ella y lo hizo con sumo gusto porque deseaba información acerca de lo que le gustaba llevar. De no controlarla, bien podía escandalizar al argentino y a todos los demás con un vestido transparente abierto hasta la cintura. Pasara lo que pasase, Clay deseaba dar el visto bueno a la prenda antes de comprarla.

Al final Ridley se mostró sorprendentemente comedida tanto en sus gustos como en el precio. Todo le sentaba bien: a fin de cuentas era modelo, aunque cada día parecía trabajar menos. Al final se decidió por un sencillo pero llamativo vestido rojo que dejaba al descubierto muchos menos encantos de los habituales. Por tres mil dólares era una ganga. Unos zapatos, un collar de perlas y un brazalete de oro y diamantes, y Clay consiguió escapar con menos de quince mil dólares por daños.

Mientras esperaban ante la entrada de la Casa Blanca, sentados en la limusina, a que un enjambre de guardias de seguridad verificara la identidad de los invitados que los precedían, Ridley comentó:

—No puedo creer lo que me está pasando. Yo, una pobre chica de Georgia, estoy a punto de entrar en la Casa Blanca.

Estaba enroscada en un brazo de Clay, que le apoyaba la

mano en un muslo. El acento extranjero de Ridley sonaba algo más marcado que de costumbre, cosa que solía ocurrir cuando estaba nerviosa.

—Sí, cuesta de creer —contestó Clay bastante emocionado.

Cuando se apearon del vehículo, bajo una marquesina del Ala Este, un marine con uniforme de gala tomó a Ridley de un brazo y la escoltó hasta el Salón Este de la Casa Blanca, donde los invitados se estaban congregando y tomando una copa. Clay los siguió con la mirada clavada en el trasero de Ridley y disfrutando de cada segundo. El marine la soltó a regañadientes y regresó en busca de los siguientes invitados. Un fotógrafo los retrató en la entrada. Se acercaron al primer grupo que vieron y se presentaron a unas personas a las que nunca más volverían a ver. Cuando la cena fue anunciada, los asistentes se dirigieron al Comedor de Gala, donde habían sido distribuidas quince mesas para diez en las que había más cristal tallado, plata y porcelana juntos que en ningún otro sitio. Los asientos estaban asignados, de modo que nadie se sentó junto a su esposa o pareja. Clay acompañó a Ridley a su mesa, encontró el lugar que le correspondía y le acercó la silla; luego, le dio un beso en la mejilla.

—Buena suerte —le susurró al oído.

Ella le devolvió un sonrisa de modelo, deslumbrante y confiada; pero Clay sabía que en esos momentos se sentía asustada como una niña pequeña de Georgia. Apenas se había alejado unos pasos cuando un par de caballeros le estrecharon la mano con el más cálido saludo.

Clay se preparó para una velada interminable. A su derecha se sentaba una reina de la alta sociedad de Manhattan, una vieja bruja de rostro como una pasa que llevaba tanto tiempo haciendo régimen que casi parecía un cadáver. Por si fuera poco, estaba sorda y hablaba a gritos. A su izquierda tenía a la hija de un magnate de los grandes almacenes del Medio Oeste que había sido compañero de clase del presidente. Clay centró su atención en ella y se esforzó durante cinco minutos antes de darse cuenta de que la pobre no tenía nada que decir.

El tiempo pareció detenerse.

Estaba de espaldas a Ridley, de manera que no tenía manera de saber qué tal lo llevaba.

El presidente pronunció unas palabras y, acto seguido, la cena fue servida. Clay tenía delante a un cantante de ópera a quien el vino no tardó en hacer efecto y que empezó a contar chistes verdes. Era un tipo gritón y con voz nasal, de algún lugar de las montañas, que no tenía el menor reparo en expresar todo tipo de obscenidades delante de las señoras, y eso a pesar de hallarse en la Casa Blanca.

Tres horas después de haber tomado asiento, Clay se levantó y se despidió de sus nuevos y maravillosos amigos. La cena había terminado. Una orquesta empezó a tocar en el Salón Este. Cogió a Ridley y fueron en busca de la música. Poco después de medianoche, cuando el número de invitados se había reducido a un par de docenas, el presidente y la primera dama se unieron a los más animosos para un último baile. El presidente pareció alegrarse sinceramente de conocer a Clay.

—He leído lo que la prensa ha publicado de usted, joven. Le felicito —dijo.

—Gracias, señor presidente.

—¿Quién es esa tía buena que le acompaña?

—Una amiga —contestó Clay, preguntándose qué dirían las feministas si llegaban a enterarse de que el presidente utilizaba el término «tía buena».

—¿Le importa si bailo con ella?

—Desde luego que no, señor presidente.

Y así fue como la señorita Ridal Petashnakol, una joven de veinticuatro años que había llegado en un programa de intercambio con estudiantes de Georgia, fue estrujada y achuchada por el presidente de Estados Unidos.

27

El plazo de entrega de un Gulfstream 5 era de veintidós meses, puede que más; pero ese no era el obstáculo principal. Su precio nuevo era de 44 millones de dólares completamente equipado, desde luego, con los últimos adelantos y artilugios. En pocas palabras: era demasiado dinero; aun así, Clay se sentía fuertemente tentado. El agente le explicó que la mayoría de G-5 los compraban grandes corporaciones, empresas multimillonarias que encargaban dos o tres a la vez y que los mantenían constantemente en vuelo. Como único propietario que iba a ser, lo que más le convenía era alquilar un aparato un poco más antiguo durante unos seis meses y comprobar si era el que mejor se ajustaba a sus necesidades. Después podría comprarlo descontando del precio de venta el 90 por ciento del alquiler ya abonado.

Y el agente tenía exactamente el reactor en cuestión. Se trataba de un modelo G-4 SP (Special Performance) que una empresa que figuraba entre las quinientas primeras de *Fortune* acababa de cambiar por un G-5 nuevo. Cuando Clay lo vio, majestuosamente aparcado en el hangar del Reagan National, el corazón le dio un vuelco y el pulso se le aceleró. Era de un blanco impoluto, y sus líneas quedaban acentuadas por unas elegantes franjas azul marino. París en seis horas, Londres en cinco.

Subió a bordo acompañado por el agente y le pareció igual de grande que el de Patton French. Era todo cuero, caoba y latón dorado. Disponía de cocina, bar y lavabo en la parte de atrás. En la de delante, los pilotos disponían de los últimos adelantos en aeronáutica. Uno de los sofás se convertía en cama, y, durante un fugaz instante, Clay pensó en Ridley, en ellos dos retozando bajo las sábanas a diez mil metros de altura. Tampoco faltaba un equipo de música y vídeo ni un sistema de comunicación telefónica, acceso a internet, fax y ordenador.

El avión parecía como nuevo, y el agente le explicó que acababa de salir del taller, donde lo habían revisado por dentro y por fuera.

—Es suyo por treinta millones —acabó diciendo, cuando Clay lo presionó.

Se sentaron a una mesa y empezaron a dar forma a la operación. La idea del alquiler no tardó en quedar descartada. Con los ingresos de que disponía, Clay no tendría dificultad alguna a la hora de conseguir un buen paquete de financiación. Las cuotas de amortización ascendían a 300.000 dólares al mes y no eran muy superiores a las del alquiler. Además, si en algún momento deseaba cambiarlo, el agente estaba dispuesto a recomprarlo al mejor precio de mercado y a proporcionarle lo que quisiera.

Los servicios de dos pilotos le costarían unos 200.000 anuales, incluidas pagas extras y la formación continua. Clay también podía considerar la posibilidad de cederlo a una compañía de vuelos chárter para empresas.

—Dependiendo de lo mucho que lo utilice, podría llegar a ganar un millón de dólares anuales en concepto de chárter —le dijo el agente, dispuesto a rematar la venta—. Eso cubriría los gastos de los pilotos, el alquiler del hangar y el mantenimiento.

—¿Tiene usted idea de cuánto puedo llegar a utilizarlo? —le preguntó Clay mientras la cabeza le daba vueltas con las distintas posibilidades.

—He vendido muchos aviones a abogados —le dijo el agente, echando mano de sus conocimientos—. Trescientas horas anuales es lo máximo. Lo puede alquilar por el doble.

¡Guau!, pensó Clay, hasta es posible que ese trasto me haga ganar dinero.

Una voz interior le dijo que debía ser prudente, pero ¿por qué esperar? Además, ¿a quién podía pedir consejo? Las únicas personas que conocía que tuvieran experiencia en ese tema eran sus colegas especialistas en demandas colectivas. Y ya sabía lo que le dirían: «¿Cómo, todavía no tienes tu propio reactor? ¡Cómprate uno!».

Y eso fue lo que hizo: comprarse uno.

Los beneficios del cuarto trimestre de Goffman superaban los del año anterior y sus ventas había batido un récord. Las acciones cotizaban a 65 dólares, su valor más alto en dos años. En la primera semana de enero, la empresa había lanzado una curiosa campaña publicitaria que no promocionaba ningún producto concreto de los que fabricaba, sino que hacía publicidad de toda la empresa. El lema era «Goffman siempre ha estado a tu lado», y los anuncios de televisión eran un montaje donde aparecían los productos más conocidos y de uso más extendido: una madre poniendo una tirita a su hijo, un apuesto joven de estómago debidamente plano pasándoselo estupendamente mientras se afeitaba, una pareja de ancianos en la playa, felices al no tener que sufrir hemorroides, un dolorido atleta tomándose un analgésico, etc. La lista de los productos fiables de Goffman resultaba impresionante.

Mulrooney había estado siguiendo la evolución de la empresa más de cerca que un analista financiero y no tenía la menor duda de que la campaña no era más que una argucia para preparar a sus accionistas e inversores para el susto del Maxatil. Sus pesquisas no habían encontrado otra campaña parecida en la historia del marketing de la empresa. Era una de las cinco primeras anunciantes del país, pero siempre había enfocado sus campañas a productos concretos, y obtenido grandes resultados.

La opinión de Mulrooney era la misma que la de Max Pace, que parecía haberse instalado temporalmente en el hotel Hay-Adams. Clay fue a verlo a su suite para una cena de última hora servida por el servicio de habitaciones. Pace estaba nervioso e impaciente por soltar la bomba sobre Goffman, y leyó con detenimiento la demanda que iba a ser presentada en Washington. Como de costumbre, no pudo evitar llenarla de anotaciones al margen.

—¿Cuál es el plan? —preguntó, haciendo caso omiso de la comida que tenía delante.

Clay sí tenía apetito.

—Los anuncios empiezan mañana por la mañana, a las ocho —contestó con la boca llena—. Va a ser una campaña relámpago en ochenta mercados, de costa a costa. La línea de contacto telefónico está lista, lo mismo que la página web. Todo el bufete está preparado. Yo mismo presentaré la demanda ante los tribunales a las diez de la mañana.

—Suena bien.

—Ya lo hemos hecho antes. El bufete de Clay Carter II es una máquina de demandas colectivas. Ya lo sabes.

—¿Tus nuevos colegas saben algo del asunto?

—Claro que no. ¿Por qué iba a decírselo? Fuimos de la mano con lo del Dyloft, pero French y los demás son mis competidores. Entonces los pillé por sorpresa, y ahora volveré a hacerlo. Estoy impaciente.

—Escucha, Clay, este caso no es como el del Dyloft. No lo olvides. Entonces tuviste suerte porque te enfrentaste a una empresa que pasaba por un mal momento. Goffman será mucho más dura de pelar.

Pace arrojó por fin el pliego de la demanda encima de la cómoda y empezó a comer.

—Sí, pero han producido un medicamento que tiene

efectos perjudiciales —replicó Clay—. Y nadie quiere ir a juicio con un producto así.

—No con una demanda colectiva, es verdad. Pero mis fuentes me dicen que es posible que quieran litigar con el caso de Flagstaff, ya que se trata de un único demandante.

—¿Te refieres al caso de Mooneyham?

—Al mismo. Si pierden, serán más flexibles en el acuerdo de indemnización. Si ganan, la batalla podría alargarse considerablemente.

—Tú dijiste que Mooneyham es de los que nunca pierden.

—Así es; lleva unos veinte años sin perder un pleito. Es de esos tipos que encandila a los jurados. Lleva sombrero de vaquero, chaqueta de ante, botas rojas y todo el tinglado. Se trata de un superviviente de los viejos tiempos, cuando los abogados defendían personalmente sus casos en las salas de justicia. Realmente es un tipo curioso. Creo que deberías hacerle una visita. Seguro que el viaje vale la pena.

—Lo pondré en mi lista de asuntos urgentes —contestó Clay, pensando en el Gulfstream que descansaba en el hangar.

El teléfono sonó, y Pace pasó cinco minutos conversando en voz baja desde el otro lado de la suite.

—Era Valeria —dijo, sentándose de nuevo.

Clay tuvo una rápida visión de una criatura asexuada masticando una zanahoria.

Pobre Max, pensó, no le costaría nada buscarse algo mejor.

Clay dormía en el bufete. Se había hecho instalar un pequeño dormitorio y un baño junto a la sala de conferencias. A menudo se quedaba despierto hasta pasada la medianoche, y se permitía solo unas pocas horas de sueño antes de darse una rápida ducha y volver a estar en su mesa a las seis. Sus hábitos de trabajo se estaban haciendo legendarios, no solo dentro del bufete, sino entre la comunidad de abogados de la ciudad.

Casi todos los cuchicheos de los círculos legales se referían a él, al menos por el momento; y sus jornadas de dieciséis horas a menudo se alargaban hasta las dieciocho o las veinte si incluía las reuniones sociales del Colegio de Abogados o los encuentros con clientes fuera del despacho.

¿Y por qué no trabajar veinticuatro horas seguidas? Tenía treinta y dos años, estaba soltero y carecía de obligaciones que limitaran su tiempo. Gracias a un golpe de suerte y a un poco de talento por su parte, le habían brindado la oportunidad única de triunfar como nadie. Entonces ¿por qué no dejarse la piel él y su bufete durante unos años y después recoger lo sembrado y dedicarse a vivir bien el resto de su vida?

Mulrooney llegó poco después de las seis, con unos cuantos cafés en el cuerpo y un montón de ideas en la cabeza.

—¿Llegó el día-D? —preguntó al entrar a paso vivo en el despacho de Clay.

—¡Llegó!

—¡Pues vamos repartir unas cuantas patadas!

A las siete, el bufete estaba lleno de abogados y de auxiliares jurídicos pendientes del reloj y esperando el desembarco. Las secretarias llevaban cafés y rosquillas de un despacho a otro. A las ocho en punto se apelotonaron como pudieron en la sala de reuniones, ante una televisión panorámica. La filial de la ABC para la zona metropolitana de Washington fue la primera en emitir el anuncio.

Una atractiva mujer de unos sesenta años, de cabellos grises bien cortados, con unas gafas de marca estaba sentada a una mesa, mirando con aire triste por la ventana. Una voz en off —una voz un tanto ominosa— decía: «Si ha tomado o toma usted el medicamento hormonal llamado Maxatil puede haber aumentado su riesgo de sufrir cáncer de pecho, enfermedades cardíacas y embolias». El plano se cerraba sobre un frasco de píldoras con la palabra MAXATIL en grandes letras en la etiqueta. (Unas tibias cruzadas bajo una calavera no habrían asustado más.) La voz en off proseguía: «Por favor, consulte inmediatamente con su médico. El Maxatil puede resultar una grave amenaza para su salud». La cámara se acercaba al rostro de la mujer, cuya expresión era, si cabe, de mayor tristeza y cuyos ojos se veían llenos de lágrimas. La voz en off acababa diciendo: «Para más información, llame a la línea Maxatil». Un número de teléfono destellaba en la parte inferior de la pantalla. La última imagen era de la mujer, que se quitaba las gafas y se enjugaba una lágrima que le caía por la mejilla.

Todos prorrumpieron en vivas y aplausos como si un correo fuera a presentarse en ese instante en el bufete con el dinero de la indemnización. Luego Clay los envió a todos a su lugar ante el teléfono para que empezaran a captar clientes. Las llamadas comenzaron a llegar a los pocos minutos. Puntualmente a las nueve, como estaba previsto, copias de la demanda fueron enviadas a la prensa y a los canales de televisión especialistas en economía. Clay llamó a su viejo amigo del *Wall Street Journal* y le filtró la noticia diciéndole que quizá en un par de días pudiera concederle una entrevista.

Las acciones de Goffman abrieron a 65,25 dólares, pero no tardaron en bajar al conocerse que se había presentado una demanda colectiva contra el Maxatil en Washington. Un reportero local fotografió a Clay en el momento de presentarla en el juzgado.

A mediodía, las acciones de Goffman habían caído a 61 dólares. La empresa emitió un apresurado comunicado de prensa en el que negaba insistentemente que el Maxatil tuviera ninguno de los perniciosos efectos secundarios que la demanda le atribuía y donde aseguraba que estaba dispuesta a defenderse con todas sus fuerzas.

Patton French llamó a la hora de comer. Clay estaba dando buena cuenta de un sándwich mientras veía cómo las llamadas se amontonaban en su mesa.

—Espero que sepas qué estás haciendo, chico —le dijo French en tono un tanto sombrío.

—Sí, Patton, yo también lo espero. ¿Cómo estás?

—Estupendamente. No sé si lo sabías, pero hace unos seis meses hicimos un seguimiento muy de cerca del Maxatil y decidimos dejarlo estar porque podía haber problemas a la hora de demostrar causalidad.

Clay dejó caer el sándwich e intentó recobrar la respiración. ¿Patton French diciendo que no a una demanda colectiva, rechazando demandar a una de las más grandes empresas del país? Se dio cuenta de que se había quedado sin habla y a duras penas consiguió reanudar la conversación.

—Bueno, yo... Me parece que veo la situación con otros ojos, Patton —dijo, dejándose caer en la silla.

—La verdad es que todos nuestros amigos pasaron salvo tú. Saulsberry, Didier, Carlos de Miami. Hay un tipo de Chicago que ha reunido unos cuantos casos, pero todavía no ha presentado ninguna demanda. No sé. Puede que tengas razón y que nosotros no lo viéramos.

Clay comprendió que French estaba intentando sonsacarle información.

—Tenemos material contra ellos —dijo.

¡Claro! ¡El informe del gobierno! Él lo tenía, y French no. Suspiró de alivio y la sangre volvió a correrle por las venas.

—Será mejor que afines la puntería, Clay. Esa gente es muy buena. Son de los que hacen que Wicks y Ackerman Labs parezcan unos aficionados.

—Pareces asustado, Patton. Me sorprende en ti.

—No estoy asustado para nada, pero si encuentran un agujero en tu teoría de la responsabilidad se te comerán vivo. Ah, y no se te ocurra ni soñar con llegar a un acuerdo rápido.

—¿Te interesa unirte a nosotros?

—No. Este asunto no me gustó hace seis meses y sigue

sin gustarme. Además, tengo demasiados frentes abiertos de los que ocuparme. Buena suerte.

Clay se levantó y cerró con llave la puerta de su despacho; luego se acercó a la ventana y se quedó allí al menos cinco minutos, hasta que notó que el sudor frío de la espalda le pegaba la camisa a la piel. Se masajeó las sienes y las encontró perladas de transpiración.

28

El titular del *Daily Profit* proclamaba a cinco columnas: Unos sucios cien millones no son suficiente. Después de eso, la situación se ponía aun más fea. El artículo empezaba con un breve párrafo dedicado a la «frívola» demanda presentada el día anterior en Washington contra Goffman, una de las más respetadas empresas de artículos de consumo de Estados Unidos, cuyo magnífico medicamento, el Maxatil, había ayudado a innumerables mujeres a superar la pesadilla de la menopausia, y que en esos momentos era víctima del ataque de los mismos tiburones que habían hundido a A. H. Robins, Johns Manville, Owens-Illinois y prácticamente a toda la industria del asbesto de Estados Unidos.

El artículo alcanzaba el tono máximo cuando entraba a ocuparse del tiburón principal, un impetuoso joven llamado Clay Carter, quien, a decir de los informantes, nunca había actuado en un juicio civil ante un jurado. A pesar de ello, el año anterior había ganado más de cien millones de dólares en la lotería que eran las demandas colectivas.

Saltaba a la vista que el periodista contaba con todo un elenco de fuentes deseosas de manifestar su opinión. El primero era un ejecutivo de la Cámara de Comercio de Estados Unidos que denostaba las acciones colectivas en general y a los abogados en particular. «Los Clay Carter de este mundo no hacen más que animar a otros a que presenten este tipo de efectistas y artificiales demandas. En este país hay un millón de abogados, y si un desconocido como el señor Carter puede ganar tanto dinero en tan poco tiempo, entonces no hay empresa honrada que esté a salvo.» Un profesor de derecho de una universidad que Clay jamás había oído nombrar decía: «Estos personajes son implacables y carecen de escrúpulos. Su codicia es infinita y por ello acabarán matando a la gallina de los huevos de oro». Un presuntuoso congresista de Connecticut aprovechaba la ocasión para pedir que se aprobara de inmediato el proyecto de reforma de la legislación de acciones conjuntas del que era autor. Estaban a punto de celebrarse varias sesiones del comité, y el señor Carter bien podía ser citado a declarar ante el Congreso.

Fuentes anónimas de Goffman aseguraban que la compañía estaba dispuesta a defenderse con todas sus fuerzas; es decir, que no pensaba ceder ante el chantaje de una acción conjunta y que, a su debido tiempo, exigiría que se le compensaran los desembolsos efectuados para pagar los costos en abogados y en los juicios en los que pudiera incurrir por culpa de una frívola e infamante demanda.

Las acciones de la empresa habían perdido un 11 por ciento de su valor, lo cual, para sus accionistas, equivalía a una pérdida de unos 2.000 millones de dólares, y todo por culpa de unas pretensiones totalmente infundadas. «¿Por qué los accionistas no demandaban a los tipos como Clay Carter?», preguntaba el profesor de la desconocida universidad de derecho.

No era un material agradable de leer, pero Clay no podía en ningún caso ignorarlo. Un editorial del *Investment Times* reclamaba que el Congreso se tomase en serio la reforma de la legislación en materia de demandas colectivas, y daba gran importancia al hecho de que el señor Carter hubiera logrado amasar una fortuna en menos de un año. No era más que un matón cuyas mal adquiridas ganancias no harían más que estimular a otros como él para que demandaran a la primera empresa que se les pusiera a tiro.

Durante unos días, el apodo de «El Matón» circuló por el bufete en sustitución del de «El Rey». Clay sonrió y se comportó como si de un honor se tratara.

—Hace un año, nadie hablaba de mí —presumía—. Ahora, en cambio, no se cansan de hacerlo.

Sin embargo, en la intimidad de su despacho reconocía que se sentía incómodo y preocupado por la rapidez con la que había presentado la demanda contra Goffman. El hecho de que sus colegas no se estuvieran uniendo en masa a él resultaba sumamente inquietante. La prensa hostil se estaba ensañando con su persona, y hasta ese momento no había salido nadie en su defensa. Max Pace había desaparecido, lo cual no resultaba raro, pero sí distaba mucho de ser lo que Clay necesitaba en esos momentos.

Seis días después de haber presentado la demanda, Pace llamó desde California.

—¡Mañana es el gran día! —anunció.

—La verdad es que necesito que alguien me dé buenas noticias —contestó Clay—. ¿Te refieres al informe del gobierno?

—No puedo decírtelo —contestó Pace—. Y basta de llamadas telefónicas. Podría haber alguien escuchando. Hablaremos cuando llegue.

¿Alguien escuchando? ¿En qué lado, el de Clay o el de Pace? ¿Y quién, por favor?

El estudio del American Council sobre el envejecimiento se había propuesto inicialmente examinar 20.000 mujeres de edades comprendidas entre los cuarenta y cinco y los setenta y cinco años a lo largo de un período de siete años. El grupo había sido dividido en dos; los miembros de uno de ellos habían recibido su dosis diaria de Maxatil, mientras que los del otro únicamente un placebo. Transcurridos solo cuatro años, los investigadores abandonaron el proyecto porque los resultados obtenidos eran pésimos: habían descubierto un aumento de los cánceres de mama, de problemas cardíacos y de embolias en un inquietante porcentaje de las participantes. En las mujeres que tomaban el medicamento, el riesgo de cáncer de mama se incrementaba en un 33 por ciento; el de infartos, en un 21 por ciento; y el de embolias, un 20 por ciento.

El estudio predecía que, por cada 100.000 mujeres que utilizaran el Maxatil durante cuatro años o más, 400 desarrollarían cáncer de mama, 300 padecerían algún tipo de problema cardíaco, y que se producirían 300 casos de embolias leves.

El informe fue hecho público a la mañana siguiente. Las acciones de Goffman volvieron a sufrir un descalabro ante la noticia y cerraron a 51 dólares. Clay y Mulrooney pasaron toda la tarde controlando distintas páginas web y los canales de televisión por cable en busca de alguna respuesta de la empresa, pero no encontraron nada. Los periodistas de economía que se habían ensañado con Clay cuando este había presentado la demanda no lo llamaron para conocer su reacción ante la publicación del estudio. Sencillamente mencionaron la noticia sin más al día siguiente. El *Post* publicó un breve resumen del informe, pero sin mencionar a Clay. Este se sintió vengado, pero también dejado a un lado. Tenía muchas cosas que contestar a sus críticos, pero nadie parecía querer escucharlo.

Sus preocupaciones se vieron aliviadas por el aluvión de llamadas que recibió de los pacientes del Maxatil.

De una manera u otra, el Gulfstream tenía que volar. Llevaba ocho días en el hangar, y Clay estaba impaciente por viajar. Llamó a Ridley y tomó rumbo al oeste; primero a Las Vegas, aunque nadie del despacho sabía que pensaba detenerse allí. Se trataba de un viaje de negocios, y de uno importante de verdad. Tenía una cita con el gran Dale Mooneyham, en Tucson, para hablar del Maxatil.

Él y Ridley pasaron dos noches en Las Vegas, en un hotel con panteras y leopardos de verdad en una falsa reserva de animales situada junto a la entrada. Clay perdió 30.000 dólares jugando al blackjack, y Ridley gastó unos 25.000 en ropa en las distintas tiendas de moda distribuidas por el vestíbulo del hotel. Luego el Gulfstream los llevó hasta Tucson.

Mott & Mooneyham había convertido una vieja estación de tren del centro de la ciudad en un agradable conjunto de oficinas de aspecto deliberadamente destartalado. El vestíbulo era la antigua sala de espera, una estancia larga y abovedada donde dos secretarias se sentaban en cada extremo, como si alguien las hubiera separado para que no se pelearan. Un examen más detallado revelaba que eran incapaces de discutir: ambas tenían unos setenta años y andaban perdidas en sus propios pensamientos. El lugar era una especie de museo, una colección de los elementos que Dale Mooneyham había llevado a juicio y mostrado a los jurados. En una vitrina alta había un calentador de agua de gas; la placa de bronce que colgaba de la puerta indicaba el nombre del caso y la suma concedida por la sentencia: «4,5 millones de dólares, 3 de octubre de 1988, condado de Stone, Arkansas». Un vehículo de tres ruedas con un defecto de fábrica había costado a Honda 3 millones de dólares en California; y un rifle barato había provocado tal indignación entre los miembros de un jurado de Texas que este había decidido indemnizar al demandante con 11 millones de dólares. Se veían docenas de objetos y aparatos; entre ellos, un cortacésped, la carrocería de un Toyota Celica destruida por el fuego, una taladradora, un chaleco salvavidas defectuoso, una escalera de mano rota... En las paredes colgaban fotos del gran hombre entregando sustanciosos cheques a sus clientes. Clay, que estaba solo porque Ridley se había ido de compras, las fue examinando de una en una, absorto en aquellos trofeos y ajeno al hecho de que llevaba una hora esperando.

Al fin llegó una asistenta, que lo acompañó por un largo pasillo lleno de amplios despachos. Las paredes estaban decoradas con recortes de periódico y titulares enmarcados que hablaban de grandes victorias ante los tribunales. Fuera quien fuese Mott, sin duda era una pieza insignificante. El membrete solo mencionaba a otros cuatro abogados.

Dale Mooneyham se hallaba sentado a su mesa y apenas se levantó del asiento cuando Clay entró sin que nadie lo anunciara y sintiéndose casi como un pordiosero. El apretón de manos fue frío y de rigor. Resultaba obvio que no era bienvenido, y aquello lo sorprendió. Mooneyham tenía unos setenta años, y era un hombre corpulento de ancho pecho y prominente barriga. Vestía vaqueros, unas llamativas botas rojas, una arrugada camisa a cuadros y, desde luego, no llevaba corbata. En algún momento se había teñido el cabello de negro, pero necesitaba un nuevo tratamiento porque le blanqueaba en las sienes. Se peinaba hacia atrás y con demasiada brillantina. En su alargado rostro destacaban unos ojos hinchados de bebedor.

—Es una bonita oficina —dijo Clay, intentando ser amable—. Realmente única.

—La compré hace cuarenta años —contestó Mooneyham—. Entonces me costó cinco mil dólares.

—Y tiene una buena colección de recuerdos.

—Sí. No me ha ido mal. En veintiún años de ejercicio de la abogacía no he perdido ni un solo juicio con jurado, así que supongo que me toca perder. Al menos eso es lo que dicen mis adversarios.

Clay echó una mirada en derredor e intentó relajarse en el viejo sillón de cuero. El despacho era, como mínimo, cinco veces más grande que el suyo, y las paredes estaban cubiertas de trofeos de caza disecados que parecían no quitarle ojo de encima. No se oían teléfonos ni faxes sonando a lo lejos. Tampoco había un ordenador a la vista.

—Bueno, la verdad es que he venido a verle para hablar con usted del Maxatil —dijo Clay, que tenía la sensación de que podían ponerlo de patitas en la calle en cualquier momento.

Un leve titubeo sin el menor cambio de expresión, solo un movimiento fortuito de aquellos ojillos oscuros.

—Es un mal medicamento —dijo sencillamente, como si Clay no tuviera ni idea—. Hace unos cinco meses presenté una demanda en Flagstaff. Aquí en Arizona tenemos lo que llamaríamos un carril rápido para adelantamientos, así que supongo que el juicio se celebrará en noviembre. A diferencia de usted, yo no presento un caso hasta que está debidamente investigado y preparado. Ahora estoy listo para ir a juicio. Si uno hace las cosas así, la parte contraria no tiene la menor oportunidad. He escrito un libro sobre los preparativos previos a la vista. Hay mucha gente que lo ha leído. Creo que usted también debería hacerlo.

A Clay le entraron ganas de preguntarle si quería que se marchara.

—¿Y qué me dice de su cliente?

—Solo tengo uno. Las acciones colectivas son un fraude, al menos tal y como usted y sus colegas las manejan. Las demandas conjuntas son un timo, un atraco al consumidor, una lotería organizada por una panda de codiciosos que algún día nos perjudicará a todos. Tanta ambición acabará por hacer oscilar el péndulo hasta el otro extremo. Acabarán reformando el régimen de la ley, y el cambio será drástico. Ustedes se quedarán en la calle, pero les dará igual porque ya habrán amasado sus fortunas. Los que saldrán realmente perjudicados serán los demandantes del futuro, la gente sin recursos que no podrá poner una demanda por un producto defectuoso porque los tipos como usted consiguieron joder la legislación.

—Ya... Yo le he preguntado por su cliente.

—Se trata de una mujer, blanca, de sesenta y seis años, no fumadora, que ha estado tomando Maxatil durante cuatro años. La conocí hace un año. Por aquí nos tomamos nuestro tiempo para hacer las cosas como Dios manda antes de empezar a disparar.

Clay había pensado en hablar acerca de cosas importantes, de grandes ideas, como por ejemplo de la cantidad de clientes potenciales del Maxatil que podía haber por ahí, de qué esperaba Mooneyham de Goffman o de qué clase de expertos había pensado llamar a declarar. Sin embargo, lo único que le apetecía era terminar cuanto antes.

—¿Confía en poder llegar a un acuerdo? —preguntó intentando aparentar interés.

—Yo no negocio acuerdos, muchacho. Eso es algo que mis clientes saben desde el primer momento. Solamente acepto tres casos por año, y todos los selecciono personalmente con el mayor cuidado. Me gusta que los casos sean distintos, que los productos y las ideas me planteen desafíos nuevos, que me lleven ante tribunales en los que no haya estado. Puedo elegir porque los abogados me llaman a diario, y siempre voy a juicio. Cada vez que me hago cargo de un caso sé que no negociaré ningún acuerdo. Eso es algo que elimina importantes distracciones. Siempre se lo digo a la otra parte: «No perdamos tiempo pensando en que podemos llegar a un acuerdo, ¿vale?». —Por fin se movió, pero solo un poco, de lado, como si le doliera la espalda o algo parecido—. Y eso es una buena noticia para usted, muchacho. Yo seré el primero en enfrentarme a Goffman, y si logro que el jurado vea las cosas como yo, conseguiré un buen veredicto. Ustedes, los vulgares imitadores, podrán ponerse a la fila y subirse al tren con sus campañas de anuncios para captar clientes, llegar a un acuerdo barato, llevarse su parte y amasar otra fortuna.

—Me gustaría ir a juicio —declaró Clay.

—Si no estoy mal informado, usted ni siquiera sabe dónde está el Palacio de Justicia.

—No se preocupe, no me costará encontrarlo.

Mooneyham se encogió de hombros.

—Seguramente no tendrá que hacerlo. Cuando yo haya acabado con Goffman, esa empresa huirá de los jurados como de la peste.

—No necesito llegar a ningún acuerdo.

—Pero eso es lo que hará. Habrá reunido miles de casos y no tendrá huevos de ir a juicio.

Y dicho eso, Mooneyham se levantó lentamente, le tendió una mano flácida y dijo:

—Tengo trabajo.

Clay abandonó a toda prisa el despacho, enfiló por el pasillo, cruzó el vestíbulo, que más bien parecía un museo, y salió al abrasador calor del desierto.

Tras la mala suerte de Las Vegas y el desastre de Tucson, el viaje se salvó del fracaso completo en algún punto sobre Oklahoma, a 11.000 metros de altura. Ridley dormía bajo una manta en el sofá, ajena al mundo, cuando el fax empezó a zumbar. Clay fue hasta el fondo de la oscura cabina y recogió la página de la transmisión. La enviaba Oscar Mulrooney desde el bufete, donde había descargado la información de internet: el listado anual de bufetes y honorarios de la revista *American Attorney*. En la lista de los veinte abogados mejor pagados del país figuraba el señor Clay Carter en un notable octavo lugar y con unos ingresos estimados el año anterior de 110 millones de dólares. Incluso había una pequeña foto suya cuyo pie rezaba: «Novato del año».

Clay se dijo que no andaban muy desencaminados con los números. Desgraciadamente, 30 millones de las ganancias del Dyloft habían ido a parar a manos de Paulette, Rodney y Jonah en forma de gratificaciones que a primera vista le habían parecido generosas, pero que, con la debida perspectiva, se le antojaban una verdadera barbaridad. Nunca más. Los chicos de *American Attorney* no sabían nada de aquellas increíbles cantidades dictadas por el impulso de su generosidad. De todas maneras, no podía quejarse. Entre los veinte primeros de la lista, él era el único de Washington.

El número uno era un tipo legendario de Amarillo llamado Jock Ramsay que había negociado un caso de vertidos tóxicos en que estuvieron implicadas varias empresas petrolíferas y químicas. El caso se arrastró durante nueve años, y se calculaba que los honorarios que Ramsay había cobrado superaban los 450 millones de dólares. Un abogado de Palm Beach que había demandado a una compañía tabaquera había ganado 400 millones. El número tres era un abogado de Nueva York que había ganado 325 millones. Patton French ocupaba el cuarto lugar, lo cual sin duda le tenía seriamente disgustado.

Sentado en la intimidad del Gulfstream, contemplando el artículo de la revista que llevaba su foto, Clay se dijo una vez más que todo aquello tenía que ser un sueño. En Washington había 76.000 abogados, y él era el número uno de todos ellos. Un año antes no había oído hablar del Tarvan, del Dyloft ni del Maxatil, y tampoco había prestado atención a las demandas colectivas. Un año antes, su sueño consistía en largarse de la Oficina del Turno de Oficio y recalar en algún bufete respetable; uno que le pagara unos cuantos trajes nuevos y un coche decente. Su nombre en el membrete impresionaría a Rebecca y mantendría alejados a sus padres. Un bonito despacho y clientes de más altura que le permitirían poder esquivar a sus antiguos compañeros de estudios. ¡Qué sueños tan modestos!

Decidió que no le enseñaría el artículo a Ridley. La chica se estaba aficionando al dinero y cada vez se interesaba más por las joyas y los viajes. Nunca había estado en Italia, y no había dejado de lanzarle indirectas sobre Roma y Florencia.

Todo el mundo en Washington estaría hablando de la presencia del nombre de Clay en la lista de los veinte primeros. Pensó en sus amigos y en sus rivales, en sus compañeros de la universidad y en la vieja pandilla de la OTO. Pero, sobre todo, pensó en Rebecca.

29

La Hanna Portland Cement Company había sido fundada en Reedsburg, Pensilvania, en 1946, justo a tiempo de que pudiera aprovechar el gran auge de la construcción de la posguerra. No tardó en convertirse en la principal fuente de empleo de la pequeña localidad. Los hermanos Hanna la dirigían con mano de hierro, pero eran justos con sus trabajadores, que al mismo tiempo también eran sus vecinos. Cuando el negocio iba bien, el personal recibía generosas gratificaciones; cuando no, todo el mundo se apretaba el cinturón y aguantaba el mal trago. Los despidos eran muy poco frecuentes, y solo se utilizaban como último recurso. La plantilla se sentía satisfecha y jamás se había afiliado a un sindicato.

Los Hanna reinvertían los beneficios en la fábrica y en sus equipos. Y también en la comunidad. Habían construido un centro cívico, un hospital, un teatro y el campo de fútbol más bonito de la zona. A lo largo de los años, habían tenido un par de ofertas de compra que los habían tentado para vender el negocio, embolsarse un buen dinero y dedicarse a jugar al golf. Pero los hermanos Hanna nunca estuvieron cien por cien seguros de que no trasladarían la empresa fuera de Reedsburg, de modo que siguieron con ella.

Después de cincuenta años de buena administración, la fábrica daba trabajo a 4.000 de los 11.000 habitantes del pueblo. Su facturación anual rozaba los 60 millones de dólares, aunque los beneficios se habían mostrado esquivos. Una fuerte competencia del extranjero y un descenso en la actividad constructora hacían sentir sus efectos en la cuenta de resultados. Se trataba de un negocio con oscilaciones muy cíclicas, algo que los Hanna más jóvenes habían intentado remediar sin éxito diversificando hacia productos derivados. En aquellos momentos, el balance reflejaba un endeudamiento superior al habitual.

Marcus Hanna era entonces el director general, aunque rara vez utilizaba ese título. Simplemente era el jefe, el principal ejecutivo. Su padre había sido uno de los fundadores, y él se había pasado toda la vida en la fábrica. En la dirección había nada menos que ocho miembros más de la familia, y varios de la siguiente generación trabajaban en la fábrica, fregando suelos y haciendo todo tipo de tareas ingratas, las mismas que habían tenido que hacer sus padres.

Cuando llegó la demanda, Marcus se encontraba reunido con su primo hermano, Joel Hanna, que era el abogado no oficial de la empresa. Un agente del juzgado se abrió paso con bastantes malos modos entre las secretarias de la entrada y se presentó ante Marcus y Joel con un grueso sobre en la mano.

—¿Es usted Marcus Hanna? —preguntó.

—Sí. ¿Y usted quién es?

—Soy agente judicial. Aquí tiene su demanda.

La entregó y se marchó.

Se trataba de una acción conjunta presentada en el condado de Howard, en Maryland, exigiendo el resarcimiento por unos daños no especificados sufridos por los propietarios de unas casas, a causa de un cemento defectuoso fabricado por Portland. Joel la leyó muy despacio, la explicó a Marcus y, cuando acabó, los dos se quedaron sentados un rato en silencio, maldiciendo a los abogados de este mundo.

Una rápida investigación encargada a una secretaria sacó a la luz una impresionante cantidad de artículos de prensa acerca del abogado de los demandantes, un tal Clay Carter, de Washington.

A nadie extrañó que hubieran surgido problemas en el condado de Howard. Años atrás, una partida defectuosa de cemento fabricado por Portland había ido a parar hasta allí. El producto había llegado por los canales habituales y había sido utilizado por distintos contratistas en el enladrillado de una serie de viviendas de nueva construcción. Las reclamaciones eran recientes. Al parecer, al cabo de tres años el cemento se deshacía, y los ladrillos se desprendían. Tanto Marcus como Joel se habían desplazado al condado de Maryland, donde se habían reunido con proveedores y contratistas. También habían examinado varias viviendas. Según sus estimaciones, el número de posibles damnificados era de unos 500, y la reparación de cada construcción afectada ascendía a unos 12.000 dólares. La empresa contaba con un seguro por daños que cubría los cinco primeros millones de las reclamaciones; pero la demanda abría la puerta a la acción conjunta de «por lo menos 2.000 demandantes», cada uno de los cuales pedía 25.000 dólares de indemnización.

—¡Eso son cincuenta millones! —exclamó Marcus.

—Sí, y ese cabrón de abogado se llevará el cuarenta por ciento del total que perciban los demandantes.

—¡No puede hacer eso!

—Pues es lo que hacen siempre.

Tras una catarata de imprecaciones contra los abogados en general y varias más contra el señor Carter en concreto, Joel se fue con la demanda bajo el brazo. Avisaría a su agente de seguros, que a su vez se pondría en contacto con algún bufete de la zona de Filadelfia. Eso era algo que ocurría al menos una vez al año, pero nunca con un problema de semejante magnitud. Dado que la indemnización por daños y perjuicios que se exigía era muy superior a la cobertura del seguro, Hanna Portland Cement se vería obligada a contra-

tar los servicios de un bufete para que trabajara conjunta-
mente con la compañía de seguros. Nada de todo eso iba a
resultar barato.

El anuncio a toda página publicado en el *Larkin Gazette* causó
un gran revuelo en el pequeño pueblo escondido del mundo
entre las montañas del sudoeste de Virginia. En Larkin había
tres fábricas, y el número de habitantes apenas superaba los
diez mil, la cual era una cifra considerable para una comunidad minera. Diez mil era el umbral que Oscar Mulrooney había descubierto que se había aplicado en los anuncios a toda
página del caso de las Skinny Ben. Había estudiado detenidamente aquella demanda y llegado a la conclusión de que los
mercados más pequeños no habían recibido la debida atención. Sus investigaciones también le habían permitido descubrir que las mujeres de los entornos rurales —y en concreto
las de los montes Apalaches— estaban más gruesas que las de las
ciudades. ¡El territorio ideal de las Skinny Ben!
    Según el anuncio, la pruebas médicas tendrían lugar al día
siguiente, en un motel situado al norte del pueblo, y las realizaría un médico titulado. Todo el proceso sería gratuito y estaría a disposición de cualquier persona que hubiera tomado
benafoxadil, es decir, Skinny Ben. Los datos que se obtuvie-
ran sería confidenciales, y era probable que a partir de ellos
muchas personas pudieran exigir una indemnización al fabricante del medicamento.
    En la parte inferior de la página, y en letra más pequeña,
se indicaba el nombre, la dirección y el número de teléfono
del bufete de Clay Carter II, de Washington; aunque lo cierto
era que, cuando llegaban a ese punto, casi todos los lectores o
bien lo habían dejado correr o bien estaban demasiado interesados en las pruebas médicas.
    Nora Tacket vivía en una caravana, a un kilómetro y me-
dio de Larkin, pero no vio el anuncio porque no leía el perió-

dico. De hecho, no leía nada de nada porque se pasaba el día mirando la televisión, casi siempre mientras comía algo. Nora vivía con los dos hijos que su ex marido le había dejado al marcharse dos años atrás. Eran hijos de él, no de ella, y no estaba segura de cómo había llegado a hacerse cargo de las criaturas. De lo que sí estaba segura era de que el padre se había esfumado sin decir una palabra y sin dejar un céntimo para la manutención de sus hijos. Por eso comía.

Se convirtió en cliente de J. Clay Carter cuando su hermana vio el anuncio en el *Larkin Gazette* y fue a buscarla para que se hiciera la prueba médica. Nora llevaba un año tomando píldoras Skinny Ben, hasta que el médico se las retiró porque ya no estaban en el mercado. Era incapaz de decir si las pastillas le habían hecho perder peso.

Su hermana la metió como pudo en la furgoneta y le plantó el anuncio ante las narices.

—Lee esto —le dijo MaryBeth.

Marybeth había echado a andar por el camino de la obesidad veinte años antes, pero la embolia sufrida a los veintiséis años había sido su toque de atención. Estaba cansada de sermonear a Nora. Ambas llevaban años discutiendo y eso fue lo que hicieron mientras cruzaban Larkin para dirigirse al motel.

La secretaria de Oscar Mulrooney había elegido el Village Inn porque, al parecer, se trataba del motel más nuevo de la ciudad. Por lo menos era el único que aparecía en internet, y por algo sería. Oscar había dormido allí la víspera. Mientras se tomaba un rápido desayuno en la mugrienta cafetería, se preguntó cómo era posible que hubiera caído tan bajo.

Había sido el tercero de su promoción de Yale. Las empresas más importantes de Wall Street y los pesos pesados de Washington los habían mimado con cenas y reuniones. Su padre era un conocido médico de Bufalo; su tío, juez de Vermont. Su hermano era socio de uno de los bufetes de más éxito de Manhattan, especializado en el mundo del espectáculo.

Su mujer se avergonzaba de que se pasara la vida viajando por ahí, en busca de clientes. ¡Y él también!

Su compañero de equipo era un médico boliviano de medicina general que sabía hablar inglés, pero que lo hacía con un acento tan cerrado que incluso su «buenos días» resultaba difícil de entender. Tenía veinticinco años pero aparentaba dieciséis, y eso a pesar de la bata verde de hospital que Oscar había insistido en que se pusiera para que tuviera aspecto de profesional respetable; había cursado sus estudios de medicina en la isla caribeña de Granada. Oscar había encontrado al doctor Livan en los anuncios de demandas de empleo y le pagaba la suma fija de 2.000 dólares diarios.

Oscar se encargaría de la recepción, y Livan de la atención. La única sala de reuniones del motel disponía de una tenue cortina de separación que ambos intentaron desplegar en el centro de la estancia para dividirla en dos mitades. Cuando Nora entró en la zona de recepción a las 8.45 de la mañana, Oscar consultó el reloj y le dijo con la mayor amabilidad posible:

—Buenos días, señora.

Llegaba con un cuarto de hora de adelanto, pero lo normal era que la gente se presentara antes de la hora. Lo de tratar a las mujeres de «señora» era algo a lo que se había acostumbrado a fuerza de practicarlo recorriendo Washington en busca de clientes. No se trataba de una palabra que le hubieran inculcado de niño.

Más dinero en el banco, se dijo al ver a Nora. Por lo menos 120 kilos, aunque seguramente ronda los 150, pensó. No le gustaba su facilidad para calcular a ojo el peso de las mujeres como si fuera un charlatán de feria, y tampoco le gustaba tener que recurrir a ella.

—¿Es usted el abogado? —preguntó MaryBeth con recelo.

Oscar ya había pasado mil veces por aquella situación.

—Sí, señora. El médico está dentro. Yo solo me encargo de rellenar unos impresos —dijo entregándole un cuestionario destinado a personas de bajo nivel cultural—. Si tienen alguna pregunta que quieran hacerme, adelante.

MaryBeth y Nora retrocedieron para ir a sentarse en unas sillas plegables. Nora, que ya estaba sudando, se dejó caer pesadamente en la suya. Las dos hermanas se concentraron enseguida en los formularios. Todo estaba muy tranquilo hasta que volvió a abrirse la puerta y una mujer muy obesa asomó la cabeza. Miró al instante a Nora, que le devolvió la mirada como si fuera un ciervo deslumbrado por unos faros: dos gordas pilladas in fraganti en su búsqueda de una indemnización por daños y perjuicios.

—Adelante —dijo Oscar con una cordial sonrisa propia del mejor vendedor de automóviles. La ayudó a cruzar la puerta, le entregó los cuestionarios de rigor y la acompañó al otro lado de la estancia. Entre 110 y 120 kilos.

Cada prueba costaba mil dólares. Una de cada diez consumidoras de Skinny Ben se convertía en cliente. Un caso valía, por término medio, entre 150 y 200.000 dólares. Y eso que ellos estaban rebañando las sobras, puesto que la mayoría de los casos ya había sido captada por otros bufetes a lo largo y ancho del país.

Aun así, las sobras seguían valiendo una fortuna. No tanto como las del Dyloft, pero sí muchos millones.

Una vez rellenado el impreso, Nora consiguió levantarse. Oscar cogió el formulario, lo revisó, se aseguró de que la mujer había tomado realmente Skinny Ben y estampó su firma al pie.

—Venga por aquí, señora —le dijo—. El médico la está esperando.

Nora pasó por la abertura de la cortina de separación mientras su hermana se quedaba en la zona de recepción, conversando con el abogado.

Livan se presentó ante Nora, que no entendió una palabra de lo que este le dijo. Él tampoco la entendió a ella, pero le tomó la tensión y empezó a menear la cabeza con gesto preocupado: 18 y 14. El pulso era de 130 por minuto. Luego señaló una báscula industrial a la que Nora logró subir no sin esfuerzo: 160 kilos.

Cuarenta y cuatro años de edad. Al paso que iba sería afortunada si llegaba a los cincuenta.

Livan abrió una puerta lateral y la acompañó al exterior, donde había una furgoneta equipada con material médico cuya portezuela lateral se hallaba abierta. Dos especialistas enfundados en sendas batas blancas esperaban. Ayudaron a Nora a subir y la tumbaron en la camilla.

—¿Qué es esto? —preguntó aterrorizada, señalando el aparato que tenía más cerca.

—Es un ecocardiógrafo —contestó uno de los especialistas en un inglés que la mujer pudiera entender.

—Le examinaremos el tórax con él —explicó el otro, que era una mujer— y le tomaremos una imagen digital del corazón. En diez minutos habremos acabado.

—No le dolerá nada —le aseguró el primero.

Nora cerró los ojos y rezó para salir con vida de todo aquello.

La demanda contra el Skinny Ben resultaba muy lucrativa porque era muy fácil obtener las pruebas. Con el tiempo, el medicamento —que tampoco ayudaba a adelgazar— acababa debilitando la aorta, y los daños eran irreversibles. Una insuficiencia de la aorta o un reflujo de la válvula mitral de un 20 por ciento daba derecho automáticamente a una indemnización.

El doctor Livan leyó el registro de Nora a medida que iba saliendo y mientras esta seguía rezando. Luego miró a los especialistas y levantó el pulgar: 22 por ciento. A continuación llevó el resultado a Oscar, que estaba repartiendo formularios entre los posibles clientes que ya abarrotaban la zona de recepción. Oscar lo acompañó hasta la furgoneta, donde Nora permanecía sentada, con el rostro muy pálido y bebiendo un zumo de naranja. Deseó poder decirle: «Enhorabuena, señora Tackett, su aorta ha sufrido daños suficientes», pero las felicitaciones quedaban reservadas para los abogados. Luego llamó a MaryBeth y explicó a las dos hermanas el procedimiento que iba a seguir, subrayando exclusivamente los puntos más importantes.

El ecocardiograma sería estudiado por un cardiólogo, cuyo informe iría a parar a manos del administrador de la acción conjunta. El juez del caso ya había aprobado la cuantía de las indemnizaciones aplicables según los casos.

—¿Y de cuánto será? —preguntó MaryBeth, que parecía más preocupada por el dinero que por su hermana.

Nora seguía rezando.

—En función de la edad de Nora, calculo que de unos cien mil dólares —contestó Oscar, evitando mencionar que un treinta por ciento de dicha cantidad iría a parar al bufete del Clay Carter II.

—¡Cien mil dólares! —exclamó Nora, despertando de golpe.

—Sí, señora.

Al igual que un cirujano antes de llevar a cabo una intervención de rutina, Oscar había aprendido a minimizar las posibilidades de éxito y procuraba que las expectativas de los clientes no fueran muy altas para que la sorpresa de los honorarios no resultara tan desagradable.

Nora ya estaba pensando en una caravana nueva y más espaciosa y en una nueva antena parabólica; MaryBeth, en un cargamento de Ultra Slim-Fast. Una vez terminado el papeleo, Oscar les dio las gracias por la visita.

—¿Cuándo cobraremos el dinero? —quiso saber MaryBeth.

—¿Por qué hablas en plural? —preguntó Nora.

—Antes de sesenta días —contestó Oscar, acompañándolas a la puerta lateral.

Por desgracia, las aortas de los diecisiete casos siguientes no habían sufrido daños suficientes, y Oscar estaba deseando beber algo. Sin embargo, tuvo suerte con el número diecinueve, un joven que arrojó un peso de 240 kilos y que llevaba dos años tomando Skinny Ben. Puesto que tenía veintiséis años y, al menos estadísticamente, su esperanza de vida era de treinta y un años más con un corazón lesionado, su caso valdría al menos medio millón de dólares.

A última hora de la tarde tuvo lugar un desagradable incidente.

Una oronda señora montó en cólera cuando el doctor Livan le comunicó que su corazón estaba perfectamente. No presentaba la menor lesión, pero ella había oído decir en la ciudad que Nora Tackett iba a cobrar 100.000 dólares. Concretamente, se lo habían dicho en el salón de belleza, y, aunque no pesaba tanto como Nora, ella también había tomado las malditas Skinny Ben y tenía el mismo derecho a una indemnización.

—Es que me hace mucha falta el dinero —insistió.

—Lo siento —repitió varias veces el doctor Livan, que al final acabó llamando a Oscar.

La mujer se estaba poniendo muy pesada, de modo que, para quitársela de encima, este le prometió que mandaría que revisaran su ecocardiograma.

—Haremos un segundo estudio y nos ocuparemos de que los médicos de Washington lo revisen —dijo, como si supiera de qué estaba hablando.

Sus palabras tranquilizaron a la mujer, que se marchó refunfuñando.

¿Qué estoy haciendo aquí?, se preguntaba Oscar una y otra vez. Dudaba que alguien de Larkin hubiera estudiado en Yale, pero aun así se moría de miedo. Si corría la voz de su presencia estaría acabado. El dinero, tú piensa solamente en el dinero, se decía sin cesar.

Examinaron a 41 consumidores de Skinny Ben de Larkin. Tres cumplieron los requisitos, de modo que Oscar les hizo firmar los papeles y se largó del pueblo pensando alegremente en los 200.000 dólares de honorarios. No había estado nada mal.

Se alejó a toda prisa en su BMW y volvió directamente a Washington. Su siguiente incursión en el interior sería un viaje parecido por Virginia del Oeste en el mayor de los secretos. Para el mes siguiente tenía programados otros doce.

Tú limítate a ganar dinero, se decía. Esto es un timo como una casa que no tiene nada que ver con el ejercicio del derecho. Encuéntralos, haz que firmen el contrato, cierra el acuerdo y coge el dinero y corre.

30

El 1 de mayo, Rex Crittle abandonó la empresa de contabilidad en la que había trabajado durante dieciocho años y se
instaló en el piso de arriba para ocupar el cargo de director
de finanzas de JCC. La oferta de un formidable aumento de
sueldo y de unas jugosas gratificaciones había sido sencillamente irresistible. El bufete estaba prosperando imparable-
mente, pero su crecimiento era tan rápido que lo hacía en medio
del caos y parecía carecer de control. Clay concedió amplios
poderes a Crittle y lo instaló en un despacho situado frente al
de él.

A pesar de que Crittle apreciaba su nuevo y considerable
sueldo, mostraba claras reservas respecto a las personas que
lo rodeaban. En su opinión, que por el momento había decidido reservar para sí, la mayoría de los empleados cobraba
demasiado. El bufete contaba en esos momentos con 14 abogados, que ganaban 200.000 dólares anuales; con 21 auxiliares
jurídicos, que ganaban 75.000; con 26 secretarias, que ganaban 50.000, con la excepción de la señorita Glick, cuyo sueldo era de 60.000; con una docena de administrativos de todo
tipo que ganaban un promedio de 20.000; y 4 ordenanzas, que
ganaban 15.000 dólares cada uno. En total, 77 personas, sin
contar a Clay y al propio Crittle. Si a ello se sumaba el coste-
beneficio, el total anual de la nómina ascendía a casi 8,5 millo-

nes de dólares. Y esa cantidad aumentaba semana tras semana.

El alquiler era de 72.000 dólares mensuales; los gastos de oficina —ordenadores, teléfonos, servicios diversos—, de unos 40.000 dólares al mes. El Gulfstream, que constituía el mayor gasto de todos y la única cosa de la que Clay no podía prescindir, costaba al bufete 300.000 dólares en concepto de pagos mensuales y otros 30.000 por los pilotos, el mantenimiento y los gastos del hangar. Los beneficios del alquiler del avión todavía no se habían producido. Uno de los motivos era que Clay no deseaba que lo utilizara nadie más aparte de él.

Según las cifras que Crittle manejaba diariamente, el bufete generaba unos gastos mensuales de 1.300.000 dólares, lo que equivalía a unos 15,5 millones al año, aproximadamente. Semejante cantidad habría bastado para asustar a cualquier contable, pero tras el sobresalto del acuerdo del Dyloft y los cuantiosos honorarios que este había devengado, Crittle no estaba en posición de quejarse. Al menos, todavía. En esos momentos se reunía con Clay unas tres veces por semana, y todas sus objeciones ante cualquier gasto injustificado recibían la misma respuesta que ya conocía: «Hay que gastar si se quiere ganar».

¡Y cómo gastaban! Si los gastos corrientes hacían que se estremeciera, las campañas de anuncios y las pruebas médicas le provocaban úlcera de estómago. En el caso del Maxatil, el bufete se había gastado más de seis millones durante los primeros cuatro meses de campaña publicitaria en radio, prensa, televisión e internet. Lo cierto era que había protestado, pero la respuesta de Clay fue: «Tenemos que ir a todo gas. ¡Quiero reunir veinticinco mil casos!». En total tenían unos 18.000, pero resultaba imposible llevar la cuenta porque cambiaba de hora en hora.

Según un informe de internet que Crittle consultaba diariamente, la razón de que el bufete estuviera captando tantos

clientes del Maxatil se debía a que eran muy pocos los abogados que los buscaban con tanta agresividad. De todas maneras, Crittle prefería guardarse el rumor.

—El Maxatil será mucho más rentable que el Dyloft —repetía Clay por todo el despacho para estimular a su gente.
Y parecía creerlo de verdad.

Los casos del Skinny Ben estaban costando mucho menos
dinero, pero los gastos seguían acumulándose, mientras que
los honorarios no. El 1 de mayo llevaban gastados 600.000 dólares en anuncios y otro tanto en pruebas médicas. El bufete
tenía 150 clientes, y Oscar Mulrooney había hecho circular
una nota asegurando que cada uno valía unos 180.000 dólares
de promedio. Con un porcentaje de un 30 por ciento, las previ-
siones de Mulrooney sumaban unos nueve millones de dólares
para los meses siguientes.

El hecho de que una rama del bufete fuera a generar semejantes beneficios tenía a todo el mundo muy animado, pero la
espera empezaba a resultar preocupante. No habían ingresado
ni un céntimo del acuerdo de indemnización del Skinny Ben,
un procedimiento que se suponía que era automático. Lo cierto era que había cientos de abogados implicados en el caso y
que los desacuerdos eran constantes. Crittle no entendía las
complejidades jurídicas, pero iba aprendiendo. Lo que dominaba a fondo era el tema de los gastos generales y de los ingresos insuficientes.

Aunque no hubo la menor relación entre ambos acontecimientos, al día siguiente de su llegada al bufete se produjo la
marcha de Rodney. Este había decidido recoger sus ganancias
y retirarse a vivir en una bonita casa de las afueras, situada en
un barrio elegante y muy seguro, con una iglesia en un extremo, un colegio en el otro y un parque en medio. Sus planes
eran dedicarse a sus cuatro hijos a tiempo completo. La cuestión del trabajo podía plantearse más adelante o no plantearse
en absoluto. El ejercicio del derecho quedaba descartado. Con
diez millones de dólares en el banco antes de impuestos, no te-

nía necesidad de hacer demasiados planes; le bastaba con su determinación de dedicarse a ser un buen padre, un buen marido y un buen tacaño. Él y Clay se escabulleron hasta una cafetería cercana para despedirse definitivamente. Habían pasado seis años trabajando codo con codo, cinco en la OTO y uno en el bufete.

—No te gastes todo lo que tienes, Clay —aconsejó a su amigo.

—No sé cómo podría. Tengo demasiado.

—No seas bobo.

Lo cierto era que el bufete ya no necesitaba a una persona como Rodney. Los chicos de Yale y los demás abogados se mostraban respetuosos y educados con él, básicamente por la amistad que lo unía a Clay, pero no era más que un auxiliar jurídico. Y Rodney tampoco necesitaba al bufete. Lo que deseaba era ocuparse de su dinero y cuidarlo. Secretamente le escandalizaba la manera en que Clay despilfarraba su fortuna. Era algo que acababa teniendo un precio.

Con Jonah navegando en un velero y Paulette en su escondite de Londres y sin intenciones de regresar, el equipo original se había deshecho. Sin duda era una lástima, pero Clay estaba demasiado ocupado para sentir nostalgia.

Patton French había convocado una reunión del comité rector del Dyloft, un formidable desafío logístico que había tardado un mes en resolver. Clay le preguntó por qué no podían tratar por teléfono, por fax o por correo electrónico lo que hubiera, pero French le contestó que a los cinco les convenía pasar un día juntos, en la misma habitación. Y dado que la demanda había sido presentada en Biloxi, quería que todos fueran allí.

Ridley estaba encantada con la idea del viaje. Su trabajo como modelo era cosa del pasado, y dedicaba la mayor parte de su tiempo al gimnasio y a las compras. Clay no tenía nada que decir de lo primero, porque no hacía sino mejorar lo bueno; pero lo segundo no dejaba de preocuparlo, a pesar de que ella se mostraba prudente y podía pasarse toda una tarde comprando y gastando solo una pequeña cantidad.

El mes anterior, tras un largo fin de semana en Nueva York, había vuelto a Washington e ido a casa de él. Ridley pasó la noche allí. No fue la primera vez ni tampoco la última. Aunque nadie había hablado de que ella se fuera a vivir con él, la cosa ocurrió con la mayor naturalidad. Clay no recordaba exactamente en qué preciso momento su cepillo de dientes, su camisón y su lencería aparecieron en la casa. Nunca había visto a Ridley trasladando maletas. Sus objetos personales parecieron materializarse por arte de magia. Ridley no impuso su presencia. Pasó allí tres noches seguidas, haciendo lo que debía y sin cruzarse en su camino. Luego le dijo en voz baja que necesitaba pasar una noche en su propia casa. Durante un par de días ni siquiera se hablaron por teléfono. Pasado ese tiempo, ella regresó.

Jamás hablaban de boda, a pesar de que Clay había comprado joyas y vestidos suficientes para equipar a todo un harén. Ninguno de los dos parecía desear una relación permanente. Ambos disfrutaban de su mutua compañía, pero mantenían el ojo en los del sexo opuesto. Ridley estaba rodeada de un misterio que Clay no deseaba resolver. Era más que guapa, en la cama no estaba mal y no parecía demasiado ávida de dinero, pero tenía muchos secretos.

Lo mismo que él, y el mayor de todos era que, si Rebecca lo llamaba en el momento oportuno, estaba dispuesto a tirarlo todo por la borda —salvo el Gulfstream—, a subirla en el avión y a huir con ella a Marte.

Pero en lugar de eso, lo que iba a hacer era volar con Ridley a Biloxi. Ella había elegido para el viaje una minifalda que le cubría lo imprescindible, aunque no tenía demasiado interés en cubrirlo ya que iban a volar sin más compañía. En algún lugar sobre Virginia del Oeste, a Clay se le ocurrió la idea de echarla en el sofá y atacarla. El pensamiento le duró un rato, pero acabó descartándolo, en parte por frustración. ¿Por qué tenía que ser él invariablemente quien iniciara la diversión? Ella se unía siempre con la mejor disposición, pero jamás tomaba la iniciativa.

Además, tenía el maletín a rebosar de papeles pendientes del comité.

Una limusina los recogió en el aeropuerto de Biloxi y los condujo hasta el puerto, donde los esperaba una lancha rápida. En esos momentos, Patton pasaba la mayor parte del tiempo en su yate, anclado en el golfo, a unas quince millas náuticas de la costa. Se hallaba en pleno proceso de divorcio. Su última esposa quería la mitad de su dinero y todo su pellejo. Según él, la vida era mucho más tranquila en una «barca», como llamaba a su yate de lujo de 60 metros.

French los recibió descalzo y con pantalón corto. Wes Saulsberry y Damon Didier ya se encontraban a bordo y con sus respectivas copas en la mano. Carlos Hernández, de Miami, estaba a punto de llegar. French los acompañó para mostrarles el barco, y durante el recorrido Clay contó al menos ocho marineros impecablemente uniformados de blanco, dispuestos a atenderlos en cualquier cosa que pudieran desear. El barco tenía cinco cubiertas, seis camarotes dobles, le había costado millones de dólares, etc. Ridley corrió a refugiarse en su camarote y a cambiarse de ropa.

Los hombres se reunieron para tomar una copa en «el porche», una pequeña cubierta de madera del nivel superior. French se disponía a ir a juicio, lo cual resultaba algo insólito porque, por regla general, las empresas demandadas preferían soltar el dinero por miedo a lo que pudiera ocurrir. Mientras bebían una ronda de vodka, French les confesó que estaba deseando empezar y comenzó a aburrirlos a todos con los detalles hasta que se interrumpió bruscamente. Acababa de ver algo en una de las cubiertas inferiores. De repente, apareció Ridley sin la parte de arriba del biquini y, a primera vista, también sin la parte de abajo; pero lo cierto era que llevaba una braguita diminuta que parecía sujeta con hilo dental a los lugares adecuados. Los tres hombres de más edad —French, Saulsberry y Didier— se pusieron en pie de un salto y se quedaron boquiabiertos.

—Es europea —explicó Clay, mientras esperaba que alguien sufriera el primer infarto—. Cuando tiene agua cerca, se quita la ropa.

—¡Pues entonces cómprale un barco! —exclamó Saulsberry.

—Mejor aún —intervino French tras recobrar el habla—, ¡que se quede con este!

Ridley alzó la vista, vio el revuelo que estaba produciendo y desapareció. Clay no tuvo la menor duda de que los ocho miembros de la tripulación la estarían siguiendo allí adonde fuera.

—Bueno, ¿dónde estaba? —preguntó French, volviendo a respirar normalmente.

—Habías acabado de contarnos una historia —le recordó Didier.

Una lancha motora se acercó. Era Carlos Hernández, que llegaba acompañado no de una mujer, sino de dos. En cuanto subieron a bordo y French los hubo instalado adecuadamente, Carlos se reunió con los demás en «el porche».

—¿Quiénes son esas chicas? —preguntó Wes.

—Son mis auxiliares jurídicas —repuso Hernández.

—Pues no las conviertas en socias del bufete —le advirtió French.

Estuvieron un rato hablando de mujeres. Estaba claro que todos habían pasado por más de una esposa. Seguramente por eso seguían trabajando tanto. Clay no abrió la boca y se dedicó enteramente a escuchar.

—¿Qué pasa con el Maxatil? —quiso saber Hernández—. He reunido unos mil casos y no sé muy bien qué hacer con ellos.

—¿Me estáis preguntando qué debéis hacer con vuestros casos? —preguntó Clay perplejo.

—¿Cuántos tienes? —inquirió French.

De repente, el ambiente había cambiado radicalmente. La conversación iba en serio.

—Veinte mil —dijo Clay, echándose un farol.

La verdad era que no sabía a ciencia cierta cuántos había conseguido, pero ¿qué importancia tenía para aquellos reyes de las demandas colectivas si exageraba un poco?

—Pues yo he presentado una demanda con los míos —comentó Hernández—. Establecer la relación de causalidad puede convertirse en un problema.

Clay estaba harto de escuchar aquellas palabras. Se había pasado cuatro meses esperando que algún otro pez gordo de las acciones conjuntas se lanzara contra el Maxatil.

—Es un caso que sigue sin gustarme —reconoció French—. Ayer estuve hablando con Scotty Gaines, de Dallas. Tiene dos mil casos, pero tampoco sabe qué hacer con ellos.

—La verdad es que resulta muy difícil establecer una relación causa-efecto basada únicamente en un estudio —intervino Didier, mirando a Clay como si le estuviera soltando un sermón—. A mí tampoco me gusta.

—El problema es que las enfermedades causadas por el Maxatil también las causan otros factores —comentó Hernández—. He hecho que cuatro expertos analicen el maldito medicamento, y todos dicen que, cuando una mujer que toma Maxatil padece un cáncer de mama, resulta imposible atribuirlo a la administración del medicamento.

—¿Se sabe algo de Goffman? —preguntó French.

Clay, que lo que deseaba en esos momentos era lanzarse por la borda, bebió un trago de vodka y procuró dar la impresión de tener a la empresa en el punto de mira.

—Nada —contestó—. El proceso de presentación de pruebas acaba de empezar. Supongo que todos estamos pendientes de ver qué hace Mooneyham.

—Precisamente ayer estuve hablando con él —comentó Saulsberry.

A ninguno de ellos le gustaba el Maxatil, pero tampoco lo perdían de vista.

En su breve trayectoria como abogado especializado en daños y perjuicios, Clay había descubierto que para ellos no había mayor temor que dejar escapar un asunto importante. Y el Dyloft le había enseñado que la mayor emoción que se podía experimentar consistía en lanzar un ataque por sorpresa mientras todos los demás estaban papando moscas.

—Conozco bien a Mooneyham —dijo Saulsberry—. Hace años intervinimos juntos en algunos juicios.

—Es un fanfarrón —declaró French, como si la mayor cualidad de un abogado especializado en demandas colectivas fuera la discreción, y el hecho de que alguien fuera un bocazas constituyese una deshonra para la profesión.

—Sí, pero es muy bueno. El tío lleva veinte años sin perder un juicio.

—Veintiuno —puntualizó Clay—. Al menos eso fue lo que me dijo.

—Bueno, los que sean —sentenció Saulsberry, en cuya opinión había cosas más importantes de que hablar—. Tienes razón, Clay. Todo el mundo está pendiente de Mooneyham; incluso Goffman. El juicio se ha fijado para septiembre. Los de Goffman dicen que quieren ir a juicio. Si Mooneyham puede unir todos los cabos y demostrar que existe una relación de causalidad, y por ende establecer la responsabilidad de la empresa, hay muchas posibilidades de que Goffman acabe elaborando un plan nacional de daños. Pero si el jurado se pone del lado de la empresa, se armará una buena porque Goffman no querrá pagar un centavo a nadie.

—¿Eso lo dice el propio Mooneyham? —preguntó French.

—Sí.

—Es un bocazas.

—Bueno, a mí me han dicho lo mismo —intervino Hernández—. Tengo una fuente de información que me ha contado lo mismo que está diciendo Wes.

—Yo jamás he oído hablar de un demandado que quiera ir a juicio —dijo French.

—Los de Goffman son duros de pelar —comentó Didier—. Yo los demandé hará unos quince años. Si consigues demostrar que tienen responsabilidad, aceptarán un acuerdo razonable de indemnización por daños y perjuicios. De lo contrario, estarás jodido.

Una vez más, Clay tuvo ganas de lanzarse al mar. Por suerte, el Maxatil quedó olvidado por completo cuando las dos auxiliares cubanas que habían llegado con Hernández aparecieron en la cubierta inferior muy ligeras de ropa.

—¡Auxiliares jurídicas! ¡Y un cuerno! —exclamó French, forzando la vista para verlas mejor.

—¿Cuál es la tuya? —preguntó Saulsberry, inclinándose hacia delante en su silla.

—Están todas a vuestra disposición, amigos —explicó Hernández—. Son profesionales de las buenas. Las he traído como regalo. Nos las podemos ir turnando, si os parece.

Poco antes del amanecer, estalló una tormenta que rompió el silencio del yate. French, con una resaca descomunal y una de las cubanas bajo las sábanas, llamó al capitán desde la cama y le ordenó regresar a puerto. El desayuno se canceló, lo cual careció de importancia porque nadie tenía apetito. La cena había sido un maratón de cuatro horas amenizado por todo tipo de batallitas judiciales, chistes verdes y las consabidas peleas de última hora provocadas por el exceso de alcohol. Clay y Ridley se retiraron temprano y cerraron la puerta del camarote con doble vuelta.

Mientras el yate permanecía amarrado en el puerto de Biloxi, esperando a que pasara el temporal, los miembros del comité directivo se las arreglaron para repasar los asuntos pendientes del Dyloft. Había varias instrucciones dirigidas al administrador de la acción colectiva y docenas de espacios en blanco que rellenar con las correspondientes firmas. Cuando terminaron, Clay se sentía mareado y solo pensaba en bajar a tierra.

Entre tanto papeleo, los miembros del comité no se olvidaron del calendario de honorarios pendientes. Clay —o más exactamente, su bufete— no tardaría en percibir otros cuatro millones de dólares. No estaba mal, pero dudaba que se diera cuenta cuando llegaran. Supondrían un alivio para la cuenta de gastos, pero solo temporal.

Al menos le servirían para quitarse a Crittle de encima por un tiempo. El pobre contable paseaba por los pasillos igual que un padre aguardando el nacimiento de un hijo, solo que, en su caso, lo que esperaba ver eran honorarios.

Nunca más, nunca más, se dijo Clay cuando bajó del yate. Jamás volvería a pasar una noche con gente que no fuera de su gusto. Una limusina los llevó al aeropuerto. Desde allí, el Gulfstream los trasladó al Caribe.

Habían alquilado la mansión para toda una semana; no obstante, Clay dudaba que fuera a estar tanto tiempo alejado del despacho. La casa se hallaba situada en la loma de una colina desde donde dominaba el animado puerto de Gustavia, un lugar lleno de turistas y de todo tipo de barcos que entraban y salían. Ridley la había encontrado en el catálogo de una empresa que se dedicaba exclusivamente al alquiler de propiedades de lujo. Era una vivienda muy bonita, construida siguiendo el estilo colonial caribeño, con sus tejados de teja roja, amplios porches y largas verandas. Tenía más dormitorios y cuartos de baño de los que se podían contar y una plantilla de servicio compuesta por un cocinero, dos sirvientas y un jardinero. Se instalaron rápidamente, y Clay se entretuvo un rato hojeando los catálogos de las agencias inmobiliarias que alguien había sido tan amable de dejar en la casa.

Su primer contacto con una playa nudista resultó una gran decepción. La primera mujer que vio fue una venerable abuela más arrugada que una pasa a quien alguien habría hecho un favor si le hubiera aconsejado que se tapase más y enseñase menos; la cosa empeoró cuando pasó su marido, con un sarpullido en el culo y una tripa tan colgante que le cubría las partes. Si aquello era nudismo... En cambio, Ridley estaba en su elemento, correteando por la playa mientras las cabezas se volvían a su paso. Al cabo de unas horas retozando en la arena, se alejaron del calor y disfrutaron de un almuerzo de dos horas en un estupendo restaurante francés. Todos los restaurantes buenos de la isla eran franceses, y los había por todas partes.

Gustavia resultaba un sitio muy animado. Hacía mucho calor y no era temporada alta, pero parecía como si nadie hubiera avisado a los turistas de ese detalle. Estos abarrotaban las aceras, mientras paseaban de tienda en tienda, y también las calles, conduciendo lentamente sus descapotables y sus pequeños automóviles. El puerto era un hervidero de pequeños barcos de pesca que sorteaban constantemente los yates de los ricos y famosos.

Si Mustique era un lugar discreto y exclusivo, en San Bartolomé había demasiadas casas y demasiada gente. Aun así, seguía siendo una isla muy agradable. A Clay le gustaban las dos, pero Ridley, que empezaba a mostrar un marcado interés por las mansiones en venta, prefería San Bartolomé por los comercios y la comida. Le gustaban los lugares con gente, donde pudiera levantar admiración a su paso.

Al cabo de tres días, Clay se quitó el reloj y empezó a dormir en una de las hamacas del porche. Ridley leía libros y pasaba horas viendo películas. El aburrimiento estaba empezando a instalarse cuando Jarrett Carter llegó a Gustavia a bordo de su flamante catamarán, el *Ex-Litigator*. Clay estaba esperándolo en el bar del muelle, tomándose un refresco, cuando atracó.

La tripulación del barco la formaban una mujer alemana de unos cuarenta años, con unas piernas tan largas como las de Ridley, y un pícaro escocés llamado MacKenzie, que era su instructor de navegación. Jarrett presentó a Irmgard, la mujer, como su «compañera», lo cual, en términos náuticos, resultaba de lo más impreciso. Clay los hizo subir a un todoterreno y los condujo a la mansión, donde se dieron una ducha interminable y tomaron una copa mientras el sol se ponía en el horizonte.

MacKenzie se pasó con el bourbon y no tardó en quedarse dormido y roncando en una hamaca.

El negocio de alquilar el velero había sido tan flojo como el de alquilar el avión. El *Ex-Litigator* había navegado cuatro veces en seis meses. Su singladura más larga había sido ir desde Nassau hasta Aruba y volver; tres semanas que habían costado 30.000 dólares a un matrimonio de ingleses jubilados. La travesía más corta había sido un salto hasta Jamaica, donde habían estado a punto de perder el catamarán en una tormenta. Suerte que un sobrio MacKenzie había salvado el barco. En otra ocasión, cerca de Cuba, se habían topado con unos piratas. Las anécdotas se sucedieron una tras otra.

Como era previsible, Jarrett quedó deslumbrado por Ridley y se sintió orgulloso de su hijo. Irmgard parecía contentarse con beber y fumar mientras contemplaba las luces de Gustavia.

Después de la cena, y cuando las mujeres ya se habían ido a la cama, Clay y su padre se acomodaron en otro porche para tomarse una última copa.

—¿De dónde la has sacado? —le preguntó Jarrett.

Clay le hizo un breve resumen de la situación. En ese momento se podía decir que vivían prácticamente juntos, pero ninguno de los dos había hablado de ir más allá que eso. Irmgard también era una relación temporal.

En cuanto al tema profesional, Jarrett tenía un montón de preguntas que hacer a su hijo. Estaba preocupado por las dimensiones que estaba adquiriendo el bufete de Clay y se sentía obligado a darle consejos que nadie le había pedido sobre cómo llevarlo. Clay lo escuchó pacientemente. El catamarán disponía de un ordenador con conexión a internet, de modo que Jarrett estaba al tanto de la demanda del Maxatil y de lo mal que la prensa la había recibido. Cuando Clay le explicó que había reunido casi 20.000 casos, su padre le dijo que eran demasiados para que pudiera llevarlos un solo bufete.

—Me temo que no entiendes demasiado de demandas conjuntas —repuso Clay.

—A mí me suena más a riesgo conjunto —replicó Jarrett—. ¿Cuál es tu cobertura en caso de prácticas abusivas o contrarias a la ética?

—Diez millones de dólares.

—No es suficiente.

—Es lo máximo que he conseguido sacarle a la compañía de seguros. Tranquilo, papá. Sé qué estoy haciendo.

Jarrett no tenía argumentos contra el éxito de su hijo. El dinero que Clay estaba ganando le hacía añorar sus días de gloria en los tribunales. Todavía podía oír aquellas palabras mágicas, pronunciadas por el portavoz del jurado: «Señoría, nosotros, el jurado, fallamos a favor del demandante y le concedemos una indemnización en concepto de daños y perjuicios por valor de diez millones de dólares». Entonces, él, Jarrett Carter, daba un abrazo a su cliente, hacía algún comentario amable al abogado de la parte contraria y salía de la sala con otro trofeo bajo el brazo.

Estuvieron bebiendo en silencio y contemplando la noche un rato. Los dos necesitaban descansar. Jarrett se levantó y caminó hasta el borde del porche.

—¿Piensas alguna vez en ese chico negro —preguntó, sin volverse—, el que se puso a disparar sin saber por qué?

—¿Te refieres a Tequila Watson?

—Sí. Me hablaste de él en Nassau, cuando compramos el catamarán.

—A veces. A veces pienso en él.

—Me alegro, hijo. El dinero no lo es todo en esta vida.

Y dicho eso, Jarrett Carter se fue a la cama.

La excursión alrededor de la isla les llevó casi todo el día. Jarrett, que era el capitán, parecía comprender los principios básicos de funcionamiento del catamarán y cómo reaccionaba con el viento; pero, de no haber sido por MacKenzie, se habrían perdido en el mar y nunca más se habría vuelto a saber de ellos. Jarrett se esforzaba cuanto podía con el barco, pero también se dejaba distraer por Ridley, que se pasó el día tostándose desnuda al sol. Jarrett no podía quitarle los ojos de encima, y tampoco MacKenzie, pero este último era capaz de gobernar el catamarán con los ojos cerrados.

Fondearon para comer en una apartada cala del norte de la isla. Cerca de San Martín, Clay se hizo cargo del timón mientras su padre se tomaba una cerveza. Llevaba casi ocho horas medio mareado, y tener que hacerse cargo del timón no mejoró su estado. La vida a bordo de un barco no era para él. La idea de navegar por el mundo carecía de cualquier romanticismo, y estaba seguro de que acabaría vomitando en todos los océanos del planeta. Sin dudarlo, prefería los aviones.

Tras pasar dos noches en tierra, Jarrett ya estaba deseando hacerse a la mar. Se despidieron a la mañana siguiente, temprano, y Clay vio cómo el catamarán salía del puerto de Gustavia sin rumbo fijo. Incluso llegó a oír cómo su padre y MacKenzie discutían mientras se adentraban en el mar.

Nunca supo cómo había aparecido la agente inmobiliaria ante la puerta de su casa, pero allí estaba cuado él regresó del puerto, una francesa encantadora que charlaba con Ridley mientras las dos se tomaban un café. Les explicó que estaba dando una vuelta por el vecindario y que solo se había presentado para comprobar que todo estuviera en orden en la casa, que era propiedad de uno de sus clientes, un matrimonio canadiense que estaba en pleno proceso de divorcio.

—¿Cómo va todo? —les preguntó.

—No podría ir mejor —contestó Clay tomando asiento—. Es una casa estupenda.

—¿Verdad que sí? —repuso la agente, entusiasmada—. Es una de nuestras mejores propiedades. Acababa de contarle a Ridley que ese matrimonio la mandó construir hace cuatro años y que, desde entonces, solo han estado aquí un par de veces. La empresa de él empezó a ir mal, y ella se fue con un médico. En fin, un desastre. El caso es que la han puesto en venta a un precio muy interesante.

Ridley le lanzó una mirada cómplice, y Clay hizo la pregunta que todos esperaban y que había quedado en el aire.

—¿Cuánto?

—Solo tres millones. Empezaron en cinco, pero el mercado está un poco flojo en estos momentos.

Cuando la agente inmobiliaria se marchó, Ridley se lanzó sobre Clay en el dormitorio. El sexo matutino no era lo corriente, pero se dieron un buen revolcón. Y lo mismo por la tarde. Durante la cena, Ridley no le quitó las manos de encima. La sesión nocturna empezó en la piscina, siguió en el jacuzzi y terminó en el dormitorio. Al día siguiente, la agente inmobiliaria volvió antes del almuerzo.

Clay estaba agotado y no del mejor humor para comprar mansiones, pero Ridley deseaba aquella casa más que cualquier otra cosa que hubiera deseado, de manera que Clay la compró. La verdad era que el precio resultaba muy bajo. Se trataba de una ganga, porque el mercado sin duda volvería a subir. Entonces podría revenderla y obtener una buena plusvalía.

Mientras tramitaban los papeles, Ridley le preguntó en privado si no sería mejor, por razones fiscales, que Clay pusiera la casa a nombre de ella. Él tuvo la impresión de que Ridley sabía tanto del régimen fiscal estadounidense y francés como él del derecho de sucesiones georgiano, si es que existía. ¡Y un carajo!, exclamó para sus adentros, aunque a Ridley le contestó muy educadamente que no era conveniente hacerlo, precisamente por motivos fiscales.

Ella pareció disgustarse, pero el enfado se le pasó tan pronto como se hizo cargo de la mansión. Clay se dirigió a uno de los bancos de Gustavia, solo, y desde allí realizó una transferencia de una de sus cuentas en el extranjero. Cuando se reunió con el abogado de la agencia inmobiliaria lo hizo sin la compañía de Ridley.

—Me gustaría quedarme unos días —le dijo ella mientras pasaban la tarde tumbados en el porche.

Él tenía previsto regresar a la mañana siguiente y había dado por hecho que Ridley lo acompañaría.

—Me gustaría poner la casa un poco en orden —prosiguió diciendo—, ya sabes, llamar al decorador y esas cosas. Relajarme unas semanas.

Por qué no, pensó Clay; ya que acabo de comprar la maldita casa, será mejor que alguien la use.

Volvió a Washington solo y, por primera vez en varias semanas, disfrutó de la soledad de su casa de Georgetown.

Joel Hanna llevaba varios días considerando una intervención en solitario: él a un lado de la mesa, frente a un pequeño ejército de abogados con sus respectivos ayudantes. Tenía que presentarles el plan de viabilidad de la empresa, y para eso no necesitaba ayuda, puesto que era obra suya.

Sin embargo, Babcock, el abogado de la compañía de seguros, había insistido en estar presente. Su cliente iba a presentarse en primera línea de batalla por cinco millones de dólares, de modo que Joel no tuvo argumentos para disuadirlo.

Entraron juntos en el inmueble de la avenida Connecticut. El ascensor se detuvo en el cuarto piso y entraron en las lujosas oficinas del bufete de J. Clay Carter II. El logotipo JCC se anunciaba al mundo en grandes letras de bronce que colgaban de las paredes revestidas de cerezo y caoba. El mobiliario de la recepción era elegante e italiano. Una atractiva joven rubia, sentada tras un escritorio de madera y acero cromado, les dio la bienvenida con una eficiente sonrisa y los acompañó a una sala situada al fondo del pasillo. Un abogado llamado Wyatt los recibió en la puerta, los hizo pasar y les presentó a los demás que ya estaban dentro. Mientras Joel y Babcock tomaban asiento y sacaban sus papeles, apareció de la nada otra escultural joven que les preguntó si deseaban café y se lo sirvió en tazas de porcelana con cubiertos de plata. Cuando todo el mundo estuvo listo y la situación no podía estar más a punto, Wyatt dijo a su ayudante en tono brusco:

—Avisa a Clay que estamos todos.

Transcurrió un minuto de incómodo silencio mientras don JCC los hacía esperar. Al fin entró precipitadamente, en mangas de camisa, hablando con su secretaria por encima del hombro. La perfecta imagen del hombre ocupado. Se acercó directamente a Joel Hanna y a Babcock y se presentó, como si todos ellos estuvieran allí por gusto, dispuestos a defender el bien general. Luego ocupó su lugar de mando entre sus colaboradores, a dos metros y medio de distancia.

Este tío ganó cien millones el año pasado, no pudo evitar pensar Joel Hanna.

Babcock tuvo la misma ocurrencia, pero le añadió el detalle de que JCC nunca había actuado ante un tribunal en una demanda civil. Aunque había pasado cinco años ocupándose de los delincuentes que le asignaba la OTO, nunca había pedido un céntimo en concepto de indemnización a un jurado. A pesar de todo aquel teatro, creyó apreciar señales de nerviosismo.

—Bien —dijo JCC—, ustedes nos han dicho que tienen un plan. Oigámoslo.

El plan de viabilidad era bastante sencillo. La empresa estaba dispuesta a reconocer —y solo para los fines de aquella reunión— que había fabricado un lote de cemento defectuoso y que, por ello, un número indeterminado de viviendas de Baltimore tenían que ser reconstruidas. Para ello se hacía necesario crear un fondo de indemnización destinado a compensar a los propietarios de las viviendas afectadas pero que, al mismo tiempo, no asfixiara a la compañía hasta el punto de arruinarla. A pesar de la sencillez del plan, Joel tardó media hora en exponerlo en su totalidad.

Luego Babcock habló en nombre de la compañía aseguradora y reconoció que la empresa contaba con una cobertura de seguros de cinco millones, información que casi nunca desvelaba tan pronto. Su cliente y la empresa demandada participarían en el fondo propuesto.

Joel Hanna explicó que su empresa andaba corta de tesorería, pero que estaba dispuesta a endeudarse fuertemente para compensar a las víctimas.

—El error lo cometimos nosotros, y tenemos intención de remediarlo —repitió en más de una ocasión.

—¿Sabe exactamente cuál es el número de viviendas afectadas? —preguntó Clay mientras todos y cada uno de sus lacayos tomaban notas.

—Novecientas veintidós —contestó Joel—. Hemos ido a ver a los mayoristas, luego a los contratistas y, finalmente, a los subcontratistas. Creo que el número es correcto, aunque podría haber una desviación de un cinco por ciento.

JCC escribió algo y comentó:

—Por consiguiente, si damos por buena una cantidad de veinticinco mil dólares para resarcir a cada demandante, el total sumaría algo más de veintitrés millones de dólares.

—Estamos convencidos de que el arreglo de las viviendas no superará los veinte mil dólares —declaró Joel.

Uno de los ayudantes entregó un documento a JCC.

—Disponemos de informes elaborados por cuatro contratistas distintos del condado de Howard. Cada uno de ellos ha examinado los daños por separado y nos ha enviado su correspondiente presupuesto. El más económico es de dieciocho mil novecientos dólares, y el más caro de veintiún mil. El promedio es, por tanto, de veinte mil.

—Me gustaría ver esos presupuestos —dijo Joel.

—Puede que más adelante. Además, hay que tener en cuenta otros daños. Los propietarios de dichas viviendas tienen derecho a ser resarcidos por su frustración, su desconcierto, el menoscabo en el goce de su legítima propiedad y la angustia sufrida. Uno de nuestros clientes sufre graves jaquecas por lo ocurrido. Otro perdió una lucrativa oportunidad para vender su casa por culpa del desprendimiento de los ladrillos.

—Nosotros hemos elaborado unos presupuestos que rondan los doce mil dólares —replicó Joel.

Quince mil dólares era una solución de justo compromiso que permitiría reponer los ladrillos en todas las casas, pero que solo dejaría disponibles para los demandantes 9.000 dólares una vez que JCC hubiera deducido su 30 por ciento. Y 10.000 dólares solo servirían para retirar los ladrillos viejos y llevar los nuevos a las obras, pero no bastarían para pagar a los albañiles. De hecho, 10.000 dólares no harían más que empeorar la situación porque dejarían las casas a medio terminar y con los jardines llenos de tochos viejos y material de obra sin que hubiera nadie para terminarla.

Novecientos veintidós casos a 5.000 dólares cada uno sumaban 4.600.000 dólares en concepto de honorarios. JCC hizo unos rápidos cálculos y se sorprendió de lo bien que se le daba añadir ceros. El 90 por ciento de dicha cantidad sería para él, puesto que tendría que compartirla con unos pocos abogados que se habían unido a la demanda en el último momento. Como honorarios no estaban mal. Cubrirían ampliamente el precio de la mansión de San Bartolomé, de donde Ridley no parecía tener intención de marcharse, pero, una vez deducidos los impuestos, no le quedaría prácticamente nada.

Con 15.000 dólares por demandante, Hanna lograría sobrevivir. Descontando los cinco millones aportados por la aseguradora, la empresa podría desembolsar unos dos millones que tenía en su tesorería, destinados a la renovación de equipos de la fábrica. Se necesitaba un fondo de unos quince millones para cubrir todas las reclamaciones. Los ocho millones que faltaban podían obtenerlos de distintos bancos de Pittsburg. Sin embargo, esa era una información que Babcock y Joel se guardaron muy mucho de desvelar. Al fin y al cabo, aquella era solo la primera reunión y no había que jugarse todas las cartas.

Al final, la cuestión se reduciría a la cantidad que JCC exigiera a cambio de su trabajo. Podía optar por negociar un buen acuerdo, puede que reduciendo un poco su porcentaje, al mismo tiempo que defendía a sus clientes, no hundía a la empresa y lo consideraba un éxito.

O bien podía decidirse por la línea dura, en cuyo caso todos lo pasarían mal.

32

La voz de la señorita Glick sonó un tanto atribulada a través del intercomunicador.

—Acaban de llegar dos hombres, Clay —dijo casi en un susurro—. Son del FBI.

Quienes eran nuevos en el gran juego de las demandas colectivas a menudo miraban por encima del hombro, como si estuvieran haciendo algo que bordeara la ilegalidad. Sin embargo, con el tiempo, sus pellejos se endurecían tanto que llegaban a creer que los tenían de teflón. Clay dio un respingo al oír las iniciales «FBI», pero enseguida se rió de su propia cobardía. Desde luego, no había hecho nada malo.

Era como si acabaran de sacarlos del molde: dos jóvenes y pulcros agentes que mostraban sus credenciales con la rapidez suficiente para impresionar a quienes los observaban. El negro era el agente Spooner; y el blanco, el agente Lohse, que se pronunciaba algo así como «luush». Los dos se desabrocharon la chaqueta al mismo tiempo cuando se sentaron en los sillones del «rincón de los poderosos» del despacho de Clay.

—¿Conoce usted a un individuo que responde al nombre de Martin Grace? —empezó preguntando Spooner.

—No.

—¿Y al de Mike Packer?

—No.

—¿Y al de Nelson Martin?

—No.

—¿Y al de Max Pace?

—Sí. A ese sí.

—Bien, corresponden todos a la misma persona —le aclaró Spooner—. ¿Tiene usted idea de dónde puede estar?

—Ni la más remota.

—¿Cuándo fue la última vez que lo vio?

Clay se levantó, fue a su mesa, cogió un calendario y regresó a su asiento.

—Veamos...

Estuvo callado unos segundos mientras ponía en orden sus pensamientos. No estaba obligado bajo ningún concepto a contestar las preguntas de aquellos individuos. Podía ordenarles que se marcharan cuando le diera la gana y obligarlos a volver cuando lo acompañara su abogado. Era precisamente lo que pensaba hacer si mencionaban el Tarvan.

—No estoy seguro —contestó pasando las hojas—. Creo que fue hace varios meses, en febrero o algo así.

Lohse era el que anotaba; Spooner el que preguntaba.

—¿Dónde se vieron?

—Cenamos en su hotel.

—¿Qué hotel?

—No lo recuerdo. ¿Podrían decirme por qué están interesados en Max Pace?

Los dos agentes intercambiaron una mirada. Fue Spooner quien contestó.

—Esto forma parte de una investigación de la Comisión de Valores. Pace tiene un largo historial de fraude bursátil y uso indebido de información privilegiada. ¿Está usted al corriente de sus antecedentes?

—La verdad es que no. Nunca fue muy explícito.

—¿Cómo y por qué se conocieron?

Clay dejó el calendario en la mesita de café y se recostó en el sillón.

—Digamos que fue por un asunto de negocios.

—La mayoría de los que han hecho negocios con él han acabado en la cárcel. Será mejor que piense en otra cosa.

—Miren, ya basta. ¿A qué han venido?

—Estamos investigando a testigos. Sabemos que pasó un tiempo en Washington y también que fue verlo a usted a Mustique las Navidades pasadas. Sabemos que en enero vendió un paquete de acciones de Goffman a sesenta y dos con veinticinco el día antes de que usted presentara su gran demanda. Volvió a comprarlo a cuarenta y cinco y se embolsó unos cuantos millones. Creemos que Pace tuvo acceso a un informe confidencial del gobierno sobre un medicamento fabricado por Goffman que se llama Maxatil y que utilizó dicha información con fines fraudulentos.

—¿Algo más?

Lohse dejó de escribir.

—¿Vendió usted acciones de Goffman antes de presentar la demanda? —le preguntó a bocajarro.

—No.

—¿Ha tenido alguna vez acciones de Goffman?

—No.

—¿Las han tenido familiares suyos, socios o sociedades controladas por usted?

—No, no y no.

Lohse se guardó el bolígrafo en el bolsillo. Los buenos polis no alargaban demasiado un primer interrogatorio. Era mejor dejar que el testigo, el objetivo o el sujeto sudara un poco, se pusiera nervioso y quizá cometiera una tontería. El segundo sería más largo y más duro.

Se levantaron y fueron hacia la puerta.

—Si tiene noticias de Pace nos gustaría que nos lo comunicara —dijo Spooner.

—No cuente con ello —contestó Clay, que sabía que no podría traicionar a Pace. Ambos compartían demasiados secretos.

—Pues la verdad es que sí contamos con ello, señor Carter. En nuestra próxima visita hablaremos de Ackerman Labs.

Después de dos años y 8.000 millones de dólares desembolsados en concepto de indemnización por daños y perjuicios, Healthy Living acabó por arrojar la toalla. La empresa opinaba que se había esforzado de buena fe en remediar y compensar los efectos perniciosos de la pesadilla de las píldoras de adelgazamiento Skinny Ben. Había intentado valientemente compensar al aproximadamente medio millón de personas afectadas que habían hecho caso de las agresivas campañas publicitarias y habían acabado tomándolas; había soportado estoicamente los brutales ataques de los tiburones especializados en demandas colectivas y los había hecho ricos.

Destrozada, vapuleada y al borde de la quiebra, la empresa había logrado recuperarse, pero ya no podía aguantar más. La gota que había colmado el vaso eran dos descabelladas demandas colectivas presentadas por unos abogados aun más turbios que los anteriores que actuaban en nombre de varios miles de «pacientes» que habían tomado Skinny Ben, pero sin sufrir efectos perniciosos. Exigían para ellos millones de dólares en concepto de resarcimiento de daños por el simple hecho de haber tomado las píldoras, estar preocupados por ese motivo y quizá seguir estándolo el resto de sus vidas, con el consiguiente perjuicio para su de por sí delicada salud emocional.

Healthy Living se declaró en quiebra al amparo de la legislación concursal y se libró del último desastre. Tres de sus divisiones estaban implicadas, de modo que la compañía no tardó en dejar de existir. Dijo adiós a los abogados de este mundo y a sus clientes y se disolvió.

La noticia resultó todo un sobresalto para el mundo económico, pero el colectivo más sorprendido fue el de los abogados especialistas en demandas colectivas. Por fin habían logrado matar a la gallina de los huevos de oro.

Oscar Mulrooney se enteró de la noticia en internet y corrió a cerrar la puerta de su despacho. Impulsado por sus visionarios planes, el bufete se había gastado 2.200 millones de dólares en campañas de publicidad y en pruebas médicas que les habían proporcionado 215 casos de pleno derecho. Con un promedio de 180.000 dólares por caso, el total representaba al menos 15 millones en concepto de honorarios, cantidad que sería la base para una muy esperada gratificación de final de ejercicio.

Sin embargo, en los tres últimos meses no había conseguido que sus demandas recibieran el visto bueno del administrador de la acción conjunta. Corrían rumores de importantes disensiones entre los incontables grupos de abogados y demandantes. Otros estaban teniendo problemas a la hora de cobrar un dinero que se suponía debía estar disponible.

Se pasó una hora al teléfono, sudando, llamando a otros abogados de la demanda colectiva, intentando hablar con el administrador y, finalmente, con el juez. Un abogado de Nashville que había presentado un centenar bastante antes que él le confirmó sus peores temores.

—Estamos jodidos —le dijo—. Healthy Living tiene un pasivo cuatro veces superior a su activo y no dispone de efectivo.

Oscar procuró serenarse. Se ajustó la corbata, se abrochó las mangas de la camisa y fue a decírselo a Clay.

Una hora después, preparó una carta para cada uno de sus 215 clientes. En ella no les daba ninguna falsa esperanza. La situación tenía muy mal aspecto. El bufete seguiría de cerca el proceso de quiebra y la actuación de la empresa, y se comprometía a buscar activamente cualquier otro medio de compensación.

Pero había muy pocos motivos para mostrarse optimista.

Nora Tackett recibió la carta dos días después. Dado que el cartero la conocía, sabía que ella había cambiado de domicilio. En esos momentos, Nora vivía en una caravana nueva y mucho más grande, cerca de la ciudad. Como de costumbre, estaba viendo culebrones en su nueva televisión panorámica y comiendo galletas bajas en calorías cuando el cartero le metió en el buzón una carta de un bufete de abogados, tres facturas y dos folletos publicitarios. Había estado recibiendo un montón de correspondencia de abogados pertenecientes a Washington, y toda la gente de Larkin sabía por qué. Al principio habían corrido rumores de que su acuerdo de indemnización con la empresa fabricante de las píldoras podía alcanzar los 100.000 dólares; luego ella comentó al director de la sucursal bancaria del pueblo que incluso podía llegar a los 200.000. La suma fue creciendo a medida que fue pasando de boca en boca entre los habitantes de Larkin.

Earl Leter, al sur del pueblo, le vendió una caravana nueva con la certeza de que Nora cobraría casi un cuarto de millón en cualquier momento. Además, su hermana MaryBeth había firmado un pagaré a noventa días.

El cartero sabía de buena tinta que el dinero estaba causando verdaderos problemas a Nora. Todos los Tackett del condado la llamaban para pedirle dinero, y a sus hijos —mejor dicho, a los niños que tenía a su cargo— los llevaban de cabeza en el colegio porque su madre era muy rica y muy gorda. Su padre, un tipo al que nadie había visto por el pueblo en más de dos años, había aparecido de nuevo y no dejaba de repetir a quien quisiera escucharlo que Nora era la mejor esposa del mundo. El padre de Nora había amenazado con matarlo, y esa era otra de las razones por las que ella permanecía encerrada en su caravana.

Sin embargo, las facturas impagadas se iban acumulando, y el viernes anterior alguien del banco había comentado que no había indicios de ninguna indemnización a la vista. ¿Dónde estaba el dinero de Nora? Esa era la gran pregunta que flotaba en Larkin. Quizá fuera aquel grueso sobre...

Nora salió a duras penas de la caravana una hora más tarde, después de haberse asegurado de no había nadie por los alrededores; recogió el correo y regresó apresuradamente al interior de su refugio con ruedas. Sus llamadas al señor Mulrooney no obtuvieron respuesta. Su secretaria le dijo que se encontraba fuera de la ciudad.

La reunión se celebró bien entrada la noche, cuando Clay se disponía a abandonar el despacho. Empezó con un asunto desagradable y no mejoró.

Crittle entró con cara muy seria y anunció:

—La compañía que cubre nuestro seguro de responsabilidad civil nos ha comunicado que va a cancelarnos la póliza.

—¿Qué? —estalló Clay.

—Ya me has oído.

—¿Y por qué me lo dices ahora? Voy a llegar tarde a una cena.

—Porque me he pasado todo el día hablando con ellos.

Clay arrojó la chaqueta al sofá y se acercó a la ventana.

—¿Y se puede saber cuál es la razón?

—Resulta que han hecho una valoración de tu actuación y no les gusta lo que han visto. Los veinticuatro mil casos del Maxatil los tienen asustados. Si algo saliera mal, el riesgo sería excesivo. Entonces sus diez millones de cobertura no serían más que una gota en el océano. Así pues, han decidido abandonar el barco.

—¿Y pueden hacerlo?

—Desde luego que pueden. Una aseguradora puede retirar su cobertura cuando quiera. Tendrán que devolvernos dinero, pero será muy poca cosa. A partir de ahora estamos con el culo al aire. No tenemos cobertura.

—No la necesitamos.

—Te escucho, pero sigo preocupado.

—Si mal no recuerdo, también te preocupaba el caso del Dyloft.

—Es cierto, y me equivoqué.

—Escucha, Rex, te aseguro que también te equivocas ahora con el Maxatil. Cuando Mooneyham haya acabado con Goffman en Flagstaff, la empresa estará deseosa de llegar a un acuerdo. En realidad ya han empezado a poner el dinero a buen recaudo para hacer frente a las indemnizaciones. ¿Tienes idea de lo que pueden llegar a reportarnos esos veinticuatro mil casos?

—Dímelo tú.

—Casi mil millones de dólares, Rex. Y Goffman tiene dinero suficiente para pagarlos.

—Sigo preocupado. ¿Y si pasa algo?

—Ten un poco de fe, amigo mío. Estas cosas llevan su tiempo. El juicio de Flagstaff está fijado para septiembre. Cuando termine, el dinero volverá a llover.

—Nos hemos gastado ocho millones de dólares en anuncios y análisis médicos. ¿No podríamos al menos ir un poco más despacio? ¿Por qué no nos plantamos con los veinticuatro mil casos que tenemos?

—Porque no son suficientes —le respondió Clay con una sonrisa.

Acto seguido, recogió su chaqueta, dio una palmada a Crittle en el hombro y se fue a cenar.

Se suponía que debía encontrarse con un antiguo compañero de la facultad en el Old Ebbitt Grille, a las ocho y media, pero estuvo una hora esperando en la barra hasta que sonó su móvil. Su viejo amigo estaba metido en una reunión que no tenía visos de terminar y le pedía las disculpas de rigor.

Estaba a punto de marcharse del restaurante cuando de repente vio a Rebecca, que cenaba con otras dos mujeres. Volvió sobre sus pasos, recuperó su taburete en la barra y pidió otra cerveza. Era muy consciente de que, una vez más, ella había logrado que se detuviera en seco. Deseaba desesperadamente hablar con ella, pero no quería de ningún modo parecer un intruso. Una visita a los servicios le iría como anillo al dedo.

Cuando pasó junto a la mesa de Rebecca, ella lo miró y le sonrió al instante. Luego le presentó a sus dos amigas, y él les explicó que estaba en el bar esperando a un viejo amigo para cenar, pero que había avisado que iba a tardar.

—Lamento la interrupción. Me alegro mucho de verte.

Un cuarto de hora después, Rebecca se acercó a la abarrotada barra y se hizo un hueco cerca de Clay, muy cerca.

—Solo tengo un minuto. Me están esperando —le dijo, señalando el restaurante con un gesto de cabeza.

—Tienes un aspecto magnífico —comentó Clay, reprimiendo el impulso de abrazarla.

—Y tú también.

—¿Dónde está Myers?

Rebecca se encogió de hombros, como si le importara un bledo.

—Trabajando, siempre está trabajando.

—¿Cómo va tu vida de casada?

—Solitaria. Muy solitaria —contestó ella, apartando la mirada.

Clay tomó un sorbo de su cerveza.

De no haber sido porque estaba en un sitio lleno de gente y con amigas esperándola, Rebecca se lo habría contado todo allí mismo. Tenía tantas cosas que decirle...

Estaba claro que el matrimonio no había funcionado. Clay hizo un esfuerzo para no sonreír.

—Bueno, yo sigo esperando.

Rebecca tenía los ojos empañados cuando se inclinó para darle un beso en la mejilla. Se fue sin pronunciar palabra.

33

El señor Worley se despertó de su desacostumbrada siesta cuando los Orioles iban seis carreras por debajo ni más ni menos que de los Devil Rays, y dudó entre levantarse para ir al lavabo o esperar a la séptima entrada. Había dormido una hora, lo cual no era frecuente en él porque siempre hacía su siesta puntualmente a las dos de la tarde. Los Orioles eran aburridos, pero no lo bastante para hacer que se durmiera.

Sin embargo, después de la pesadilla que había vivido por culpa del Dyloft, procuraba no sobrecargar su vejiga: pocos líquidos, nada de cerveza y ninguna presión en las cañerías. Cada vez que sentía necesidad de ir al baño iba sin vacilar. Además, ¿qué más daba si se perdía algún lanzamiento? Se levantó y fue hasta el aseo que había al final del pasillo, junto al dormitorio, donde su mujer estaba haciendo punto de cruz en la mecedora, actividad que le ocupaba la mayor parte del tiempo. Cerró la puerta tras él, se desabrochó la bragueta y orinó. Una leve sensación de ardor le hizo mirar hacia abajo. Al ver lo que vio estuvo a punto de desmayarse.

Su orina tenía el color del óxido, un color rojizo oscuro. Dio un respingo y se apoyó en la pared con una mano. Cuando acabó de orinar no tiró de la cadena, sino que se sentó un momento en la tapa del inodoro mientras procuraba serenarse.

—¿Qué estás haciendo ahí dentro? —gritó su esposa.

—No es asunto tuyo —replicó él.

—¿Te encuentras bien, Ted?

—Sí, estoy bien.

Pero no, no estaba bien. Levantó la tapa, echó otro vistazo a aquel mensaje de muerte que su cuerpo acababa de entregarle, tiró al fin de la cadena y salió. Los Devil Rays llevaban ya una ventaja de ocho carreras, pero el juego había perdido cualquier importancia que hubiera podido tener para él. Veinte minutos después y después de tres vasos de agua, se escabulló hasta el aseo del sótano y orinó lo más lejos posible de su esposa.

Llegó a la conclusión de que se trataba de sangre. Los tumores habían vuelto y, fueran del tipo que fuesen, estaba claro que eran mucho más graves que antes.

A la mañana siguiente contó la verdad a su esposa, mientras desayunaban. Le habría gustado ahorrarle la noticia cuanto más tiempo mejor, pero estaban demasiado unidos para que hubiera secretos entre los dos. Ella se hizo cargo de la situación en el acto y llamó al urólogo, con quien concertó una cita para aquella misma tarde. La secretaria tuvo que aceptar que se trataba de una urgencia y que el día siguiente no era una fecha de visita aceptable.

Cuatro días más tarde, al señor Worley le localizaban una serie de tumores malignos en los riñones y se los extirpaban en una intervención quirúrgica de cinco horas.

El jefe de urología siguió muy de cerca el caso. Un colega suyo de un hospital de Kansas había tenido un caso idéntico hacía un mes: tumores malignos post-Dyloft en el riñón. En esos momentos, el paciente de Kansas estaba siendo sometido a quimioterapia y agonizaba lentamente.

Aunque cabía esperar algo muy parecido en el caso del señor Worley, el oncólogo se mostró mucho más prudente en su primera visita después de la operación. La señora Worley seguía haciendo punto de cruz mientras se quejaba de la calidad de la comida del hospital, que no cabía esperar que fuera sabrosa, pero, a ese precio, como mínimo, sí caliente. El señor Worley se escondía bajo las sábanas y miraba la televisión. A pesar de que se sentía demasiado deprimido para entablar la menor conversación, cuando el oncólogo llegó, dejó la comida en silencio.

Iban a darle el alta en una semana. Tan pronto como estuviera lo bastante recuperado, empezarían a tratarle el cáncer con métodos agresivos. Cuando la reunión concluyó, el señor Worley estaba hecho un mar de lágrimas.

Durante una conversación con su colega de Kansas, el jefe de urología se enteró de otro caso más. Los tres pacientes habían pertenecido al Grupo 1 de los demandantes del Dyloft. En esos momentos se estaban muriendo. Salió el nombre de cierta abogada. El paciente de Kansas estaba representado por un pequeño bufete de Nueva York.

Para el médico constituyó una agradable e infrecuente oportunidad poder dar el nombre de un abogado para que demandara a otro, y el jefe de urología estaba decidido a disfrutar del momento. Entró en la habitación del señor Worley, se presentó porque todavía no se conocían y le explicó el papel que había jugado en su tratamiento. El señor Worley estaba harto de médicos y, de no haber sido por los tubos que entraban y salían de su maltrecho cuerpo, se habría levantado y se habría dado el alta a sí mismo. La conversación derivó enseguida hacia el Dyloft, después hacia el acuerdo de indemnización y, por último, al jugoso asunto de los honorarios de los abogados. Aquello pareció revivir al anciano, cuyos ojos adquirieron chispa, y color su rostro.

La indemnización, paupérrima como era, había sido pactada en contra de sus deseos: ¡Solo le habían quedado unos miserables cuarenta y tres mil dólares después de que el abogado se hubiera llevado su parte! Había llamado y llamado hasta que al fin consiguió hablar con un listillo que le recomendó que leyera la letra pequeña de lo que había firmado. Allí encontró una cláusula de autorización previa que permitía que su abogado llegara a un acuerdo siempre que la cantidad excediera cierto nivel mínimo. El señor Worley también envió dos indignadas cartas al señor Clay Carter, ninguna de las cuales obtuvo respuesta.

—Yo no estaba de acuerdo con la indemnización —repitió una y otra vez.

—Supongo que ahora es demasiado tarde —repitió una y otra vez la señora Worley.

—Quizá no —repuso el jefe de urología, que les contó el caso del paciente de Kansas, muy similar—. Ese hombre ha contratado a una abogada para que persiga al que fue su abogado —dijo el médico con gran satisfacción.

—Estoy hasta el culo de los abogados —contestó el señor Worley, que opinaba lo mismo de los médicos, pero se abstuvo de decirlo.

—¿Tiene usted el teléfono de esa abogada? —preguntó la señora Worley, que pensaba con más claridad que su marido y que, lamentablemente, contemplaba la situación a un año vista, cuando su marido ya no estuviera con ella.

Resultó que el urólogo, por casualidad, tenía el número en el bolsillo.

Lo único que los abogados especialistas en demandas colectivas temían era a los de su propia especie, a los depredadores, a los traidores que les seguían el rastro para enmendar los errores que habían cometido. Se trataba de una subespecie que había evolucionado en unos pocos letrados, muy buenos y muy implacables, que se lanzaban en pos de sus hermanos cada vez que olfateaban la sangre de un mal acuerdo.

Para una especie que alegaba profesar tanta adoración hacia los tribunales, los especialistas en acciones colectivas se estremecían cada vez que se imaginaban a sí mismos compareciendo ante un jurado mientras sus finanzas eran expuestas ante el público de la sala. Y era Hellen Warshaw quien se encargaba de hacerlo.

Sin embargo, no ocurría a menudo. Los gritos que tanto les gustaban de «¡Vamos a demandar al mundo entero!» y «¡Nos encantan los jurados!», solo se aplicaban a los demás y nunca a ellos. Cuando tenían que enfrentarse a una prueba de responsabilidad no había nadie más dispuesto a llegar a un acuerdo que los abogados de acciones colectivas; nadie, ni siquiera el más culpable de los médicos, procuraba eludir con tanta energía comparecer ante un tribunal.

Warshaw había reunido cuatro casos del Dyloft en su bufete de Nueva York, y tenía otros tres a la vista cuando recibió la llamada de la señora Worley. En su despacho guardaba un abultado expediente sobre Clay Carter y otro más abultado aún sobre Patton French. Seguía la pista de los veinte principales bufetes del país especializados en acciones colectivas, y a una docena de las más importantes demandas colectivas planteadas. Tenía un montón de clientes y cobraba numerosos honorarios, pero nada le interesaba más que la chapuza cometida con el Dyloft.

Tras cinco minutos conversando con la señora Worley, Helen supo exactamente lo que había ocurrido.

—No se preocupe. Estaré ahí antes de las cinco.

—¿De hoy?

—Sí, esta tarde.

Cogió el puente aéreo de Dulles. No tenía reactor privado, y por dos buenas razones: una, era prudente con el dinero y no creía en ese tipo de gasto; dos, si alguna vez llegaban a demandarla, no quería que ningún jurado oyera hablar de un reactor privado. El año anterior, en el único caso que había logrado llevar a juicio, había tenido ocasión de mostrar a los miembros de un jurado las fotos, por dentro y por fuera, del avión del abogado demandado, junto con las de su yate, la casa de Aspen y todo lo demás. El jurado quedó muy impresionado, tanto que concedió veinte millones en concepto de indemnización punitiva.

Alquiló un coche —nada de limusinas— y fue hasta el

hospital de Bethesda. La señora Worley había recogido toda la documentación del caso de su marido, y Helen pasó una hora estudiándola, mientras el señor Worley descansaba. Cuando este despertó, no quiso hablar con ella. No se fiaba de los abogados, y menos aún si era del tipo mujer neoyorquina y agresiva. Sin embargo, su esposa tenía mucho tiempo disponible y le resultó más fácil confiarse a una mujer. Las dos fueron a una sala de espera para tomarse un café y mantener una larga conversación.

El principal culpable era —y siempre sería— Ackerman Labs, que había elaborado un medicamento pernicioso sin probarlo debidamente, acelerado los trámites para su aprobación por parte de las autoridades, y lo había lanzado al mercado con una agresiva campaña publicitaria sin revelar lo que sabía de él. Por si fuera poco, en esos momentos el mundo empezaba a enterarse de que el medicamento tenía unos efectos secundarios aún peores. Helen Warshaw ya había reunido los informes médicos oportunos que demostraban que la reaparición de los tumores se debía al Dyloft.

El segundo culpable era el médico que había recetado el medicamento, aunque en ese caso su responsabilidad no era especialmente grave puesto que no había hecho sino confiar en Ackerman Labs y en su nuevo y milagroso medicamento.

Por desgracia, los dos primeros culpables habían sido plena y totalmente exonerados de cualquier responsabilidad cuando el señor Worley había aceptado el acuerdo de daños y perjuicios resultante de la demanda colectiva presentada en Biloxi. A pesar de que el médico que le había recetado el Dyloft para el tratamiento de la artritis no había sido demandado, quedaba cubierto por el acuerdo global de exención de responsabilidades.

—¡Pero Ted no estaba conforme con ese acuerdo! —protestó la señora Worley más de una vez.

Poco importaba. Lo había aceptado tácitamente, autorizando a su abogado a negociar. Este así lo había hecho y, en consecuencia, se había convertido en el tercer y último culpable, y en el único al que cabía reclamar.

Una semana después, Helen Warshaw presentó una demanda contra J. Clay Carter, F. Patton French, M. Wesley Saulsberry y todos los demás abogados conocidos y desconocidos que habían cerrado un acuerdo prematuro en el caso del Dyloft. El principal demandante volvía a ser el señor Ted Worley, de Upper Marlboro, Maryland, actuando en nombre de los perjudicados conocidos y desconocidos en ese momento. La demanda se presentó ante el Tribunal de Distrito de Estados Unidos de Washington, no lejos del bufete de JCC.

Respetando escrupulosamente las prácticas de los abogados a quienes demandaba, Helen envió copias de su demanda a los principales diarios un cuarto de hora después de haberla presentado ante los tribunales.

Un brusco y antipático agente judicial se presentó ante la recepcionista del bufete de Clay y exigió ver al señor Carter.

—Es urgente —insistió antes de que lo enviaran hasta el final del pasillo para que lidiara con la señorita Glick.

Ella llamó a su jefe, que salió a regañadientes del despacho y se hizo cargo de los papeles que le iban a amargar el día y puede que también el resto del año.

Cuando Clay terminó de leer la demanda, la prensa ya estaba saturando los teléfonos. Oscar Mulrooney lo acompañaba a puerta cerrada.

—Es la primera vez que veo algo así —murmuró Clay, amargamente consciente de que había muchos aspectos del mundo de las acciones colectivas que desconocía por completo.

No tenía nada en contra de una buena emboscada, pero al menos las empresas a las que había demandado eran conscientes de los problemas que las acechaban. Ackerman Labs sabía que el Dyloft era un mal medicamento antes de que llegara a los establecimientos. Hanna Portland Cement Company tenía gente sobre el terreno en el condado de Howard evaluando las primeras reclamaciones. Goffman había sido demandada por Dale Mooneyham por culpa del Maxatil, y tenía más abogados al acecho. Pero aquello era distinto. Clay no tenía ni idea de que Ted Worley hubiera enfermado ni tampoco noticia de que hubiera otros casos parecidos. Sencillamente, no era justo.

Mulrooney se sentía demasiado perplejo para hablar.

Sonó el intercomunicador, y la señorita Glick anunció:

—Clay, acaba de llegar un periodista del *Washington Post*.

—Envíe a la mierda a ese cabrón —gruñó Clay.

—¿Eso es un «no»?

—Eso es un «¡no, demonios!».

—Dígale que Clay ha salido —intervino Mulrooney.

—Y llame a los de seguridad —añadió Clay.

La muerte repentina de un buen amigo no habría provocado un ambiente más sombrío. Hablaron de cómo manejar la situación, de cómo responder y cuándo hacerlo. ¿Convenía que hicieran público ese mismo día un agresivo desmentido? ¿Había que hablar con la prensa?

No decidieron nada porque no podían tomar una decisión. La pelota estaba en tejado ajeno, y ellos pisaban terreno desconocido.

Oscar se ofreció voluntario para hacer correr la noticia por el bufete, dándole un enfoque positivo para mantener la moral lo más alta posible.

—Si me he equivocado, pagaré las consecuencias —dijo Clay.

—Esperemos que el señor Worley sea el único de ese bufete.

—La gran pregunta, Oscar, es cuántos Ted Worley más hay por ahí.

No pudo conciliar el sueño. Ridley seguía en San Bartolomé, redecorando la casa, y Clay lo prefería así. Se sentía avergonzado y humillado, y ella no se enteraría.

No dejaba de pensar en Ted Worley. No estaba enfadado, al contrario. Las reclamaciones de las demandas solían carecer de fundamento, pero no en ese caso. Su antiguo cliente no habría alegado padecer tumores malignos de no haber sido cierto. El cáncer del señor Worley no se lo había provocado un mal abogado, sino un mal medicamento. Sin embargo, el hecho de haberse apresurado a cerrar una indemnización de 62.000 mil dólares en concepto de daños y perjuicios cuando el caso podía llegar a valer, en último término, varios millones, olía a codicia y a violación de todos los principios de la ética profesional. ¿Quién podía reprochar a aquel hombre que buscase satisfacción?

Clay se pasó toda la larga noche compadeciéndose de sí mismo y sufriendo por su orgullo herido, por la humillación de verse expuesto ante sus colegas, amigos y empleados; por la satisfacción que sentirían sus enemigos y por el temor a los golpes que la prensa le asestaría a la mañana siguiente sin que nadie saliera en su defensa.

Incluso llegó a sentir miedo. ¿Realmente podía perderlo todo? ¿Era aquello el principio del fin? El juicio tendría gran atractivo, pero para el jurado y para la parte contraria. Además, ¿cuántos demandantes más había ahí fuera? Cada caso podía llegar a valer millones.

Sin embargo, todos esos pensamientos acababan volviendo una y otra vez al señor Worley, un cliente que no había recibido la atención y la protección debida por parte de su abogado. Se sentía tan culpable que hasta pensó en llamarlo para disculparse. Incluso era posible que le escribiera una carta. Recordaba vívidamente haber leído las dos que el anciano le había enviado. Él y Jonah se habían reído a gusto con ellas.

Poco después de las cuatro de la madrugada, Clay se preparó la primera taza de café. A las cinco se conectó a internet y leyó la edición digital del *Washington Post*. En las últimas veinticuatro horas no se habían producido ataques terroristas. Ningún asesino compulsivo había matado a nadie. El Congreso se había ido a casa. El presidente se encontraba de vacaciones. No era un día de grandes noticias, así que ¿por qué no poner en primera página el sonriente rostro de El Rey de los Pleitos y un divertido titular: ABOGADO DE ACCIONES COLECTIVAS DEMANDADO COLECTIVAMENTE.

El primer párrafo decía:

> El abogado de Washington J. Clay Carter, apodado «El Rey de los Pleitos», recibió una dosis de su propia medicina ayer, cuando fue demandado por un grupo de clientes descontentos. La demanda alega que Carter, quien supuestamente ganó 110 millones de dólares el año pasado en concepto de honorarios, pactó indemnizaciones muy baratas para casos que, en realidad, valían millones.

Los ocho párrafos restantes no eran mejores.

Durante la noche, Clay había sufrido un agudo ataque de descomposición intestinal, y tuvo que correr al baño.

Su amigo del *Wall Street Journal* cargaba con la artillería pesada. En la primera página, a la izquierda, aparecía la misma horrible caricatura de la sonriente cara de Clay. El titular decía: ¿SERÁ DESTRONADO EL REY DE LOS PLEITOS? El tono del artículo sonaba como si Clay tuviera que ser condenado y encarcelado en lugar de destronado. Todos los grupos empresariales de Washington opinaban sobre el asunto, y ninguno podía disimular su satisfacción. No dejaba de ser una ironía que estuvieran tan contentos de ver otra demanda colectiva. El presidente del Colegio Nacional de Abogados no tenía comentarios que hacer.

¡Sin comentarios de parte del único grupo que nunca dejaba de defender a los abogados! El siguiente párrafo explicaba el porqué: Helen Warshaw era una destacada miembro del

Colegio de Abogados de Nueva York. Lo cierto era que sus credenciales resultaban impresionantes: habilitada para actuar ante las instancias judiciales más elevadas, editora de la *Law Review* de la Universidad de Washington, de treinta y ocho años, aficionada a correr maratones y calificada de «brillante y tenaz» por un antiguo adversario.

Una combinación peligrosa, se dijo Clay mientras corría al baño.

Sentado en la taza del váter, comprendió que la comunidad de la abogacía no tomaría partido en ese caso. Se trataba de un feudo familiar, y no podía esperar simpatía ni apoyo alguno.

Una fuente anónima situaba en doce el número de demandantes. Se esperaba una certificación conjunta porque se preveía un número mayor de demandantes. ¿Cuántos más?, se preguntó Clay mientras se preparaba más café, ¿cuántos Worley hay por ahí?

El señor Clay Carter, de treinta y dos años, no estaba localizable para hacer comentarios. Patton French tachó la demanda de «frívola», un calificativo que, según el reportaje, había aplicado ni más ni menos que a ocho grandes empresas a las que había demandado en el pasado. Incluso se atrevía a afirmar que la demanda «olía a conspiración de los que pretenden reformar la legislación de las acciones colectivas y de sus beneficiarios, las grandes industrias». Resultaba probable que el periodista hubiera pillado a French con unos cuantos vodkas encima.

Tenía que tomar una decisión. Dado que estaba enfermo, podía esconderse en casa y capear el temporal desde allí. También podía salir y afrontarlo. Lo que más le apetecía, sin duda, era tomarse unas cuantas píldoras, meterse en cama y despertarse una semana más tarde, cuando hubiera acabado aquella pesadilla; mejor aún, coger el avión y largarse a ver a Ridley.

Sin embargo, llegó al bufete a las siete en punto, con aire decidido, cargado de café, y se paseó por los despachos y pasillos bromeando con humor sobre agentes judiciales que estaban en camino y reporteros que iba a llegar para husmear. Fue una enérgica y divertida interpretación que todos los miembros del bufete necesitaban y agradecieron.

La cosa continuó igual hasta media mañana, cuando la señorita Glick la cortó en seco entrando en su despacho y anunciándole:

—Clay, los dos agentes del FBI han vuelto.

—¡Estupendo! —exclamó, frotándose las manos como si fuera a propinar una paliza a ambos.

Spooner y Lohse entraron mostrando una tensa sonrisa y sin dar un apretón de manos. Clay cerró la puerta, apretó los dientes y se dijo que debía seguir actuando. Sin embargo, el cansancio empezaba a hacer mella en él. Y también el miedo.

En esa ocasión, fue Lohse quien se ocupó de preguntar, y Spooner de anotar. Evidentemente, la imagen de Clay en las primeras páginas de los diarios les había recordado que le debían una segunda visita. Era el precio de la fama.

—¿Ha tenido alguna noticia de su amigo Pace? —empezó preguntando Lohse.

—Ninguna —contestó.

Y lamentablemente era cierto, porque necesitaba el consejo de Pace más que nunca en aquel momento de crisis.

—¿Está usted seguro?

—¿Y usted está sordo? —replicó Clay, que estaba preparado para ordenarles que se marcharan si sus preguntas resultaban embarazosas. Al fin y al cabo, solo eran dos agentes, no un par de fiscales—. Ya le he dicho que no.

—Creemos que estuvo en la ciudad la semana pasada.

—Me alegro por ustedes, porque yo no lo he visto.

—Usted presentó una demanda contra Ackerman Labs el 2 de junio del año pasado, ¿no es cierto?

—Así es.

—¿Era usted titular de acciones de la compañía antes de presentar la demanda?

—No.

—¿Y no vendió acciones de la empresa a corto plazo para recomprarlas después a bajo precio?

Desde luego que lo había hecho, y por indicación de su buen amigo Max Pace. Aquellos hombres conocían la respuesta a la pregunta. Estaba seguro de que disponían de los datos de la transacción. Desde que el FBI lo había ido a visitar por primera vez, Clay había estudiado a fondo la legislación relacionada con los fraudes bursátiles y el uso de información privilegiada. En su opinión, se encontraba en una especie de zona gris, una zona no precisamente buena, pero que no lo hacía parecer de ningún modo culpable. Visto restrospectivamente, más le habría valido no haber hecho aquella operación. Deseó una y mil veces haberla evitado.

—¿Me están investigando por algo? —preguntó.

Spooner asintió antes de que Lohse dijera:

—Sí.

—Entonces, caballeros, esta reunión acaba de concluir. Mi abogado se pondrá en contacto con ustedes —dijo Clay, a continuación se puso en pie y les abrió la puerta.

34

Para la siguiente reunión del comité directivo de los demandantes del Dyloft, el acusado Patton French escogió un hotel del centro de Atlanta donde estaba impartiendo uno de sus muchos seminarios sobre la manera de hacerse rico persiguiendo empresas farmacéuticas. Fue una reunión de urgencia.

Como no podía ser de otro modo, French había reservado la suite presidencial, una pomposa demostración de derroche de espacio, situada en el último piso del hotel. Allí fue donde se reunieron. Se trató de un encuentro fuera de lo normal, en el sentido de que no se oyeron comparaciones de ningún tipo sobre coches nuevos ni mansiones. Tampoco hubo nadie que se dedicara a presumir de sus recientes éxitos judiciales. El ambiente se puso muy tenso desde el momento en que Clay entró en la habitación, y no mejoró. Los ricachones estaban asustados.

Y con razón. Carlos Hernández, de Miami, sabía de siete pacientes del Grupo 1 del Dyloft que padecían tumores malignos de riñón. Todos ellos se habían sumado a la demanda conjunta y en esos momentos estaban representados por Helen Warshaw.

—¡Están saliendo por todas partes! —exclamó frenéticamente.

Tenía aspecto de no haber dormido en varios días. Lo cierto era que todos parecían cansados y abatidos.

—¡Es una furcia implacable! —se quejó Wes Saulsberry, y los demás asintieron, plenamente conformes.

Estaba claro que la leyenda de la señora Warshaw era ampliamente conocida, y también que alguien había olvidado advertir a Clay. En esos momentos, Wes tenía a cuatro antiguos clientes demandándolo; Damon Didier, a tres; y Patton French, a cinco.

Clay respiró con alivio por tener solo uno, pero su alivio fue pasajero.

—En realidad tienes siete —explicó Patton French, entregándole una hoja con el nombre de Clay y una lista de ex clientes que habían pasado a ser sus demandantes—. Además, Wicks, de Ackerman Labs, me ha dicho que nos preparemos porque la lista crecerá.

—¿Cuál es su estado de ánimo?

—De total sorpresa. El medicamento está matando a gente a diestro y siniestro. Los de Philo están deseando no haber oído hablar nunca de Ackerman Labs.

—Los comprendo muy bien —dijo Didier, lanzando una desagradable mirada a Clay—. Todo esto es por tu culpa.

Clay echó un vistazo a los siete nombres de su lista. Aparte de Ted Worley, no reconoció a nadie más. Había gente de Kansas, de Dakota del Sur, de Maine, dos de Oregón, Georgia y Maryland. ¿Cómo había llegado a representar a aquella gente? ¡Menuda forma de ejercer el derecho, demandando y cerrando acuerdos en nombre de personas a las que ni siquiera conocía y que en esos momentos se disponían a demandarlo a él!

—Supongo que podemos asegurar que las pruebas médicas son irrefutables, ¿no? —preguntó Wes Saulsberry—. Lo que quiero es saber si tenemos posibilidad de defendernos, de demostrar que este cáncer recurrente no está relacionado con el Dyloft. Si así fuera, nosotros nos libraríamos y los de Ackerman Labs también. No me gusta meterme en la cama con unos payasos, pero parece que eso es lo que estamos haciendo.

—¡No! ¡Lo que estamos es jodidos! —exclamó French, que a veces podía ser brutal a fuerza de franqueza. Para él no tenía sentido perder el tiempo—. Wicks me ha dicho que el medicamento es más letal que una bala en la cabeza. Sus propios investigadores se están marchando por culpa de este asunto. Hay un montón de carreras que se han ido al traste. Es posible que la empresa no consiga levantar cabeza.

—¿Te refieres a Philo?

—Sí. Cuando Philo compró Ackerman Labs pensaban que tenían controlado el desastre del Dyloft; en cambio, ahora parece que los Grupos 2 y 3 pueden llegar a ser mucho más numerosos y mucho más caros. La empresa está tratando de escurrir el bulto.

—¿Acaso no es lo que estamos intentando todos? —farfulló Hernández, que también miró a Clay como si se mereciera una bala de las que estaban hablando.

—Si se nos considera responsables —dijo Wes, señalando lo evidente—, no hay forma de que podamos defender esos casos.

—Tenemos que negociar —intervino Didier—. Aquí nos estamos jugando el pellejo.

—¿Cuánto puede llegar a valer uno de estos casos? —preguntó Clay.

—Ante un jurado, entre dos y diez millones, dependiendo de la parte punitiva —contestó French.

—Eso es poco —terció Hernández.

—A mí no habrá jurado que me vea la cara —aseguró Didier—. No con estos hechos en la mano.

—El demandante promedio tiene sesenta y ocho años y está jubilado —comentó Wes—. Así pues, económicamente hablando, la indemnización no es muy grande cuando fallece el demandante. El dolor y los padecimientos pueden aumentar la factura; pero, en teoría, habría que poder zanjar los casos por un millón cada uno.

—¡Aquí no hay teoría que valga! —espetó Didier.

—Es cierto —le replicó al instante Wes—, pero si conseguimos presentar a esos pobres demandantes como un grupo de codiciosos, el valor de cada caso caerá en picado.

—Pues yo preferiría estar en el bando de los demandantes que en el mío —dijo Hernández, frotándose los cansados ojos.

Clay se fijó que nadie había consumido una gota de alcohol; solo agua o café. Deseaba desesperadamente uno de los pelotazos que preparaba French.

—Seguramente vamos a perder nuestra acción colectiva —comentó French—. Todos los que estaban en ella están intentando salirse. Como sabéis, muy pocos demandantes de los Grupos 2 y 3 han cerrado acuerdos, y, por razones obvias, no quieren tomar parte en la demanda. Conozco al menos a cinco grupos de abogados que están dispuestos a solicitar al tribunal que disuelva nuestra demanda colectiva y nos echen a patadas. La verdad es que no puedo reprochárselo.

—Podemos enfrentarnos a ellos —dijo Wes—. Tenemos los honorarios que hemos cobrado, y vamos a necesitarlos.

Sin embargo, no tenían ánimos para luchar, al menos no en esos momentos. Al margen de cuánto dinero aseguraran tener, todos estaban preocupados, aunque a distinto nivel. Clay, que se había dedicado preferentemente a escuchar, se sentía intrigado por las reacciones de los otros cuatro. Patton French seguramente era quien más dinero tenía, y parecía confiado en poder hacer frente a las presiones económicas de la demanda. Lo mismo cabía decir de Wes Saulsberry, que había cobrado 500 millones de dólares con su caso de las tabaqueras. Hernández se mostraba gallito a ratos, pero no podía disimular su nerviosismo. El que estaba realmente aterrorizado era Didier, con su cara de póquer.

Todos ellos tenían más dinero que Clay, pero este tenía más casos de Dyloft que nadie. Aquella ecuación no le gustó nada.

Escogió la cifra de tres millones de dólares como punto de partida para un posible acuerdo. Si su lista terminaba efectivamente con los siete nombres, podría hacer frente a los veinte millones, pero si seguía aumentando...

Planteó la cuestión del seguro y se quedó perplejo al saber que ninguno de los allí presentes disponía de cobertura. Las aseguradoras se la habían cancelado años atrás. No había compañía que quisiera tener como cliente a un abogado especialista en demandas colectivas. El caso del Dyloft lo explicaba perfectamente.

—Da gracias por tener tus diez millones —le dijo French—. Al final será dinero que no tendrá que salir de tu bolsillo.

La reunión se convirtió en una sesión de pataleo. Todos ellos querían la compañía de la desdicha ajena, pero solo durante un rato. Al final, convinieron en reunirse con Helen Warshaw en algún momento indeterminado para explorar delicadamente la posibilidad de una salida negociada; y eso a pesar de que ella había manifestado claramente que no deseaba negociar, sino que quería ir a juicio; que pretendía conseguir un gran espectáculo donde pudiera arrastrar a los malvados reyes de los pleitos para desnudarlos ante el jurado.

Clay acabó matando el resto de la noche en Atlanta, donde nadie lo conocía.

Durante los años pasados en la OTO, Clay había realizado cientos de entrevistas preliminares, la mayoría de ellas en la cárcel. Habitualmente, empezaban despacio y con cautela mientras el acusado —que casi siempre era negro— dudaba de cuánto debía contar a su abogado blanco. La información que proporcionaban los antecedentes servía para romper un poco el hielo, pero los detalles, los hechos y la verdad sobre el supuesto delito rara vez salían a la luz durante la primera entrevista.

Y resultaba irónico que Clay, que había sido siempre el defensor blanco, estuviera manteniendo en esos momentos su primera entrevista con su abogado defensor negro. Cobrando setecientos cincuenta dólares la hora, más le valía a Zack Battle estar preparado para escuchar deprisa. Nada de escurrir el bulto ni de andarse por las ramas. Battle tendría la verdad tan rápidamente como pudiera ponerla por escrito.

Sin embargo, a Battle le apetecía un poco de charla. En su juventud, él y el padre de Clay habían sido compañeros de juergas y copas, mucho antes de que decidiera dejar de beber y se convirtiera en uno de los más destacados abogados criminalistas de Washington. ¡Menudas anécdotas podía contar sobre Jarrett Carter!

«Pero no a setecientos cincuenta la hora», le habría gustado decir a Clay. «Para el maldito reloj y hablaremos cuanto quieras.»

El despacho de Battle miraba al parque Lafayette, y al fondo se divisaba la Casa Blanca. Una noche, él y Jarrett se emborracharon y decidieron ir a tomarse unas cervezas al parque con los mendigos y los borrachines que merodeaban por allí. La policía los siguió, pensando que eran unos pervertidos que iban en busca de bronca. Acabaron siendo detenidos y fue necesario que agotaran la lista de favores pendientes para que la noticia no apareciera en los diarios. Clay se rió porque se suponía que la cosa tenía gracia.

Battle había cambiado el bebercio por la pipa, y su pequeño y abarrotado despacho apestaba a tabaco rancio. Preguntó cómo estaba el padre de Clay, y este le hizo un romántico y generoso retrato de Jarrett navegando por los mares del planeta.

Cuando por fin fueron al grano, Clay le contó la historia del Dyloft, empezando con Max Pace y terminando con la visita del FBI. No mencionó el Tarvan, pero estaba dispuesto a hacerlo si lo consideraba necesario. Curiosamente, Battle no tomó notas, sino que se limitó a escuchar con expresión ceñuda mientras daba pensativas caladas a su pipa, pero sin revelar en ningún momento sus pensamientos.

—Ese informe de investigación robado que Max Pace tenía, ¿se hallaba en tu poder cuando vendiste las acciones y presentaste la demanda? —le preguntó Battle, soltando una bocanada de humo.

—Pues claro. Yo tenía que demostrar que Ackerman era responsable en caso de que acabáramos yendo a juicio.

—Pues eso se llama «tráfico de información privilegiada», y eres culpable. Son cinco años entre rejas. Ahora dime si los federales pueden demostrarlo.

Cuando su corazón volvió a latir, Clay respondió:

—Max Pace podría contárselo, supongo.

—¿Quién más tiene ese informe?

—Patton French, y puede que uno o dos abogados más.

—¿Y Patton French sabía que tú tenías esa información antes de que presentaras la demanda?

—No lo sé. Nunca le dije en qué momento llegó a mis manos.

El caso estaba muy claro. Clay había preparado la demanda colectiva contra el Dyloft, pero no había querido presentarla hasta que Pace le aportara las pruebas necesarias. Discutieron varias veces y, un día, Pace llegó con dos maletines llenos de papeles.

—Aquí lo tienes —le dijo antes de marcharse inmediatamente—, pero que conste que no te lo he dado yo.

Clay cogió el informe y lo hizo examinar por un amigo de la universidad para que contrastara su fiabilidad. El amigo era un destacado médico de Baltimore.

—¿Ese médico amigo tuyo es de fiar? —le preguntó Battle.

Antes de que Clay pudiera responder, Battle le echó un cable.

—Mira, Clay, la cuestión es que si los federales no saben que tenías ese informe secreto de investigación en tu poder cuando vendiste las acciones, entonces no pueden pillarte por tráfico de información privilegiada. Tienen los registros de la operación de venta, pero por sí solos no son suficientes. Tienen que demostrar que tú sabías algo que nadie más sabía.

—¿Debería hablar con mi amigo de Baltimore?

—No te lo aconsejo. Si los federales se han enterado de su existencia pueden haberle pinchado el teléfono. En ese caso te pasarías siete años en la cárcel en vez de cinco.

—¿Te importa no mencionar eso?

—Y si los federales no saben de tu amigo, entonces puede que los conduzcas hasta él. Lo más probable es que te estén observando y que te hayan intervenido las comunicaciones. Yo que tú me desharía de ese informe y limpiaría a fondo mis archivos, no sea que se presenten con un mandamiento judicial. Y también rezaría todo lo que supiera para que Max Pace haya muerto o se encuentre escondido en Europa.

—¿Algo más? —preguntó Clay, listo para ponerse de rodillas.

—Ve a ver a Patton French y asegúrate de que ese informe no tiene un rastro que lleve hasta ti. Por lo que parece, esta demanda contra el Dyloft no ha hecho más que empezar.

—Eso es lo que me han dicho.

El remite era de la cárcel. A pesar de que Clay tenía un montón de antiguos clientes entre rejas, no recordaba a ninguno que se llamara Paul Watson. Abrió el sobre y sacó una carta de una sola página, pulcramente doblada y escrita con un procesador de texto. Decía lo siguiente:

Apreciado señor Carter:

Es posible que usted me recuerde por el nombre de Tequila Watson. Me lo he cambiado porque el antiguo ya no encaja conmigo. Leo la Biblia todos los días, y mi personaje favorito es el apóstol san Pablo; de manera que le tomado prestado el nombre. Tengo a alguien aquí que ha hecho los trámites legales para que pueda cambiarlo.

Tengo que pedirle un favor. Me gustaría que se pusiera en contacto con la familia de Pumpkin y les dijera que lamento muchísimo lo ocurrido. Yo no he dejado de rezar a Dios, y al final Él me ha perdonado. Me sentiría mucho mejor si la familia de Pumpkin pudiera hacer lo mismo. Todavía no alcanzo a comprender por qué lo maté de esa manera. No era yo quien disparaba, se lo aseguro, sino el demonio. Aun así, no tengo excusa posible.

Sigo limpio. En la cárcel hay droga por un tubo, pero Dios me ayuda a salir adelante.

Sería estupendo si me escribiera usted. No recibo muchas cartas. Lamento que tuviera que dejar de ser mi abogado, porque me pareció que era un tipo guay.

Con mis mejores deseos.

PAUL WATSON

—Espera un poco, Paul —murmuró Clay—, a este paso no tardaremos en ser compañeros de celda.

El teléfono lo sobresaltó. Era Ridley, que lo llamaba desde San Bartolomé y decía que le apetecía volver. ¿Podía Clay enviarle el Gulfstream?

Faltaría más, cariño, pensó. Hacer volar el maldito aparato solo costaba tres mil dólares la hora. Las cuatro horas del trayecto de ida y vuelta solo sumaban veinticuatro mil dólares, pero eso no era más que una gota de agua en el océano comparado con lo que ella estaba gastando en la casa.

35

Se podía vivir gracias a las filtraciones y también morir por su culpa. Clay había jugado a ese juego en más de una ocasión, ofreciendo extraoficialmente a los periodistas jugosas informaciones, y después contestando con un presuntuoso «sin comentarios» cuando aparecía la verdadera basura. Si entonces había resultado divertido, en esos momentos era desagradable. No acertaba a imaginar que hubiera alguien interesado en humillarlo más de lo que lo había sido.

Por lo menos, en esta ocasión había sido avisado. Un reportero del *Washington Post* había llamado al bufete, donde lo habían remitido al honorable Zack Battle. El hombre lo llamó y recibió la consabida respuesta. Minutos más tarde, Zack telefoneó a Clay para darle un informe de la conversación.

Aparecía en la tercera página de la sección de noticias locales, y eso constituía una agradable sorpresa tras meses de apariciones en primera página, primero gloriosas y después escandalosas. Dada la escasez de hechos, el espacio se había llenado con otras cosas: una fotografía de Clay y un titular: El Rey de los Pleitos investigado por la Comisión de Bolsa y Valores. Había varias citas, a cuál más demoledora para Clay. Mientras leía el artículo, recordó las veces que había visto a Zack empleando la misma táctica: negar, desviar la atención y prometer una enérgica defensa, protegiendo siempre a los mayores delincuentes de la ciudad. Cuanto mayor era el chorizo, más deprisa corría al despacho de Zack Battle. Por primera vez, Clay empezó a pensar que quizá había recurrido al abogado equivocado.

Volvió a leerlo detenidamente en casa, donde, a Dios gracias, estaba solo porque Ridley se había ido a pasar unos días al nuevo apartamento que Clay le había alquilado. A ella le gustaba tener la libertad de poder vivir tanto en su casa como en la de él, y, dado que su antiguo apartamento era bastante pequeño, Clay había aceptado instalarla en uno mejor. Lo cierto era que la libertad de Ridley requería un tercer domicilio, la mansión de San Bartolomé, a la que ella siempre se refería como «nuestra».

Y no es que Ridley fuera una asidua lectora de los diarios. En realidad parecía saber muy poco de los problemas a los que Clay se enfrentaba. Cada día manifestaba mayor interés por gastar su dinero sin prestar demasiada atención a la forma de hacerlo. Si llegó a leer el artículo de la página tres, no se lo mencionó. Y él tampoco.

A medida que pasaban las horas de otro mal día, Clay empezó a darse cuenta de que pocas personas se interesaban por su suerte. Un antiguo compañero de estudios lo llamó para darle ánimos, pero eso fue todo. Clay le agradeció el gesto, pero no le sirvió de gran ayuda. ¿Dónde estaban los demás amigos?

A pesar de que se esforzaba por quitársela de la cabeza, no podía dejar de pensar en Rebecca y en los Van Horn. Estaba seguro de que unas semanas atrás se habían muerto de envidia al ver que lo coronaban como el nuevo Rey de los Pleitos; pero ¿qué estarían pensando en ese momento? Se repitió una y mil veces que le daba igual; sin embargo, si así era, ¿por qué no podía quitárselos de la cabeza?

Paulette Tullos apareció por el bufete antes del mediodía, y su presencia lo animó. Tenía un aspecto estupendo. Se había quitado de encima unos cuantos kilos y vestía con elegancia. Llevaba varios meses viajando por Europa, a la espera de que finalizaran los trámites de su divorcio. Los rumores sobre Clay circulaban por todas partes, y estaba preocupada por él. Su parte del botín del Dyloft había superado ligeramente los diez millones de dólares y quería saber si podía ser imputada en la investigación que se había abierto contra Clay. Este le aseguró que no. En el momento del acuerdo, ella no era socia del bufete, sino una simple colaboradora. La única firma que aparecía en todos los documentos era la de Clay.

—Fuiste la más lista, Paulette —le confesó este—. Cogiste el dinero y te largaste.

—Me siento fatal.

—No tienes por qué. Los errores fueron míos, no tuyos.

A pesar de que el asunto del Dyloft iba a salirle muy caro —al menos veinte de sus antiguos clientes se habían incorporado a la demanda de Helen Warshaw—, seguía confiando en el caso del Maxatil. Con veinticinco mil casos en cartera, los honorarios serían fabulosos.

—En estos momentos la cosa no pinta bien, pero se arreglará muy pronto. Dentro de un año volveré a nadar en millones.

—¿Y los federales? —le preguntó Paulette.

—No pueden hacerme nada.

Ella pareció creer lo que le decía, y su alivio fue visible; pero si creía de verdad en las palabras de Clay, lo cierto era que se trataba de la única.

La tercera reunión sería la última, aunque ni Clay ni nadie más entre quienes lo acompañaban en aquel lado de la mesa lo sabían. Joel Hanna se había hecho acompañar por su primo Marcus, el director general de la empresa, y había prescindido de Babcock, el abogado de la compañía aseguradora. Como de costumbre, los dos se hallaban sentados frente a un pequeño ejército de abogados presidido por JCC, El Rey de los Pleitos en persona.

Tras los saludos de rigor, Joel empezó:

—Hemos localizado otras dieciocho casas que deberían añadirse a la lista. En total suman novecientas cuarenta. Estamos casi seguros de que no habrá más.

—Me alegro —contestó Clay con cierto resquemor.

Una lista más larga significaba más clientes para él, más indemnizaciones a pagar para la empresa cementera. En esos momentos, Clay representaba a casi la totalidad de los demandantes. Su equipo encargado del caso Hanna había hecho una labor admirable convenciendo a los propietarios de las viviendas afectadas para que firmaran con el bufete, y les habían asegurado que recibirían su indemnización porque el señor Carter era un experto en las negociaciones de ese tipo. Todos los clientes potenciales habían recibido un pliego de documentos muy profesionalmente confeccionado en el que se subrayaban las hazañas de El Rey de los Pleitos. Sin duda se trataba de una propaganda vulgar y descarada, pero así funcionaba el negocio.

En la última reunión, Clay había reducido sus exigencias de indemnización de 25.000 a 22.500 dólares, una cifra que le proporcionaría unos honorarios netos de unos 7,5 millones. La cementera había presentado entonces una contraoferta de 17.000 dólares por caso que representaba la cantidad máxima a la que podía llegar.

Con esa cifra, el bufete de JCC podía embolsarse casi cinco millones de dólares siempre que mantuviera su porcentaje del 30 por ciento. Si por el contrario lo reducía a un más razonable 20 por ciento, cada uno de sus clientes percibiría 13.600 dólares. Semejante reducción menguaría sus honorarios aproximadamente en un millón y medio de dólares. Además, Marcus Hanna había localizado a un constructor de buena reputación que se comprometía a reparar cada vivienda por la suma de 13.500 dólares.

Durante aquella reunión también había quedado patente que la cuestión de los honorarios del bufete era al menos tan importante como la de la indemnización de los demandantes. Sin embargo, desde aquel encuentro, en la prensa habían aparecido numerosas historias acerca del señor JCC, y en ninguna de ellas salía bien parado. Una reducción de honorarios era algo que el bufete no estaba preparado para discutir.

—¿No piensan ustedes cambiar su postura? —preguntó Clay con deliberada falta de tacto.

En lugar de contestar con un simple «no», Joel se lanzó a una breve explicación de los pasos que la empresa había dado para evaluar su situación financiera, la cobertura legal y su capacidad para obtener el préstamo de al menos los ocho millones de dólares necesarios para el fondo global. Lamentablemente, la situación no había cambiado, el negocio atravesaba un ciclo especialmente malo, y los pedidos estaban estancados. El mercado de la construcción tampoco iba mejor, al menos en su mercado.

Si la situación para la empresa cementera no tenía buen cariz, tampoco era mejor para quienes se sentaban al otro lado de la mesa. Clay había puesto fin bruscamente a la campaña de anuncios del Maxatil, una medida que sus colaboradores recibieron con alivio. Desde entonces, Rex Crittle estaba haciendo lo imposible por reducir los gastos generales del bufete, pero teniendo en cuenta las costumbres adquiridas, no le resultaba precisamente fácil. Lo cierto era que había llegado a plantear la alternativa de los despidos, pero a Clay no le había gustado la idea. En esos momentos, el bufete no estaba ingresando honorarios dignos de ese nombre, y el fracaso de las píldoras Skinny Ben le había costado millones en lugar de proporcionárselos. Si a eso se añadía que los ex clientes del Dyloft se estaban sumando lentamente a la demanda de Helen Warshaw, resultaba fácil comprender que el bufete se tambaleara.

—O sea, que no van a cambiar su postura —dijo Clay cuando Joel hubo acabado.

—No. No podemos. Diecisiete mil dólares constituye el máximo al que podemos llegar. ¿Han pensado ustedes en reducir sus pretensiones?

—Nosotros creemos que veintidós mil quinientos es una cantidad justa —contestó Clay sin inmutarse ni parpadear—. Si ustedes no están dispuestos a cambiar de actitud, nosotros tampoco —concluyó en un tono cortante como el acero.

Sus colaboradores quedaron impresionados por su dureza, pero también echaron en falta cierta capacidad para llegar a un compromiso. Sin embargo, Clay se acordaba de la actuación de Patton French en Nueva York, en una sala llena de peces gordos de Ackerman, hablando a gritos y amenazando, llevando las riendas de la situación. Estaba convencido de que, si seguía presionando, los Hanna acabarían cediendo.

El único que manifestó su desacuerdo en el bando de Clay fue un joven abogado llamado Ed Wyatt, el responsable del equipo del caso Hanna. Antes de la reunión, había explicado a Clay que, en su opinión, la cementera podía beneficiarse para protegerse y reorganizarse al amparo de la legislación concursal, ya que las indemnizaciones para los propietarios de las viviendas afectadas quedarían congeladas hasta que un síndico pudiera examinar sus reclamaciones y decidir cuáles merecían ser atendidas. Wyatt creía que, en ese caso, los afectados tendrían suerte si llegaban a percibir diez mil dólares como indemnización. La empresa no había amenazado con declarar una suspensión de pagos, cosa que era una estrategia normal en casos como ese. Clay había analizado los libros de la cementera y llegado a la conclusión de que esta tenía demasiados activos y demasiado orgullo para pensar en una decisión tan drástica. Al final decidió arriesgarse: el bufete necesitaba los mayores honorarios posibles.

—Bien, entonces no hay más que decir —respondió bruscamente Marcus Hanna.

Luego, él y su primo recogieron sus papeles y abandonaron a toda prisa la sala de reuniones. Clay intentó también salir con la cabeza alta, aunque solo fuera para demostrar a su gente que nada era capaz de alterarlo.

Dos horas más tarde, la Hanna Portland Cement Company presentó ante el tribunal concursal de Washington una declaración de suspensión de pagos en la que solicitaba amparo ante sus acreedores. Los más importantes eran los que integraban una demanda colectiva interpuesta por el bufete de J. Clay Carter II, de Washington.

Por lo visto, alguno de los Hanna también conocía la importancia de las filtraciones a la prensa, porque el *Baltimore Press* no tardó nada en publicar un largo artículo acerca de la suspensión de pagos y la inmediata reacción de los propietarios de las viviendas. Los detalles resultaban sumamente precisos y daban a entender claramente que la fuente informadora no había estado lejos de la mesa de negociación. La empresa había ofrecido 17.000 dólares a cada afectado, cuando un cálculo generoso situaba el coste de las reparaciones en los 15.000. La demanda habría podido quedar resuelta a gusto de todos de no haber sido por el problema de los honorarios de los abogados. Hanna había aceptado su responsabilidad desde el principio e incluso había estado dispuesta a endeudarse fuertemente para corregir sus errores. El artículo proseguía en esa línea.

Los demandantes estaban muy descontentos. El reportero se había paseado por los barrios afectados y se había topado con una reunión improvisada de un puñado de perjudicados en un garaje que le enseñaron algunas de las casas afectadas. Había recogido numerosos comentarios:

—Tendríamos que haber tratado directamente con Hanna.

—La empresa ya estaba dispuesta a un arreglo antes de que apareciera ese abogado.

—Un albañil con el que hablé me dijo que podía retirar los ladrillos viejos y poner nuevos por once mil dólares; en cambio, resulta que hemos rechazado diecisiete mil. No lo entiendo.

—Nunca he visto a ese abogado.

—Nosotros no queríamos que la empresa hiciera suspensión de pagos.

—Claro que no. Eran gente como Dios manda y querían ayudarnos.

—¿No podemos demandar a ese abogado?

—Yo he intentado llamarlo, pero el teléfono siempre comunica.

A continuación, el periodista proporcionaba información sobre Clay Carter y, como era de esperar, empezaba con el asunto del Dyloft. A partir de ahí, la cosa empeoraba. Había tres fotografías que ayudaban a resumir la historia: en una de ellas, la propietaria de una casa mostraba la pared de ladrillos desprendidos; en otra aparecía el grupo de vecinos reunido en el garaje; y en la tercera, Clay vestido con esmoquin junto a Ridley con un precioso vestido antes de entrar en la Casa Blanca. Ella estaba muy guapa, y él tampoco tenía mal aspecto, pero en aquel contexto resultaba difícil apreciar la buena pareja que formaban. La foto era muy mala.

El pie rezaba: «El señor Carter, a quien se ve llegando a una recepción en la Casa Blanca, no está localizable para hacer comentarios».

No sabe cuánta razón tiene, se dijo Clay.

Y así empezó un nuevo día para el bufete de JCC, con los teléfonos sonando incesantemente mientras airados clientes se desahogaban con el primero que descolgaba, con el vigilante de la entrada en estado de alerta, los colaboradores del bufete cuchicheando en pequeños grupos, con Clay encerrado en su despacho y sin que nadie tuviera nada concreto en qué ocuparse porque el bufete se había convertido en un almacén de reclamaciones contra el Maxatil y no podían hacer nada con ellas porque los de Goffman tampoco contestaban al teléfono.

Las bromas y los chistes a costa de Clay no habían dejado de circular por todo Washington, pero él no se enteró hasta que las publicó el *Baltimore Press*. Habían empezado con los reportajes sobre el Dyloft aparecidos en el *Wall Street Journal* y con algunos faxes enviados de un lado a otro de la ciudad para que todos los que conocieran a Clay se enteraran de la noticia. La cosa adquirió más fuerza cuando la revista *American Attorney* lo colocó en el octavo puesto de la lista de abogados con mayores ganancias, lo cual dio como resultado más faxes, más correo electrónico y algún que otro chiste para añadir picante a los comentarios. Sin embargo, alcanzó la cima de la popularidad cuando Helen Warshaw presentó su maldita demanda. Algún abogado de la ciudad, sin duda alguien con demasiado tiempo libre, lo tituló «El Rey de los Calzones»,* le dio un tosco y rápido formato y empezó a enviarlo por fax. Luego, alguien dotado de cierto talento artístico añadió una vulgar caricatura en la que Clay aparecía con los calzones bajados hasta los tobillos y con expresión de perplejidad. A partir de ese momento, cualquier nueva noticia en la que aparecía daba lugar a una nueva tirada en la que el editor o editores recogían los comentarios que circulaban en internet y los repartían por doquier. La noticia de que estaba siendo investigado por el FBI causó sensación. También aparecía su foto ante la Casa Blanca, chismes acerca de su avión y una historia sobre su padre.

Los anónimos editores habían estado enviando copias al bufete desde el principio, pero la fiel señorita Glick se había ocupado de evitar que circularan. También las recibieron varios de los abogados de Yale, que intentaron cubrir a su jefe. Oscar cogió la última edición y la dejó en la mesa de Clay.

—Es solo para que estés al tanto —le dijo.

Se trataba de una reedición del artículo del *Baltimore Press*.

---

* Juego de palabras en inglés entre las palabras *torts*, pleitos y *shorts*, calzones, intraducible al español. (*N. del T.*)

—¿Tienes alguna idea de quién está detrás de esto?

—No. Lo han hecho circular por fax por toda la ciudad.

—¿Es que la gente no tiene nada mejor que hacer?

—Supongo que no. No te preocupes, Clay. Cuando uno está en la cima siempre se encuentra solo.

—O sea que ahora tengo mi propio boletín informativo. ¡Dios santo, pero si hace dieciocho meses nadie sabía ni que existía!

Se oyó un alboroto fuera del despacho. Voces airadas, gritos. Clay y Oscar salieron corriendo al pasillo, donde el guardia de seguridad forcejeaba con un caballero indignado. Varios abogados y secretarias habían salido a contemplar la escena.

—¿Dónde está el señor Carter? —preguntaba a gritos el hombre.

—¡Aquí! —contestó Clay sin arredrarse y dando un paso al frente—. ¿Qué desea?

El hombre se quedó quieto de repente, pero el guardia no lo soltó. Ed Wyatt y otro abogado se acercaron a él.

—¡Soy uno de sus clientes! —estalló el desconocido entre jadeos—. ¡Diga a su gorila que me suelte!

—Déjelo —ordenó Clay al vigilante.

—¡Quiero ver a mi abogado! —exigió el hombre.

—Esta no es manera de concertar una entrevista —replicó Clay fríamente, mientras sus empleados lo observaban.

—Sí, ya lo sé; pero lo intenté a través del procedimiento habitual y nadie contestó al teléfono. Usted nos ha privado de un buen acuerdo de indemnización con la empresa cementera y quiero saber el porqué. ¿Acaso no cobraba suficientes honorarios?

—Me temo que es usted de los que creen todo lo que aparece en los periódicos.

—Puede, pero también creo que nos hemos dejado joder por nuestro propio abogado y le aseguro que no estamos dispuestos a quedarnos de brazos cruzados.

—Lo que deberían hacer todos ustedes es tranquilizarse y dejar de leer los periódicos. Seguimos trabajando en el acuerdo.

Era una mentira, pero con buena intención. Había que sofocar aquella insurrección, al menos en el bufete.

—Pues rebaje sus honorarios y consíganos la indemnización que nos corresponde —bufó el hombre—. Es una recomendación de sus clientes.

—Yo me encargaré de conseguirles su indemnización, no se preocupe —le contestó Clay con una falsa sonrisa.

—Si no lo hace le denunciaremos ante el Colegio de Abogados.

—Tranquilícese.

El hombre retrocedió, volvió sobre sus pasos y salió del bufete sin decir palabra.

—¡Vamos, se acabó el espectáculo! ¡Que todo el mundo vuelva a su sitio! —dijo Clay batiendo palmas, como si tuvieran un montón de trabajo que hacer.

Inesperadamente, Rebecca se presentó una hora después. Se acercó a la recepcionista, le dio una nota y le dijo:

—Por favor, entregue esto al señor Carter. Es muy importante.

La joven miró al guardia de seguridad, que se encontraba en estado de alerta máxima, y tardó unos segundos en llegar a la conclusión de que aquella atractiva mujer difícilmente podía constituir una amenaza.

—Soy una vieja amiga —explicó Rebecca.

Lo fuera o no, logró que Clay saliera a recibirla más deprisa que a ningún otro cliente en la breve historia del bufete.

Ambos se sentaron en un rincón del despacho de Clay. Ella en el sofá, y él en un sillón que acercó cuanto pudo. Durante unos minutos, ninguno de los dos dijo nada. Clay se sentía demasiado abrumado para articular palabra. La presencia de Rebecca podía significar mil cosas distintas, pero ninguna mala.

Deseó estrecharla entre sus brazos, notar de nuevo su cuerpo, oler su perfume, acariciarle las piernas... Nada en ella había cambiado: el mismo peinado, el mismo maquillaje, el mismo lápiz de labios, el mismo brazalete...

—Me estás mirando las piernas, Clay —dijo ella al fin.

—Sí, me temo que sí.

—¿Cómo estás, Clay? En estos momentos no se puede decir que la prensa te esté tratando especialmente bien.

—¿Y has venido a decirme eso?

—Sí, estoy preocupada por ti.

—Si lo estás, significa que todavía sientes algo.

—Sí.

—O sea, que no me has olvidado...

—No, la verdad es que no. En estos momentos estoy ocupada con mi matrimonio, pero sigo pensando en ti.

—¿Todo el tiempo?

—La verdad es que cada vez más.

Clay cerró los ojos y le apoyó una mano en la rodilla; pero ella se la apartó de inmediato.

—Clay, estoy casada.

—Entonces ¿por qué no cometemos adulterio?

—No.

—Has dicho «ocupada con mi matrimonio». ¿Qué ocurre, Rebecca?

—No he venido para hablar de mi situación conyugal, Clay. Pasaba por aquí y he pensado en ti. Por eso he venido a hacerte una visita.

—¿Así, por casualidad? No me lo creo.

—Mejor. ¿Dónde tienes a tu bombón?

—Por ahí. No es más que algo temporal. Ya lo sabes.

Rebecca asimiló la respuesta a regañadientes. No pasaba nada si ella se casaba con otro, pero no soportaba la idea de que Clay estuviera con otra.

—¿Y cómo está tu gusano?

—Bien.

—No me parece un comentario propio de una feliz recién casada. ¿Solo bien?

—Vamos tirando.

—¿No hace ni un año que te has casado y dices «vamos tirando»?

—Sí.

—No te estarás acostando con él, ¿verdad?

—Clay, estamos casados.

—Pero si no es más que un pobre idiota. Lo vi bailar contigo el día de la boda y me entraron ganas de vomitar. Dime que es un desastre en la cama.

—Vale, es un desastre en la cama. ¿Qué hay de tu amiguita?

—Le gustan las chicas.

Ambos rieron con ganas un buen rato. Luego callaron, porque tenían tanto que decirse... Rebecca descruzó y volvió a cruzar las piernas mientras Clay la miraba fijamente. Casi podía tocarla.

—¿Vas a salir de esta? —le preguntó ella.

—Preferiría que no habláramos de mí, sino de ti.

—No tengo intención de embarcarme en una aventura, Clay.

—Pero estás pensando en ello, ¿no es verdad?

—No. Pero sé que tú sí.

—Sería divertido, ¿no crees?

—Puede que sí y puede que no. En cualquier caso no pienso vivir así.

—Ni yo tampoco, Rebecca. No tengo intención de compartirte con nadie. Una vez te tuve para mí solo y dejé que te me escaparas. Estoy dispuesto a esperar a que vuelvas a estar libre, pero podrías darte un poco de prisa ¿no te parece?

—Eso es algo que quizá no llegue a ocurrir.

—Ocurrirá. Te lo digo yo.

36

A pesar de tener a Ridley durmiendo junto a él, Clay se pasó toda la noche soñando con Rebecca, despertándose y volviéndose a dormir con una beatífica sonrisa en los labios. Sin embargo, las sonrisas se acabaron de golpe cuando el teléfono sonó a las cinco de la madrugada. Contestó en el dormitorio, pero enseguida pasó la llamada a su despacho.

Se trataba de Mel Snelling, un antiguo compañero de estudios que, en esos momentos, ejercía la medicina en Baltimore.

—Tenemos que hablar, compañero. Es urgente.

—De acuerdo, Mel —repuso Clay, con las piernas temblando.

—¿Te va bien a las diez de la mañana en el monumento a Lincoln?

—Conforme.

—Ah, escucha, es muy posible que alguien me esté siguiendo —dijo antes de cortar la comunicación.

El doctor Snelling había sido la persona que había examinado el informe del Dyloft robado, como un favor especial para Clay. Estaba claro que los federales lo habían encontrado.

Por primera vez se le ocurrió la loca idea de huir, transferir el dinero que le quedara a alguna cuenta de una república bananera, salir discretamente de la ciudad, dejarse barba y desaparecer para siempre. Eso sí, con Rebecca.

Al final desistió. Estaba seguro de que su madre los encontraría antes que el FBI.

Preparó café y se dio una larga ducha. Luego se puso unos vaqueros y estuvo a punto de despedirse de Ridley, pero ella no se movió.

Había muchas probabilidades de que a Mel le hubieran pinchado el teléfono. Una vez que lo hubieran localizado, los federales habrían echado mano de todos sus sucios trucos. Seguro que lo habían amenazado con denunciarlo en caso de que no delatara a su amigo. Lo acosarían con visitas, llamadas telefónicas y vigilancias. Lo presionarían para que se colocara un dispositivo de escucha y le tendiera una trampa.

Zack Battle se encontraba fuera de la ciudad, de modo que Clay no tenía a quien recurrir. Llegó al monumento a Lincoln a las nueve y media y se entremezcló con los escasos turistas que paseaban por allí. Unos minutos más tarde apareció Mel, lo cual despertó automáticamente las sospechas de Clay. ¿Por qué motivo se presentaba media hora antes de lo convenido? ¿Se trataba de una emboscada organizada de antemano? ¿Acaso los agentes Spooner y Lohse rondaban por allí con micrófonos, cámaras y armas? Le bastó con echar una mirada al rostro de Mel para comprender que no era portador de buenas noticias.

Se estrecharon la mano y procuraron mostrarse cordiales el uno con el otro. Clay sospechó de inmediato que todas sus palabras estaban siendo grabadas. Se hallaban a principios de septiembre. El aire era fresco, pero no hacía frío. Sin embargo, Mel iba muy abrigado, como si la previsión del tiempo hubiera anunciado una nevada. Debajo de toda aquella ropa podían esconderse cámaras o micrófonos.

—Vamos a dar un paseo —propuso Clay, señalando hacia el monumento a Washington.

—De acuerdo —contestó Mel con un gesto de indiferencia.

Si no le importaba, al menos significaba que no habían planeado tenderle una trampa cerca del señor Lincoln.

—¿Te han seguido? —le preguntó Clay.

—No lo creo. He cogido un avión de Baltimore a Pittsburg y de allí al Aeropuerto Internacional Reagan, desde donde he venido en taxi. No creo que nadie me ande pisando los talones.

—¿Son un tal Spooner y un tal Lohse?

—Sí. ¿Los conoces?

—Me han hecho un par de visitas en el bufete. —En esos momentos rodeaban el Reflecting Pool por el lado sur, y Clay no tenía intención de decir nada que alguien pudiera recordarle más adelante—. Mira, Mel, sé muy bien cómo actúan esos tipos del FBI. Les gusta presionar a los testigos. Les gusta llenar de micrófonos a la gente para conseguir pruebas con sus artefactos electrónicos y con sus juguetes de alta tecnología. ¿Te pidieron que te pusieras un micrófono?

—Sí.

—¿Y?

—Pues que los mandé al cuerno.

—Gracias.

—Tengo un estupendo abogado, Clay. He ido a consultarle y se lo he contado todo. Yo no he hecho nada malo porque no vendí ni compré acciones. Tengo entendido que tú sí lo hiciste, y estoy seguro de que ahora obrarías de otro modo si tuvieras la oportunidad. Puede que yo dispusiera de información confidencial, pero no hice nada con ella. Estoy limpio. El problema vendrá cuando sea citado por el gran jurado.

El caso todavía no había sido presentado al gran jurado. Desde luego, Mel estaba siguiendo el consejo de un buen abogado. Por primera vez, Clay respiró un poco más relajadamente.

—Sigue —le dijo con cautela.

Llevaba las manos metidas en los bolsillos de los vaqueros, y tras las gafas de sol, sus ojos escrutaban a todas las personas que pasaban junto a ellos. Si Mel había contado a los federales todo lo que estos deseaban saber, a santo de qué iban a necesitar micrófonos y grabadoras.

—La gran pregunta es cómo me encontraron. Yo no dije a nadie que estaba examinando aquellos informes. ¿Se lo dijiste tú a alguien?

—Absolutamente a nadie, Mel.

—Me cuesta creerlo.

—Te lo juro. ¿Por qué iba a hacer semejante cosa?

Se detuvieron un momento ante el tráfico de la calle Diecisiete. Cuando reanudaron la marcha, se desviaron hacia la derecha, lejos de la multitud.

—Si miento al gran jurado acerca del informe, lo tendrán crudo para acusarte —dijo Mel con un hilo de voz—. Pero si me pillan en una mentira, entonces iré a parar a la cárcel. Dime quién más sabe que yo revisé ese informe.

Fue en ese momento cuando Clay comprendió que no había ni cables ni micrófonos, que nadie los estaba espiando. Mel no lo había llamado para tenderle una trampa, sino para que lo tranquilizara.

—Tu nombre no figura en ninguna parte, Mel —le dijo Clay—. Puedes estar seguro. Ese informe te lo envié a ti y solo a ti. Tú no copiaste nada, ¿verdad?

—Desde luego que no.

—Después, me lo devolviste. Yo lo repasé de nuevo y no vi que hubieras dejado señal alguna en él. Hablamos unas cuantas veces por teléfono y tú siempre manifestaste tus opiniones sobre el informe de palabra, de modo que no hay nada por escrito que te incrimine.

—¿Y qué me dices de los otros abogados que intervinieron en el caso?

—Algunos vieron el informe. Sabían que obraba en mi poder antes de que interpusiéramos la demanda y también que un médico amigo mío lo había examinado, pero no tenían ni tienen ni idea de quién puede ser.

—¿Crees que el FBI puede presionarlos para que testifiquen que tú tenías ese informe antes de demandar a Ackerman Labs?

—De ningún modo. Pueden intentarlo, pero esos tipos son gente importante, Mel, y no se asustan fácilmente. Además, ellos no habían hecho nada malo; ninguno compró ni vendió acciones, de manera que los federales no tienen por dónde cogerlos. Por ese lado no tengo nada que temer.

—¿Estás seguro? —insistió Mel, que no lo estaba en absoluto.

—Desde luego.

—Entonces ¿qué crees que debo hacer?

—Sigue las indicaciones de tu abogado. Hay muchas posibilidades de que este caso no llegue al gran jurado —dijo Clay, rogando para que así fuera—. Si aguantas el tipo, la tormenta pasará.

Siguieron caminando en silencio durante un rato, acercándose al monumento a Washington.

—Si me citan a declarar, tendremos que volver a hablar —dijo Mel lentamente.

—Pues claro.

—Escucha, Clay, no pienso ir a la cárcel por un asunto como este.

—Ni yo tampoco.

Se detuvieron junto a un grupo de jóvenes acompañados por sus profesores, ante el monumento. Mel se volvió hacia Clay.

—Mira, voy a desaparecer durante un tiempo. Por lo tanto, será una buena noticia que no tengas noticias mías. Adiós, Clay.

Dicho aquello, se perdió entre el grupo de estudiantes y desapareció.

El palacio de justicia del condado de Coconino, en Flagstaff, estaba relativamente tranquilo la víspera del juicio. Todo transcurría según la rutina, y nada hacía pensar en el decisivo conflicto que no tardaría en desarrollarse entre sus paredes.

Era la segunda semana de septiembre, y la temperatura superaba los cuarenta grados. Clay y Oscar se dieron una vuelta por el centro de la ciudad, pero acabaron dirigiéndose al palacio de justicia en busca de aire acondicionado.

En la sala del tribunal se estaban discutiendo los preliminares del juicio que se iba a celebrar, y el ambiente era tenso. El estrado del jurado se hallaba desierto. Su selección iba a tener lugar al día siguiente, a las nueve de la mañana. Dale Mooneyham y su equipo se sentaban a un lado, mientras que las filas de Goffman, encabezadas por un conocido abogado de Los Ángeles llamado Roger Redding, ocupaban el otro. Lo llamaban «Cohete Roger», porque siempre golpeaba con fuerza y rápidamente, y también «Comadreja Roger», porque recorría todo el país para enfrentarse a los mejores letrados y casi siempre conseguía arrancar veredictos favorables a los jurados.

Clay y Oscar tomaron asiento entre los demás espectadores, muy numerosos para tratarse de una sesión preliminar. Sin duda Wall Street iba a estar muy pendiente de aquel juicio, y la prensa económica seguiría de cerca su evolución. También los buitres como Clay sentían gran curiosidad. En las primeras filas había un puñado de ejecutivos de Goffman, todos iguales y todos muy nerviosos.

Mooneyham se paseaba por la sala con andares de matón de bar, dirigiéndose con voz tonante al juez y a Redding. Su tono era grave y poderoso; y sus palabras, siempre desafiantes. Era un viejo guerrero aquejado de una cojera intermitente, ya que tanto echaba mano de su bastón mientras argumentaba como lo olvidaba.

Redding parecía salido de una película de Hollywood: mandíbula prominente, melena salpicada de canas, impecablemente vestido. Seguramente le habría gustado ser actor. Hablaba con elocuencia y fluidez. Ni una sola vacilación ni un solo balbuceo. Cada vez que exponía un argumento, lo hacía con un vocabulario que todo el mundo pudiera entender, y tenía la habilidad de mantener abiertas distintas líneas argumentales para enlazarlas todas en impecables conclusiones lógicas. Saltaba a la vista que no tenía miedo de Dale Mooneyham ni del juez ni del fondo del caso.

Clay se sintió hipnotizado al ver cómo Redding exponía sus argumentos y comprendió con disgusto que, si no le quedaba más remedio que ir a juicio contra Goffman, la empresa no dudaría en enviar a Redding en su defensa.

Alguien reconoció a Clay mientras este contemplaba el espectáculo de aquellos dos grandes abogados. Uno de los colaboradores que se sentaba a la mesa de Redding recorrió la sala con los ojos y creyó ver un rostro conocido; hizo una señal a su compañero de asiento y este se lo confirmó. Alguien anotó algo en un papel y se lo pasó a los ejecutivos de las primeras filas.

El juez abrió un receso de quince minutos para poder ir al baño, de modo que Clay salió de la sala y fue en busca de un refresco. Dos hombres lo siguieron y lo acorralaron al final del pasillo.

—Señor Carter, permítame que me presente —dijo uno de ellos en tono amable—. Soy Bob Mitchell, vicepresidente y asesor jurídico de Goffman. —Le tendió la mano, y Clay se la estrechó.

—Es un placer.

—Y este es Sterling Gibb, uno de nuestros abogados de Nueva York.

Clay también se vio obligado a dar la mano a Gibb.

—Solo quería saludarlo —comentó Mitchell—. La verdad es que no me sorprende verlo por aquí.

—Sí, tengo cierto interés en este juicio.

—Eso es un eufemismo, señor Carter. ¿Cuántos casos tiene en estos momentos?

—Pues no lo sé. Unos cuantos, imagino.

Gibb se limitaba por el momento a mirar con una medio sonrisa.

—Nosotros controlamos su página web todos los días —repuso Mitchell—. El último recuento era de veintiséis mil.

La medio sonrisa de Gibb se esfumó. Estaba claro que aborrecía las prácticas de las demandas colectivas.

—Puede ser —contestó Clay.

—Según parece, ha puesto fin a su campaña publicitaria. Se diría que ya tiene bastantes casos.

—Nunca se tienen bastantes casos, señor Mitchell.

—¿Y qué piensa hacer usted con todos sus casos si nosotros ganamos este juicio? —preguntó al fin Gibb.

—¿Y qué harán ustedes si pierden? —replicó Clay.

Mitchell dio un paso al frente.

—Si nosotros ganamos este juicio, señor Carter, usted va a pasar un mal rato para conseguir encontrar a alguien que quiera hacerse cargo de sus veintiséis mil casos porque no valdrán nada.

—¿Y si resulta que quien pierde es usted?

Gibb se acercó con aire amenazador.

—Si perdemos aquí iremos directamente a Washington a defendernos de su indigna demanda colectiva; eso suponiendo que no esté usted en la cárcel en esos momentos.

—No se preocupe, estaré preparado —contestó Clay rechazando un nuevo asalto.

—¿Está seguro de que sabrá encontrar la sala del tribunal? —lo pinchó Gibb.

—No tendré ningún problema. Juego al golf con el juez todas las semanas y salgo con la secretaria del juzgado.

Mentira, todo mentira; pero le sirvió para pararles los pies.

Mitchell recobró la compostura y volvió a tenderle la mano.

—Bueno, como le he dicho, solo queríamos saludarlo.

Clay asintió.

—Me alegro de que lo haya hecho. Hasta el momento no habíamos tenido noticias de Goffman.

Gibb se dio la vuelta y se alejó sin despedirse.

—Será mejor que veamos cómo acaba esto, señor Carter —dijo Mitchell antes de marcharse—. Luego hablaremos.

Clay se disponía a regresar a la sala cuando un periodista le salió al paso. Se llamaba Derek no-sé-qué y trabajaba para el *Financial Weekly*. Su periódico era un panfleto ultraconservador que servía de vocero de las grandes corporaciones. Por ese motivo, Clay procuró no contestarle con un «sin comentarios» o con un «béseme el culo». El nombre de Derek le sonaba de algo. ¿Acaso era el periodista que había escrito tantas cosas desagradables sobre él?

—¿Puedo preguntarle qué ha venido a hacer aquí? —inquirió Derek.

—Claro que puede.

—¿Qué ha venido a hacer aquí?

—Lo mismo que usted.

—¿Y eso qué es?

—A disfrutar del calor.

—¿Es cierto que ha reunido veinticinco mil casos contra el Maxatil?

—No.

—¿Cuántos tiene?

—Veintiséis mil.

—¿Y cuánto pueden valer?

—Entre cero y mil millones de dólares.

Pero el juez, sin que Clay lo supiera, había decretado que los abogados de las partes no podían hacer declaraciones a la prensa hasta que el juicio hubiera finalizado. La disposición de Clay atrajo a una multitud y de repente se sorprendió al verse rodeado de periodistas. Respondió unas cuantas preguntas más sin decir gran cosa y se zafó de ellos.

El *Arizona Ledger* lo citaba asegurando que sus casos podían llegar a valer 2.000 millones de dólares, y publicaba una foto de él saliendo del palacio de justicia, rodeado de micrófonos, con un pie de foto que decía: «El Rey de los Pleitos en la ciudad». Añadía un breve resumen sobre la visita de Clay junto con comentarios del juicio. El autor del artículo no lo calificaba de codicioso oportunista, pero daba a entender que era un buitre sobrevolando a la espera de poder lanzarse sobre los restos de Goffman.

La sala del tribunal estaba abarrotada con posibles miembros del jurado y espectadores. Dieron las nueve sin que los abogados de las partes ni el juez hubieran aparecido. Sin duda estaban encerrados, discutiendo aspectos preliminares. Los alguaciles y los secretarios iban de un lado a otro. Un joven salió de un despacho del fondo, pasó ante el estrado y caminó por el pasillo central hasta llegar a la altura de Clay.

—¿Es usted el señor Carter? —preguntó, mirándolo fijamente.

Clay asintió sorprendido.

—Su señoría desea hablar con usted.

El juez tenía un ejemplar del *Arizona Ledger* encima de la mesa. Dale Mooneyham estaba sentado en un rincón del espacioso despacho, y Redding se hallaba apoyado contra una mesa situada cerca de la ventana. Ninguno de los dos parecía de buen humor. Se hicieron las presentaciones de rigor, pero Mooneyham rehusó levantarse para dar la mano a Clay y se conformó con asentir y lanzarle una mirada cargada de odio.

—Señor Carter, ¿está usted al tanto de la orden de silencio que he impuesto a las partes de este juicio? —preguntó el juez.

—No, señoría.

—Bien, pues esa orden existe.

—Yo no formo parte de los litigantes de este caso, señoría.

—Mire, señor Carter, en Arizona nos tomamos muy en serio eso de tener un juicio justo. Las dos partes intervinientes están de acuerdo en que el jurado sea lo más imparcial posible; pero ahora, gracias a usted, los miembros potenciales de ese jurado saben que hay veintiséis mil casos parecidos por ahí.

Clay no deseaba parecer débil ni apocado, no con Redding observando todos sus movimientos.

—Puede que haya sido inevitable —contestó.

Nunca presentaría un caso ante aquel magistrado. No deseaba dejarse intimidar.

—¿Por qué no se larga de Arizona? —tronó Mooneyham desde el rincón.

—Porque no estoy obligado —replicó Clay.

—¿Acaso quiere que pierda este juicio?

Clay decidió que ya había aguantado bastante. No estaba seguro de que su presencia pudiera perjudicar a Mooneyham, pero no quería correr el riesgo.

—Muy bien, señoría, espero que tenga el juicio que desea.

—Me alegro de su decisión, señor Carter.

Clay se volvió hacia Redding.

—Nos veremos en Washington.

Redding sonrió, pero meneó la cabeza diciendo que no.

Oscar se quedó en Flagstaff para seguir el juicio mientras Clay embarcaba en su Gulfstream para un sombrío viaje de regreso a casa, proscrito de Arizona.

37

En Reedsburg, la noticia de que la Hanna iba a despedir a 1.200 trabajadores paralizó la ciudad. El anuncio se hizo mediante una carta escrita por el propio Hanna y entregada a todos los empleados.

En sus cincuenta años de existencia, la empresa solo había llevado a cabo cuatro despidos. Había superado épocas de vacas flacas y siempre había procurado mantener intacta su plantilla. Pero con la suspensión de pagos las normas eran diferentes, porque la cementera tenía que demostrar necesariamente al tribunal y a sus acreedores que tenía un futuro económico viable.

La culpa había que atribuirla a situaciones que escapaban al control de la dirección. Un descenso en las ventas era uno de ellos, pero no uno que resultara una novedad para la compañía. El golpe demoledor había sido la imposibilidad de llegar a un acuerdo de indemnización que hubiera puesto fin a la demanda colectiva. La empresa había negociado de buena fe, pero un agresivo y codicioso bufete de Washington había insistido en unas exigencias desorbitadas.

La supervivencia de la empresa estaba en juego. Marcus aseguró a su gente que la fábrica no iba a cerrar, pero que iba a ser necesario aplicar drásticos recortes. Una dolorosa reducción de los gastos para el siguiente ejercicio garantizaría un futuro rentable.

También prometió a los 1.200 despedidos que contarían con todo el apoyo de la empresa. La cobertura del seguro de desempleo los mantendría a salvo durante un año, y la empresa volvería a contratarlos tan pronto como pudiera, pero no podía prometer nada. Los despidos podían convertirse en permanentes.

En los cafés y en las barberías, en los pasillos de los colegios y en los bancos de las iglesias, en las gradas del campo de fútbol y en la aceras, en las cervecerías y en los salones de billar, por toda la ciudad no se hablaba de otra cosa. Cada uno de los 11.000 habitantes de Reedsburg conocía a alguien que se había quedado sin su trabajo en la cementera. Los despidos masivos se convirtieron en el peor desastre en la tranquila historia del pueblo, y a pesar de que este se hallaba medio escondido entre los montes Allegheny, la noticia se filtró al exterior.

El periodista del *Baltimore Press* que había escrito tres artículos sobre la demanda colectiva del condado de Howard seguía la marcha de la suspensión de pagos y conversaba con los propietarios de las casas afectadas. La noticia de los despidos lo llevó a acercarse a Reedsburg, donde se paseó por bares, salones de billar y canchas de fútbol.

El primero de los tres reportajes que publicó fue casi tan extenso como una novela corta. Un escritor decidido a hacer sangre no habría podido mostrarse más cruel. Todas las desgracias que afligían a Reedsburg se habrían podido evitar fácilmente con tal de que el abogado que había presentado la demanda colectiva, el señor Clay Carter, de Washington, no se hubiera mostrado tan duro e inflexible a la hora de negociar sus elevados honorarios.

Puesto que Clay no leía el *Baltimore Press* —en realidad procuraba evitar leer la mayoría de los diarios y revistas—, no se enteró de las noticias de Reedsburg; sin embargo, el desconocido editor del boletín clandestino se ocupó de difundirlas a los cuatro vientos. El último número de «El Rey de los Calzoncillos», confeccionado sin duda a toda prisa, reproducía íntegramente el reportaje del *Baltimore Press*.

Clay lo leyó de cabo a rabo y, por un momento, estuvo tentado de demandar al periódico.

Sin embargo, no tardó en olvidarse del asunto porque una pesadilla mucho peor estaba a punto de abatirse sobre él. Una semana antes, un periodista de la revista *Newsweek* lo había llamado, y la señorita Glick le había aplicado su habitual tratamiento disuasorio.

No había abogado que no soñara con que se hablara de él a escala nacional, pero solamente cuando se trataba de casos muy importantes o de veredictos favorables y cuantiosos. Clay sospechaba que la entrevista no sería para nada en ese sentido, y estaba en lo cierto. *Newsweek* no estaba interesado en su persona, sino en la que se había convertido en su principal enemiga.

Lo que publicó fue un verdadero panegírico a mayor gloria de Helen Warshaw, dos páginas enteras de alabanzas por las que cualquier abogado habría dado su mano derecha. Warshaw aparecía en una espectacular fotografía, junto al vacío estrado de un jurado, con aire brillante y combativo y también muy creíble. Clay nunca la había visto, y esperaba que fuera una especie de bruja implacable, como la había definido Wes Saulsberry. Pero nada de eso. Al contrario, era una mujer muy atractiva, morena y menuda, con unos grandes y tristes ojos castaños capaces de encandilar a cualquier jurado. Clay la observó, pensando que ojalá ella llevara su caso en lugar del que tenía entre manos, y rezó para no tener que conocerla, y menos aún ante un tribunal de justicia.

Helen Warshaw era uno de los tres socios de un bufete de Nueva York especializado en perseguir a los colegas que incurrían en un ejercicio indebido de la profesión o que se saltaban las obligadas normas de la ética profesional. Se trataba de un nicho del mercado pequeño pero que iba a más. En esos momentos, Warshaw se hallaba empeñada en perseguir a algunos de los abogados más destacados del país y afirmaba que no tenía la menor intención de llegar a un acuerdo extrajudicial. «Jamás he visto un caso más apasionante que este para un jurado», afirmaba. Clay deseó cortarse las venas.

Warshaw tenía en esos momentos cincuenta clientes del Dyloft, todos ellos al borde de la muerte y dispuestos a demandarle. El reportaje describía la rápida y fea historia del acuerdo de indemnización.

De entre todos los cincuenta, y por razones que solo el periodista sabía, este se había centrado en la persona de un tal Ted Worley, de Upper Marlboro, en Maryland, y reproducía una imagen del infeliz sentado en el jardín trasero de su casa, junto a su mujer; los dos cruzados de brazos y con aire abatido. El señor Worley, débil, tembloroso y muy enfadado, describía su primer contacto con Clay Carter —una inesperada llamada telefónica que había recibido mientras procuraba disfrutar de un partido de su equipo favorito, los Orioles—, la aterradora noticia sobre los efectos secundarios del medicamento, el análisis de orina, la visita del joven abogado y la presentación de la demanda. Todo. «Yo no quería aceptar ese acuerdo», repetía insistentemente.

El señor Worley había mostrado al periodista del *Newsweek* todos los documentos —los informes médicos, una copia de la demanda presentada en el juzgado, el ambiguo contrato firmado con el señor Carter donde otorgaba a este la capacidad de llegar a un acuerdo por cualquier cantidad superior a 50.000 dólares; no se había olvidado de nada, ni siquiera de las copias de las dos cartas que había enviado a Clay, protestando por aquella «liquidación a precio de saldo», y que este no se había dignado contestar.

Según los médicos, al señor Worley apenas le quedaban seis meses de vida. Mientras leía las estremecedoras palabras del relato, Clay tuvo la sensación de ser el responsable del cáncer del señor Worley.

Helen explicaba que el jurado no tendría más remedio

que escuchar en vídeo el testimonio de muchos de sus representados, porque no todos llegarían vivos al juicio. Clay pensó que era una manera especialmente cruel de expresarlo, pero todo el reportaje rebosaba perversidad.

El señor Carter había rehusado hacer comentarios. Para rematar, la revista publicaba la foto de él con Ridley a las puertas de la Casa Blanca, y añadía que había donado 250.000 dólares al listado presidencial.

«Realmente va a necesitar amigos poderosos como el presidente», comentaba Warshaw, y Clay casi pudo notar cómo la bala le acertaba entre los ojos. Arrojó la revista al suelo y deseó no haber pisado nunca la Casa Blanca, no haber conocido al presidente, no haber extendido jamás aquel condenado cheque, no haber conocido a Ted Worley, no saber nada de Max Pace y no haber soñado siquiera con ir a la facultad de derecho.

Llamó a sus pilotos y les dijo que fueran hacia el aeropuerto.

—¿Adónde desea volar, señor?

—No lo sé. ¿Adónde les apetece ir a ustedes?

—¿Perdón...?

—Da igual. A Biloxi, en Mississippi.

—¿Una persona o dos?

—Solo yo.

Hacía veinticuatro horas que no había visto a Ridley y no sentía el menor deseo de llevársela con él. Necesitaba alejarse de la ciudad durante un tiempo y de cualquier cosa que se la recordara.

Sin embargo, los dos días que pasó en el yate de Patton French no le sirvieron de mucho. Clay reclamaba la compañía de otro conspirador, y Patton French se hallaba demasiado ocupado con otras demandas que tenía en marcha.

French había enviado a dos colaboradores al palacio de justicia de Fénix, y ellos lo mantenían informado sobre la marcha del juicio de hora en hora. Seguía mostrándose reacio a lanzarse contra el Maxatil, pero se mantenía al tanto de los acontecimientos. Según le dijo a Clay, formaba parte de su trabajo puesto que era el más importante de todos los abogados especializados en demandas colectivas. Tenía más experiencia, dinero y recursos que nadie. Tarde o temprano, todas las demandas acababan en su mesa.

Clay leyó los correos electrónicos y habló con Oscar Mulrooney. La selección del jurado había ocupado un día entero, y Dale Mooneyham estaba empezando a exponer el caso contra el Maxatil. El estudio del gobierno era una prueba de primerísima importancia, y el jurado demostraba mucho interés en él.

—Hasta ahora, pinta bien —le dijo Oscar—. Mooneyham es todo un actor, pero Redding lo supera en habilidad.

Mientras French se ocupaba de atender tres llamadas a la vez a pesar de la resaca, Clay se tumbó a tomar el sol en la cubierta superior e intentó olvidarse de sus problemas. El segundo día por la tarde, tras varios vodkas en cubierta, French le preguntó a bocajarro:

—¿Cuánto dinero te queda?

—No lo sé. La verdad es que me da miedo hacer números.

—Da igual, dime una cantidad aproximada.

—Puede que unos veinte millones.

—¿Y cuánto cubre el seguro?

—Diez millones. Me han cancelado la póliza, pero siguen respaldándome con el Dyloft.

French mordisqueó su rodaja de limón.

—No sé si tendrás bastante con treinta millones.

—No parece que sean suficientes, ¿verdad?

—Yo diría que no. En estos momentos tienes veintiuna reclamaciones, y ese número aumentará. Seremos afortunados si conseguimos resolver estas malditas demandas con tres millones por cabeza.

—¿Tú cuántas tienes?

—Hasta ayer, diecinueve.

—¿Y de cuánto dinero dispones?

—Tengo unos doscientos millones. Resistiré.

Entonces ¿por qué no me prestas, digamos..., unos 50 millones?, pensó Clay. Lo cierto era que le hacía gracia la desenvoltura con la que hablaban de cifras millonarias. Apareció un camarero que les sirvió más alcohol. Justo lo que necesitaban.

—¿Y los demás?

—Wes no tiene de qué preocuparse. Hernández sobrevivirá si sus reclamaciones no sobrepasan la treintena. A Didier, sus dos últimas esposas lo dejaron sin un céntimo. Está listo. Será el primero en declararse en quiebra, pero que sepas que eso es algo que yo he hecho en un par de ocasiones.

Si Didier iba a ser el primero, ¿quién sería el segundo?

Después de un largo silencio, Clay preguntó:

—¿Y que ocurrirá si Goffman gana el juicio de Flagstaff?

—Pues que estarás hasta el cuello de problemas, te lo aseguro. Me pasó lo mismo hará unos diez años, con un lamentable caso de deformaciones en recién nacidos. Reuní todos los casos que pude, les hice firmar y me precipité a la hora de presentar la demanda. Al final todo salió mal y nadie cobró ni un céntimo. Mis clientes creían que iban a recibir indemnizaciones millonarias porque les habían nacido hijos deformes, ya te imaginas. La carga emocional era terrible y no hubo manera de hablar con ellos. Unos cuantos me demandaron, pero conseguí librarme sin pagar. Un abogado no puede garantizar resultados. Aun así, me costó un montón de dinero.

—No era precisamente lo que quería escuchar.

—¿Cuánto llevas gastado con el caso del Maxatil?

—Solo en anuncios, unos ocho millones.

—Yo que tú me quedaría quieto un tiempo, a ver cómo reacciona Goffman. No creo que ofrezcan nada. Son una panda de tíos duros. Cuando vaya pasando el tiempo, tus clientes montarán en cólera y acabarás diciéndoles que se vayan a paseo. —Tomó un largo trago de vodka—. De todas maneras, tienes que pensar positivamente: hace años que Mooneyham no pierde un juicio. Todo será distinto si consigue un buen veredicto. Es posible que de repente te veas sentado de nuevo sobre una mina de oro.

—Goffman me dijo que, aunque perdieran en Arizona, también pensaban plantar cara en Washington.

—Puede que se estuvieran marcando un farol. Dependerá de lo que pase en Flagstaff. Si pierden a lo grande, no les quedará más remedio que pensar en negociar. De todas maneras, si la emprenden contigo, siempre puedes buscarte un as de los tribunales que les dé una buena paliza.

—¿Me estás diciendo que no me recomiendas que me enfrente directamente a ellos?

—Sí. Es algo que no te aconsejo porque no tienes experiencia en esos lances. Hace falta pasarse años en los tribunales antes de lanzarse contra los grandes.

Clay comprendió que, a pesar de lo fiero que se mostraba French en las demandas colectivas, no le gustaba la idea de presentarse voluntario para interpretar el papel de as de los tribunales que le había mencionado. No hacía más que cumplir con su intento de consolar a un colega más joven.

Clay se marchó a la mañana siguiente y voló a Pittsburg, a cualquier sitio menos a Washington. Por el camino habló con Oscar Mulrooney y leyó los correos electrónicos y las noticias sobre el juicio de Flagstaff. La demandante, una mujer de sesenta y seis años que padecía un cáncer de pecho, había testificado, y la exposición de su caso había sido conmovedora. Era una mujer muy agradable, y Mooneyham la exprimió a gusto.

—¡A por ellos, viejo! —se dijo Clay.

Después de aterrizar, alquiló un automóvil y estuvo conduciendo dos horas en dirección nordeste, mientras se adentraba en los montes Allegheny. Situar Reedsburg en el mapa le costó casi tanto como localizarlo en la carretera. Cuando llegó a lo alto de una colina situada en las afueras del pueblo, divisó en la distancia una fábrica gigantesca. Un cartel rezaba: Bienvenido a Reedsburg, Pensilvania. Hogar de la Hanna Portland Cement Company, fundada en 1946. Dos grandes chimeneas dejaban escapar nubecillas de polvo que el viento arrastraba. Al menos sigue funcionando, se dijo Clay.

Siguió las indicaciones hasta el centro y halló un lugar donde aparcar en Main Street. Vestido con vaqueros y una gorra de béisbol, y con una barba de dos días, estaba seguro de que nadie lo reconocería. Entró en la Ethel's Coffee Shop y se sentó en uno de los tambaleantes taburetes de la barra. Ethel en persona le dio la bienvenida y le tomó la comanda: café y un sándwich de jamón y queso caliente.

En una mesa situada tras él, dos viejos charlaban de fútbol. Los Reedsburg High Cougars habían perdido tres partidos seguidos, y seguro que cualquiera de ellos dos lo habría hecho mejor que el entrenador. Según el anuncio que había junto a la caja registradora, aquella tarde jugaban en casa.

Cuando Ethel le llevó el café, preguntó:

—¿Está de paso?

—Sí —contestó Clay, dándose cuenta de que aquella mujer debía de conocer a cada una de las once mil almas del pueblo.

—¿De dónde es?

—De Pittsburg —contestó.

No sabía si había acertado o no, el caso es que Ethel se alejó sin hacerle más preguntas. En otra mesa, dos hombres más jóvenes hablaban del trabajo. Uno de ellos llevaba una gorra con el logotipo de la Hanna Cement. Mientras se comía el bocadillo, Clay los escuchó conversar acerca de sus respectivos seguros de desempleo, de hipotecas, de los gastos de la tarjeta de crédito y de sus trabajos temporales. Uno de ellos estaba pensando en devolver la camioneta Ford que acababa de comprar para que el concesionario la revendiera. Junto a la puerta, en una mesa plegable adosada a la pared, había una gran botella de agua vacía. Un rótulo hecho a mano animaba a todo el mundo a dejar su contribución al «Fondo Hanna». Diversas monedas y billetes la llenaban a medias.

—¿Para qué es eso? —preguntó Clay cuando Ethel volvió a llenarle la taza.

—Oh, eso... Es una colecta de dinero para las familias que se han quedado sin trabajo en la fábrica.

—¿Qué fábrica? —insistió aparentando la mayor ignorancia.

—La Hanna Cement. Es la que daba más trabajo a todo el pueblo. La semana pasada puso en la calle a mil doscientos trabajadores. Pero aquí nos apoyamos los unos a los otros. Hay botellas como esa por todo el pueblo: en las tiendas, en los bares, hasta en la iglesia. Ya llevamos recolectados seis mil. El dinero servirá para pagar las facturas de la luz y la comida si las cosas se ponen feas. Si no, lo donaremos al hospital local.

—¿Qué pasó, fue mal el negocio? —quiso saber Clay.

Masticó el bocadillo. Llevárselo a la boca era fácil; pero tragar resultaba más difícil.

—No. Los Hanna siempre han sido buenos administradores. Son gente que sabe lo que hace, pero han tenido mala suerte. Unas personas de la zona de Baltimore demandaron a la fábrica y la cosa acabó torciéndose porque los abogados de la otra parte querían demasiado dinero. Al final, los Hanna no tuvieron más remedio que presentar una suspensión de pagos.

—Una jodida lástima —terció uno de los parroquianos, dando entrada en la conversación a todos los demás—. No tendría que haber ocurrido. Los Hanna intentaron llegar a un acuerdo de indemnización, lo intentaron de buena fe, pero esa escoria de Washington no quiso ceder. Al final, los Hanna no tuvieron más remedio que enviarlos a la mierda y levantarse de la mesa.

Como resumen no está mal, se dijo Clay.

—Yo he trabajado en esa fábrica durante cuarenta años y

siempre fueron puntuales con la nómina. Una jodida lástima, créame.

Comprendiendo que los presentes esperaban que hiciera algún comentario, Clay preguntó:

—¿Quiere decir que los despidos no eran frecuentes?

—Sí. A los Hanna no les gusta poner a la gente de patas en la calle.

—¿Cree que volverán a admitirlos?

—Supongo que lo intentarán, pero ahora todo está en manos del tribunal encargado.

Clay asintió y volvió a su sándwich. Los dos parroquianos más jóvenes se pusieron en pie y se dispusieron a pagar, pero Ethel los despidió con un gesto de la mano.

—Va por cuenta de la casa, muchachos.

Ellos asintieron educadamente y, antes de salir, dejaron caer unas monedas en el Fondo Hanna. Unos minutos después, Clay se despidió de los dos ancianos, pagó su cuenta, dio las gracias a Ethel y metió un billete de cien dólares en la garrafa de agua.

Cuando oscureció, fue a sentarse en los bancos para visitantes y vio cómo los Reedsburg Cougars plantaban cara a los Enid Elk. Las gradas del equipo local estaban llenas a rebosar. La banda de música tocaba a todo volumen, y el público, deseoso de una victoria, apoyaba al equipo ruidosamente. Sin embargo, el partido no logró captar la atención de Clay. Miró la lista de jugadores y se preguntó cuántos de ellos pertenecerían a familias afectadas por los despidos. Observó a los seguidores de los Reedsburg que llenaban el campo y se preguntó cuántos de ellos se habrían quedado sin trabajo.

Antes del lanzamiento inicial y justo después de que sonara el himno nacional, el párroco local rezó por la seguridad de los jugadores y rogó para que el pueblo recobrara su fortaleza económica.

—Ayúdanos, Señor, en estos tiempos difíciles. Amén.

Clay no recordaba haberse sentido peor en toda su vida.

38

Ridley lo llamó el sábado por la noche, temprano. Estaba bastante molesta porque llevaba cuatro días intentando localizarlo. Nadie del bufete parecía saber su paradero, o si lo sabían no habían querido decírselo. Él, por su parte, tampoco había hecho el menor esfuerzo por llamarla. Ambos tenían más de un teléfono. ¿Era así como se hacía avanzar una relación? Tras escuchar sus gimoteos durante un rato, Clay creyó oír un zumbido en la línea.

—¿Dónde estás? —le preguntó.

—En nuestra casa de San Bartolomé.

—¿Y cómo has llegado hasta allí? —quiso saber, porque el Gulfstream lo había estado utilizando él.

—Alquilé un pequeño avión. Demasiado pequeño, la verdad, porque tuvimos que repostar en San Juan. No podía hacer el vuelo de un tirón.

Pobrecilla. Clay se preguntó de dónde habría sacado el número de la empresa de vuelos privados.

—¿Qué estás haciendo allí?

Una pregunta estúpida.

—Me puse muy nerviosa porque no podía encontrarte. No vuelvas a hacerme algo así, Clay.

Intentó establecer una relación entre su desaparición y la escapada de Ridley a San Bartolomé, pero lo dejó correr.

—Lo siento —se apresuró a contestar—. Salí de la ciudad a toda prisa. Patton French me necesitaba en Biloxi y estuve demasiado ocupado para pensar en llamar.

Pasó un ángel mientras ella decidía si debía perdonarlo ya o era mejor esperar unos días.

—Está bien —dijo al fin—, pero tienes que prometerme que no volverás a hacerlo.

Clay no se encontraba de humor para tantos gimoteos ni perdones. Además, en el fondo se alegraba de que ella estuviera fuera.

—No te preocupes. No volverá a pasar. Disfruta de la casa.

—¿No vas a venir? —preguntó ella sin ningún interés, como si fuera un comentario de rutina.

—No con el juicio de Flagstaff en marcha. —Dudaba seriamente que ella estuviera al tanto de lo que eso significaba.

—Claro.

Jonah estaba en la ciudad con un montón de historias que contar sobre sus aventuras marineras. Habían quedado en encontrarse a las nueve en un pequeño restaurante francés de la avenida Wisconsin para disfrutar de una cena larga y tardía. Alrededor de las ocho y media, sonó el teléfono, pero la persona que llamaba colgó sin decir nada. Al cabo de un momento, volvió a llamar, y Clay descolgó mientras se abrochaba la camisa.

—¿Hablo con Clay Carter? —preguntó una voz masculina.

—Sí. ¿Quién es?

Dado el creciente número de clientes descontentos que llamaban —primero por el Dyloft, después por las Skinny Ben, y en esos momentos los furiosos perjudicados por la cementera—, Clay había cambiado dos veces de teléfono en los dos últimos meses. Podía tolerar el bombardeo de llamadas en la oficina, pero en casa prefería que lo dejaran en paz.

—Soy de Reedsburg y tengo información valiosa sobre la Hanna.

Las palabras le provocaron un escalofrío y se sentó en el borde de la cama. Intentó pensar con claridad.

—De acuerdo, la escucho.

Alguien de Reedsburg se las había ingeniado para conseguir su teléfono, que no aparecía en las guías.

—Es mejor que no hablemos por teléfono —dijo la voz, que debía de pertenecer a un hombre de unos treinta años, blanco y con estudios.

—¿Por qué no?

—Es una larga historia. Tengo papeles importantes.

—¿Dónde está usted?

—En la ciudad. Podemos encontrarnos en el vestíbulo del hotel Four Seasons, en la calle M. Allí podremos hablar.

No le pareció un mal plan. El vestíbulo estaría lleno de gente en caso de que alguien deseara sacar una pistola y empezar a asesinar a abogados.

—¿Cuándo? —preguntó Clay.

—Ahora mismo. Estaré allí dentro de cinco minutos. ¿Cuánto tardará usted?

Aunque su dirección no era ningún secreto, Clay no pensaba mencionar el hecho de que vivía apenas a seis manzanas del lugar.

—Estaré allí en diez minutos.

—Bien. Llevo vaqueros y una gorra negra de Steelers.

—Le encontraré —dijo Clay antes de colgar.

Acabó de vestirse y salió a toda prisa de su casa. Mientras caminaba a paso vivo por Dumbarton, intentó imaginar qué tipo de información podía desear o siquiera necesitar sobre la cementera. Solo había pasado unas horas en Reedsburg y ya estaba haciendo lo posible por olvidarlo, aunque sin resultados. Giró por la calle Treinta y uno mientras murmuraba para sus adentros, perdido en un mundo de conspiraciones, despidos y espías. Se cruzó con una mujer que había sacado a pasear a su perro y que buscaba un lugar adecuado en la acera para que el animal se aliviara. Un joven vestido con una cazadora de motero y un cigarrillo en la comisura de los labios se acercó, pero Clay apenas reparó en él. Justo cuando los dos se cruzaron, ante una casa mal iluminada y bajo las ramas de un viejo arce rojo, el individuo, con una perfecta sincronización de movimientos, le asestó un gancho que le acertó en toda la mandíbula.

Clay ni lo vio llegar. Más adelante recordó el ruido del golpe y la sensación de su cabeza impactando contra una verja de hierro. De alguna parte surgió un bate y otro individuo. Entre los dos le asestaron una lluvia de golpes y patadas. Clay logró rodar sobre sí y apoyarse en una rodilla, pero entonces el bate cayó sobre él con un ruido seco, como un pistoletazo.

Oyó que una mujer gritaba a lo lejos y perdió el sentido.

La mujer había estado paseando a su perro cuando oyó un tumulto a su espalda. Parecía que había una pelea. Eran dos contra uno, y el que se encontraba en el suelo se estaba llevando la peor parte. Se acercó corriendo y soltó un grito de horror al ver a dos sujetos vestidos con cazadoras negras, dando una paliza a alguien con bates de béisbol. Al oírla, los dos hombres salieron huyendo. Ella sacó rápidamente el móvil y marcó el 911.

Los dos individuos corrieron manzana abajo y giraron en la esquina de la calle N, donde había una iglesia. La mujer se acercó al hombre que yacía en el suelo, inconsciente y sangrando profusamente.

Clay fue trasladado al Hospital Universitario George Washington, donde el equipo de traumatología de urgencias lo estabilizó. Un examen preliminar reveló dos grandes laceraciones en la cabeza producidas por un objeto romo, un corte en su mejilla derecha, otro en su oreja izquierda y numerosas contusiones. Tenía el peroné derecho partido limpiamente en dos, la rótula izquierda hecha añicos y el tobillo izquierdo roto. Le afeitaron la cabeza y le aplicaron 81 puntos para cerrarle los dos grandes cortes. Tenía el cráneo muy magullado, pero no fracturado. Después de darle seis puntos en la mejilla y once en la oreja, se lo llevaron al quirófano para recomponerle las piernas.

Jonah empezó a impacientarse y a llamar después de llevar media hora esperando. Al cabo de una hora se marchó del restaurante y fue caminando hasta casa de Clay. Allí llamó a la puerta y al timbre. Maldijo para sus adentros, y se disponía a lanzar unas piedrecillas contra las ventanas cuando se fijó en que el coche de Clay se encontraba aparcado en la calle. Al menos le pareció que se trataba del mismo coche.

Se acercó lentamente. Intuyó que algo iba mal, pero no supo decir exactamente qué. Desde luego, era un Porsche Carrera negro, pero estaba cubierto de un polvo blanquecino. Entonces llamó a la policía.

Debajo del coche descubrieron un saco despanzurrado de la Hanna Cement Portland. Evidentemente, alguien había cubierto el Porsche de cemento y después le había arrojado agua. En varios lugares, especialmente el techo y el capó, la masa había fraguado y grandes placas se habían adherido a la carrocería. Mientras la policía inspeccionaba el coche, Jonah les explicó que su propietario había desaparecido. Tras una larga búsqueda en el ordenador de la policía, el nombre de Clay apareció como paciente ingresado en un hospital. Jonah partió hacia allí y llamó a Paulette por el camino. Ella fue la primera en llegar. Clay se encontraba en el quirófano, pero solo tenía unos cuantos huesos rotos y una conmoción. Ninguna de sus heridas era de gravedad.

La mujer del perro declaró a la policía que los dos agresores eran hombres blancos, y tres estudiantes que se disponían a entrar en un bar de la avenida Wisconsin aseguraron haber visto a dos sujetos blancos vestidos con cazadoras negras huir corriendo por la esquina de la calle N y subirse a una furgoneta verde metalizada cuyo conductor los esperaba con el motor en marcha. Estaba demasiado oscuro para que pudieran distinguir la matrícula.

La llamada que Clay había recibido a las ocho y media fue rastreada y se descubrió que había sido hecha desde una cabina de la calle M, a escasos cinco minutos de su casa.

Las pistas y el caso se enfriaron rápidamente. Al fin y al cabo, se había tratado únicamente de una paliza, y de sábado por la noche, además. Aquella misma noche tendrían lugar dos violaciones, dos tiroteos realizados desde un coche que acabaron con cinco heridos y dos asesinatos, ambos fortuitos.

Dado que Clay carecía de familia en la ciudad, Paulette y Jonah asumieron el papel de portavoces y tomaron las decisiones en su lugar. A la una y media de la madrugada, un médico les informó de que la operación había transcurrido sin problemas de y que todos los huesos habían sido colocados en su sitio a la espera de que se soldaran sin problemas. Le habían tenido que poner unos cuantos clavos y tornillos, pero todo había ido bien. Clay sufría una conmoción, pero no sabían si era grave. Por eso iban a controlarlo con un electroencefalograma.

—Tiene un aspecto horrible —les advirtió Paulette.

Pasaron otras dos horas antes de que subieran a Clay. Jonah había insistido en que le dieran una habitación para él solo. Al final, consiguieron verlo alrededor de las cuatro de la mañana. Una momia no habría llevado más vendajes.

Tenía las dos piernas enyesadas y suspendidas en tracción mediante un complicado sistema de cables y poleas. Una sábana le cubría el torso y los brazos. Le habían vendado el cráneo y la mitad de la cara. Sus ojos, los labios y la mandíbula estaban amoratados y tumefactos. Un rastro de sangre seca le manchaba el cuello. Gracias a Dios, se encontraba inconsciente.

Permanecieron en silencio mientras contemplaban la extensión de sus heridas y escuchaban los pitidos de los monitores, viendo cómo el pecho de Clay se movía, arriba y abajo, lentamente.

Entonces Jonah se echó a reír.

—¡Mira a este cabrón! —exclamó.

—¡Calla, Jonah! —bufó Paulette, dispuesta a abofetearlo.

—Aquí yace El Rey de los Pleitos —dijo Jonah conteniendo la risa.

Paulette vio entonces la gracia de la situación y rió también por lo bajo. Durante un momento, los dos se quedaron al pie de la cama, haciendo un esfuerzo para dejar de reír. Cuando el momento hubo pasado, Paulette dijo:

—Debería darte vergüenza.

—Es verdad. Lo siento.

Un ordenanza entró empujando una cama plegable. Paulette montaría guardia el primer día; y Jonah, el segundo.

Afortunadamente, la agresión había ocurrido demasiado tarde para que saliera en la prensa del domingo. La señorita Glick llamó a todos los miembros del bufete y les pidió que no fueran por el hospital y que tampoco mandaran flores. Puede que más adelante Clay los necesitara pero, por el momento, lo único que le convenía eran sus oraciones.

Clay se incorporó finalmente al mundo de los vivos el domingo al mediodía. Paulette estaba plegando la cama cuando él preguntó:

—¿Quién está ahí?

Ella corrió a su lado.

—Soy yo, Clay

A través de sus hinchados párpados, Clay solo vio una figura oscura y borrosa. Desde luego, no se trataba de Ridley. Tendió una mano.

—¿Quién?

—Paulette, Clay. ¿No me ves?

—No muy bien. ¿Qué estás haciendo aquí? —Las palabras le salían pastosas y doloridas.

—Sencillamente cuidando de ti, jefe.

—¿Dónde estoy?

—En el Hospital Universitario George Washington.

—¿Por qué? ¿Qué me ha ocurrido?

—Bueno, ha sido lo que se dice una paliza de las buenas.

—¿Qué?

—Te agredieron dos tíos armados con bates de béisbol. ¿Quieres un analgésico?

—Por favor.

Paulette salió a toda prisa de la habitación en busca de una enfermera. Un médico se presentó poco después y explicó a Clay, con todo lujo de desagradables detalles, las lesiones producidas por la paliza. Otra pastilla, y se durmió. Pasó la mayor parte del domingo flotando en una agradable bruma mientras Paulette y Jonah leían los diarios y veían fútbol en la televisión.

La noticia saltó con fuerza el lunes y en todas partes fue la misma. Paulette silenció el televisor, y Jonah escondió los periódicos. La señorita Glick y el resto del personal del bufete cerraron un círculo protector en torno a su jefe con un «sin comentarios» generalizado. También recibió un e-mail del capitán de un velero anclado en algún lugar del golfo de México, cerca de la península de Yucatán, que le pedía noticias sobre el estado de Clay. Ella se las dio: se encontraba estable, con algunos huesos rotos y una conmoción. Él le dio las gracias y aseguró que volvería a llamar al día siguiente.

Ridley llegó el lunes por la tarde, y tanto Paulette como Jonah aprovecharon para salir, contentos de poder alejarse del hospital durante un rato. Evidentemente, los georgianos no tenían el mismo sentido del deber. Allí donde los norteamericanos se instalaban con sus bagajes junto a sus seres queridos, los de otras culturas consideraban que lo más práctico era hacer una breve visita y dejar que fuera el hospital quien se hiciera cargo del paciente. Ridley se mostró muy afectuosa durante un rato y trató de que Clay se interesara en los últimos cambios que había introducido en la mansión de San Bartolomé. Al final, a Clay acabó doliéndole la cabeza y pidió una pastilla. Ella acabó tumbándose en el diván e intentando dar una cabezada, agotada, según dijo, por el vuelo de regreso. Eso sí, sin escalas y en el Gulfstream.

Un detective de la policía fue a verlo para seguir las pistas del caso. Todos los indicios señalaban a un par de matones de Reedsburg, pero las pruebas eran escasas y Clay fue incapaz de dar una descripción del sujeto que le había lanzado el primer puñetazo.

—No lo vi bien —dijo, frotándose el mentón.

Para acabar de alegrarle el día, el detective le enseñó cuatro grandes fotografías del Porsche negro lleno de cemento endurecido. Clay pidió más analgésicos.

Empezaron a llegar flores: de Adelfa Pumphrey, de Glenda, de la OTO; del señor y la señora Crittle, de Wes Saulsberry, de Patton French y de un magistrado del Tribunal Superior al que Clay conocía. Jonah le llevó un ordenador portátil, y Clay pudo chatear un buen rato con su padre.

El lunes, el boletín pirata de El Rey de los Pleitos difundió tres ediciones, cada una con los últimos chismes y rumores sobre la agresión. Sin embargo, él no se enteró de nada, refugiado como estaba en su habitación del hospital y aislado por sus amigos.

El martes por la mañana, temprano, Zack Battle fue a verlo de camino a la oficina y le dio una buena noticia: la Comisión de Valores había cerrado la investigación que pesaba sobre él. Zack había hablado con el abogado de Mel Snelling, que le había contado que su cliente seguía resistiéndose a las presiones del FBI. Sin la colaboración de Mel, los federales no podían hacer nada contra Clay.

—Imagino que te vieron en las noticias y llegaron a la conclusión de que ya te habías llevado tu merecido —comentó Zack.

—¿He salido en la prensa?

—En unos cuantos artículos.

—¿Crees que me conviene leerlos?

—No te lo recomendaría.

El aburrimiento del hospital empezó a afectar a Clay: las tracciones, la cuña, las incesantes visitas de las enfermeras, las rutinarias charlas con los médicos, las mismas cuatro paredes, la pésima comida, el constante cambio de vendas y apósitos, la interminable recogida de muestras de sangre, el tedio de yacer sin poder moverse... Tendría que llevar los yesos durante semanas y no podía pensar en unirse a la vida de la ciudad sin una silla de ruedas y unas muletas. Por si fuera poco, todavía le quedaban un par de operaciones adicionales, menores, según le dijeron, pero imprescindibles.

El shock postraumático de la agresión empezó a dejarse notar y acudieron a su memoria más recuerdos de sonidos y de las sensaciones físicas de los golpes recibidos. Vio el rostro del individuo que le había lanzado el gancho, pero no estaba seguro de si había sido real o un sueño, de modo que no se lo contó a la policía. Oyó gritos surgiendo de la oscuridad, pero estos también podían provenir de sus pesadillas. Recordó haber visto un palo parecido a un bate de béisbol. Por suerte, lo habían dejado sin sentido, con lo cual no recordaba la mayoría de los golpes.

La tumefacción general empezó a remitir. La cabeza se le fue aclarando. Dejó los analgésicos para poder pensar con claridad y dirigir el bufete a través del teléfono y del correo electrónico. Según los colaboradores con los que hablaba, estaban todos cargados de trabajo; pero sospechó que no era verdad.

Ridley pasaba una hora por las mañanas y otra por las tardes. Se quedaba junto a la cabecera de la cama y se mostraba muy cariñosa, especialmente cuando entraban las enfermeras. Paulette no podía ni verla y desaparecía rápidamente cuado ella llegaba.

—Solo va detrás de tu dinero —advirtió a Clay.

—Y yo solo detrás de su culo.

—Pues entonces ella es la que se está llevando la mejor parte del negocio.

39

Cuando quería leer no tenía más remedio que levantar la mitad de la cama, y puesto que tenía las piernas en alto, acababa siempre sentado formando una especie de V. Bastante doloroso, por cierto. Solo podía aguantar unos minutos en esa posición antes de verse obligado a bajar la cabecera para aliviar la tensión. Estaba leyendo las noticias de los diarios de Arizona en el ordenador que le había llevado Jonah cuando sonó el teléfono y Paulette contestó.

—Es Oscar —le dijo ella.

Habían hablado un momento, el domingo por la noche, pero Clay estaba atiborrado de pastillas y no precisamente lúcido. Sin embargo, en ese momento se sentía totalmente despierto y listo para los detalles.

—Vamos, explícame todo lo que sepas.

—El sábado por la mañana, Mooneyham presentó sus conclusiones finales. Su exposición no podría haber sido mejor. El tío es brillante y tiene al jurado comiendo en la palma de su mano. Los tíos de Goffman, que al principio del juicio iban presumiendo por ahí, me da la impresión que ahora corren en busca de refugio. Redding llamó a declarar ayer por la tarde a su testigo estrella, un investigador que declaró que no existía una relación directa entre el Maxatil y el cáncer de pecho que padece la demandante. Me dio la impresión de que su testimonio era muy bueno, muy creíble; al fin y al cabo, el tío ese tenía tres doctorados. El jurado lo escuchó con mucha atención; pero después Mooneyham lo hizo picadillo. No sé de dónde, pero sacó un informe totalmente equivocado que el tío había publicado veinte años atrás y puso en tela de juicio su credibilidad. Cuando acabó, el pobre estaba acabado. Yo pensé que tendrían que llamar a una ambulancia para sacarlo de la sala. Nunca en mi vida había visto a un testigo tan humillado. Redding estaba pálido, y los ejecutivos de Goffman se quedaron sentados con cara de pasmo.

—¡Me encanta! Sigue, que me encanta —dijo Clay, con el teléfono pegado a los vendajes que le cubrían también la oreja sana.

—Y ahora viene lo mejor. Había descubierto dónde se alojaba la gente de Goffman y me trasladé a su hotel. Desde entonces nos hemos visto todos los días, a la hora del desayuno y por la noche en el bar. Saben quién soy, de modo que hasta el momento nos hemos comportado como fieras que se miran las unas a las otras y dan vueltas sin decidirse a atacar. Pero hete aquí que tienen un abogado de la casa, un tal Fleet, con el que me crucé en el vestíbulo una hora después de que machacaran a su último testigo, que me dijo que quería tomar una copa conmigo. Yo me tomé tres; y él, una. La razón fue que él tenía que volver a la suite donde están los de Goffman, donde pasaron la noche dando vueltas y estudiando la posibilidad de llegar a un acuerdo de indemnización.

—Repite eso.

—Lo que has oído. En estos momentos, los de Goffman están pensando en cerrar un trato con Mooneyham. Creen, como todo el mundo en el tribunal, que el jurado les va a hundir la empresa. Pero cualquier trato les va costar un ojo de la cara porque el viejo chivo de Mooneyham no quiere negociar porque se los está comiendo con patatas. Redding es bueno, hay que reconocerlo, pero no tiene la experiencia de su adversario.

—Vuelve a hablarme del acuerdo de indemnización.

—A eso iba. Fleet quería saber cuántos de nuestros casos son auténticos. Yo le dije que todos, los veintiséis mil. Entonces se fue por las ramas un rato hasta que al fin me preguntó si estaríamos dispuestos a aceptar una indemnización de cien mil dólares por caso. Eso significa unos dos mil seiscientos millones. ¿Me oyes, Clay? No sé si te salen los números.

—Te oigo y me salen. ¿Y los honorarios?

—Son cosa hecha.

Al oír aquello, los dolores desaparecieron de inmediato. El martilleo de su cabeza cesó. Los pesados yesos se convirtieron en plumas. Las laceraciones cicatrizaron en el acto. Le entraron ganas de echarse a llorar.

—De todas maneras —prosiguió Oscar—, no podemos considerarlo todavía una oferta en firme. Es solo un primer sondeo, y muy tenso, por cierto. Uno escucha un montón de rumores por el tribunal, especialmente de los abogados y de los analistas financieros. Según cuentan, Goffman puede permitirse montar un fondo de compensación de siete mil millones. Si la empresa cerrara ahora un acuerdo de indemnización, el precio de sus acciones se mantendría porque la pesadilla del Maxatil se habría acabado. No es más que una teoría; pero, tras la carnicería de ayer, tiene sentido. Fleet se me acercó porque nosotros dirigimos la mayor de todas las demandas colectivas. Por ahí se dice que el número total de demandantes ronda los sesenta mil, de manera que significa que nosotros solos copamos casi el cuarenta por ciento del mercado. Si nos mostramos dispuestos a cerrar un trato a cien mil dólares por cabeza, ellos podrían hacer sus cuentas.

—¿Cuándo volverás a verlo?

—Aquí son casi las ocho. El juicio se reanuda dentro de una hora. Hemos quedado en vernos fuera de la sala.

—Llámame lo antes que puedas, ¿de acuerdo?

—No te preocupes, jefe. ¿Cómo van esos huesos rotos?

—Ahora mucho mejor.

Paulette le cogió el teléfono y colgó, pero el aparato volvió a sonar casi al instante. Respondió y entregó el auricular a Clay.

—Es para ti. Creo que será mejor que me marche.

Era Rebecca, que se encontraba en el vestíbulo del hospital y lo llamaba por el móvil para preguntarle si le parecía bien que subiera a verlo. Minutos más tarde, entraba en la habitación y se horrorizaba al verlo. Le dio un beso en la mejilla, entre cortes y moretones.

—Llevaban bates —le explicó Clay—. Era para igualar la situación, si no yo habría contado con una injusta ventaja.

Apretó un botón del mando y subió la cabecera de la cama.

—Tienes un aspecto horrible —dijo ella con los ojos húmedos de lágrimas.

—Gracias. En cambio, tú estás guapísima.

Ella volvió a besarlo en el mismo sitio y empezó a acariciarle el brazo izquierdo. Se hizo un largo silencio.

—¿Puedo hacerte una pregunta? —dijo Clay.

—Claro.

—¿Dónde está tu marido en estos momentos?

—Pues creo que en Sao Paulo o en Hong-Kong; no sabría decirlo con precisión.

—¿Sabe que estás aquí?

—Desde luego que no.

—¿Y qué haría si se enterara?

—Se enfadaría y tendríamos una bronca.

—¿Y eso sería algo infrecuente?

—No. Me temo que al contrario. La verdad es que no está funcionando, Clay. Quiero dejarlo.

A pesar de sus lesiones, Clay estaba teniendo un día maravilloso. Una fortuna se hallaba al alcance de su mano, y también Rebecca.

La puerta de la habitación se abrió sigilosamente y Ridley entró. Nadie se dio cuenta de su presencia hasta que dijo:

—Lamento interrumpir.

—Hola, Ridley —consiguió articular Clay con voz estrangulada.

Las dos mujeres cruzaron una mirada que habría fulminado a una cobra. Ridley se situó al otro lado de la cama, frente a Rebecca, que no apartó su mano del amoratado brazo de Clay.

—Rebecca, te presento a Ridley. Ridley, te presento a Rebecca —dijo este mientras consideraba muy seriamente la posibilidad de cubrirse la cabeza con la sábana y fingirse muerto.

Ninguna de las dos esbozó la menor sonrisa. Ridley extendió ligeramente la mano y empezó a acariciar el brazo derecho de Clay. A pesar de estar recibiendo las atenciones de dos hermosas mujeres, se sentía como los despojos de un animal recién atropellado segundos antes de que llegaran los lobos.

Dado que a nadie se le ocurrió nada que decir durante varios segundos, Clay hizo un gesto con la cabeza hacia su izquierda y dijo:

—Es una vieja amiga. —Luego repitió el gesto hacia la derecha y dijo—: Es una nueva amiga.

Al menos en esos momentos, ambas mujeres se sentían mucho más próximas a Clay que unas simples amigas, y ambas estaban furiosas. Ninguna de las dos se movió. Sus posiciones habían quedado perfectamente establecidas.

—Creo que estuvimos en la fiesta de tu boda —dijo Ridley al fin, como una manera muy poco sutil de recordar a Rebecca que era una mujer casada.

—Y si no recuerdo mal —respondió esta—, sin que nadie os invitara.

—¡Vaya por Dios! —interrumpió Clay—. Creo que es la hora de mi lavativa. —Nadie se rió salvo él. Si se desataba una pelea entre aquellas dos tigresas, estando él en medio, podía acabar peor de lo que se encontraba. Hacía apenas cinco minutos estaba hablando de honorarios millonarios con Oscar, y en ese momento dos mujeres estaban listas a desenvainar la espada.

Dos mujeres realmente hermosas. Se dijo que las cosas podrían ser peores. ¿Dónde se habían metido las enfermeras? No dejaban de entrar a cualquier hora del día o de la noche, sin el menor respeto por su privacidad o su descanso. A veces se presentaban de dos en dos. Y, desde luego, siempre que tenía una visita aparecían para preguntarle: «¿Desea alguna cosa, señor Carter?», «¿Quiere que le arregle la cama?», «¿Desea que le encienda el televisor?».

No se oía un alma por los pasillos. Ridley y Rebecca seguían acariciándolo con sus garras.

Rebecca fue la que hizo el primer gesto. No le quedaba más remedio. Al fin y al cabo era una mujer casada.

—Bueno, creo que me voy.

Salió de la habitación lentamente, como si no quisiera marcharse, como si no deseara renunciar al terreno conquistado. A Clay se le encogió el corazón.

Tan pronto como la puerta se hubo cerrado, Ridley se retiró y fue hacia la ventana, donde se quedó un buen rato, con la mirada perdida en el horizonte. Entretanto, Clay se entretuvo hojeando el periódico totalmente ajeno a ella y a su estado de ánimo. La indiferencia que ella procuraba transmitirle con tanto esfuerzo le iba de perlas.

—La quieres, ¿no es verdad? —le preguntó Ridley, dándole la espalda e intentando aparentar sentirse herida.

—¿A quién?

—A Rebecca.

—Ah, ella... No. Solo es una vieja amiga.

Ridley se volvió entonces y caminó enérgicamente hacia la cama de Clay.

—¡No soy estúpida!, ¿sabes?

—Nunca he dicho que lo fueras —contestó él sin dejar de leer el diario, indiferente del todo ante los intentos de ella de montar una escena.

Ridley cogió el bolso y salió hecha una furia de la habitación, haciendo sonar los tacones tan fuerte como pudo. Al cabo de unos segundos, una enfermera entró para verificar los desperfectos.

Oscar lo llamó minutos más tarde por el móvil, desde fuera de la sala del tribunal. El juez acababa de ordenar un breve receso.

—Corre el rumor de que Mooneyham acaba de rechazar esta mañana una oferta de diez millones de dólares —explicó.

—¿Te lo ha dicho Fleet?

—No, nos hemos visto. Estaba liado con la presentación de unas mociones. Intentaré reunirme con él al mediodía.

—¿Quién está testificando?

—Otro experto de Goffman. Esta vez se trata de una profesora de Drake que intenta desacreditar el estudio del gobierno sobre el Maxatil, pero Mooneyham está afilando la espada. Creo que va a haber sangre.

—¿Das crédito a ese rumor?

—La verdad es que ya no sé qué creer. Los chicos de Wall Street parecen bastante entusiasmados. Quieren un acuerdo porque opinan que es la mejor manera de predecir costos. Volveré a llamarte a la hora de comer.

El juicio de Flagstaff tenía tres posibles finales: un veredicto contrario a Goffman presionaría a la compañía a indemnizar, evitando de ese modo años de incertidumbre ante juicios futuros; un acuerdo antes de que acabara el juicio significaba seguramente la puesta en marcha de un plan nacional de compensación para todos los demandantes; en cambio, un veredicto favorable a Goffman obligaría a Clay a salir corriendo con el rabo entre las piernas para preparar su juicio en Washington. Los dolores volvieron a asaltarlo nada más pensar en ello.

Yacer inmóvil durante horas y horas ya constituía tortura suficiente; pero, en esos momentos, el silencio del teléfono no hacía más que agravarla. Goffman podía ofrecer en cualquier momento a Mooneyham dinero suficiente para empujarlo a negociar. El ego del viejo lo llevaba sin duda a desear un veredicto, pero ¿sería capaz de pasar por encima de los intereses de su cliente?

Una enfermera cerró las cortinas, apagó las luces y el televisor. Cuando se hubo marchado, Clay se colocó el teléfono sobre el pecho, subió la sábana y se dispuso a esperar.

40

A la mañana siguiente, Clay pasó nuevamente por el quirófano para que le hicieran los últimos ajustes en los clavos y tornillos que le habían aplicado en las piernas. «Un poco de ajuste aquí y allá», le había explicado el médico. Fuera lo que fuese, requirió una anestesia general que lo dejó dormido prácticamente durante el resto del día. Lo devolvieron a su habitación poco después de las doce, y estuvo durmiendo durante tres horas hasta que se le pasaron los efectos del anestésico. Fue Paulette —ni Ridley ni Rebecca— quien estaba a su lado cuando despertó.

—¿Alguna noticia de Oscar? —preguntó con la lengua pastosa.

—Llamó para decir que el juicio iba bien. Eso es todo —le informó Paulette.

Luego le ajustó las sábanas y la almohada, le dio agua y, cuando estuvo plenamente despierto, se marchó para hacer unos recados. Antes de salir, le entregó un sobre que había llegado durante la noche. Estaba sin abrir.

Era de Patton French. Había una nota escrita de su puño y letra en la que le deseaba una pronta recuperación y algo más que Clay no logró descifrar. El memorándum que la acompañaba iba dirigido al comité del Dyloft (en esos momentos los demandados). La honorable Helen Warshaw había enviado la lista con los que esa semana se habían unido a su demanda conjunta. Cada vez eran más. Los letales efectos secundarios del Dyloft estaban apareciendo por todo el país, y la posición de los demandados era cada día más delicada. En esos momentos, Warshaw había reunido a 381 demandantes, 24 de los cuales eran ex clientes del bufete JCC. Como de costumbre, Clay leyó atentamente los nombres y, una vez más, se preguntó cómo era posible que sus caminos hubieran llegado a cruzarse.

¿Acaso no disfrutarían sus antiguos clientes viéndolo en esos momentos en el hospital, magullado, roto y lleno de costurones? Cabía incluso la posibilidad de que alguno de ellos estuviera también allí para que le extirparan órganos y tumores mientras sus seres queridos aguardaban, acompañados por el tictac del reloj. Clay era consciente de que no era el culpable de aquellos tumores; pero, por alguna extraña razón, se sentía responsable de sus sufrimientos.

Ridley se presentó al fin, camino de casa desde el gimnasio. Le llevó unos cuantos libros y revistas y se esforzó por demostrar interés. Al cabo de unos minutos comentó:

—Clay, me ha llamado el decorador. Tengo que volver a San Bartolomé.

¿El decorador sería hombre o mujer? Consideró la cuestión, pero prefirió no preguntar. La idea le pareció estupenda.

—¿Cuándo?

—Mañana, quizá, suponiendo que el avión esté disponible.

¿Por qué no iba a estarlo? No sería él quien lo utilizara, desde luego.

—Claro, avisaré a los pilotos.

Que se marchara de la ciudad le facilitaría la vida. No le resultaba de ninguna ayuda tenerla por el hospital.

—Gracias —contestó.

Luego se sentó en el sillón y se puso a hojear una revista. Trascurridos los treinta minutos de rigor, se levantó, le dio un beso en la mejilla y se marchó.

El siguiente fue un policía. El domingo por la mañana habían detenido a tres tipos de Reedsburg en un bar de Hagerstown, en Maryland. Se había producido una pelea, y ellos intentaron largarse del lugar de los hechos en una furgoneta verde metalizada, pero el que conducía se despistó y acabaron todos en la cuneta. El agente le mostró tres fotos en color de los sospechosos, tres tipos de aspecto patibulario; pero Clay no fue capaz de identificar a ninguno.

Según el jefe de policía de Reedsburg, los tres trabajaban en la fábrica Hanna y dos de ellos habían sido despedidos recientemente. Esa era lo única información que el policía había conseguido arrancar a las autoridades de la zona.

—No se muestran muy dispuestos a colaborar, que digamos.

Después de haber visitado personalmente Reedsburg, Clay comprendía bien el porqué.

—Si usted no puede identificar a esos sujetos, no quedará más remedio que dar el caso por cerrado —se lamentó el policía.

—La verdad es que no los había visto en mi vida —le aseguró Clay.

El agente se guardó las fotos en la cartera y se marchó para no volver. Un ejército de enfermeras y médicos hizo acto de presencia para pincharle y sondearle, y una hora después Clay estaba dormido.

Oscar llamó a las nueve y media de la mañana. El juicio acababa de ser aplazado para el resto del día. Todo el mundo estaba agotado, principalmente por la carnicería que Dale Mooneyham había organizado en la sala. Los de Goffman habían llamado a declarar a regañadientes a su tercer experto, un tipo anodino con gafas de concha, una rata de laboratorio que había dirigido las pruebas clínicas del Maxatil. Tras un brillante interrogatorio a cargo de Redding, Mooneyham no había perdido el tiempo a la hora de crucificarlo.

—Ha sido un golpe de los buenos —comentó Oscar riendo—. Después de esto no creo que a Goffman le queden ganas de llamar a más testigos.

—¿Y qué me dices del acuerdo? —quiso saber Clay a pesar de sentirse torpe y atontado por la anestesia.

—Por el momento no hay nada. De todas maneras, la noche va a ser muy larga. Radio macuto dice que Goffman presentará mañana un experto más y que después se echarán cuerpo a tierra y esperarán el veredicto. Mooneyham se niega a hablar con ellos. Tiene todo el aspecto y se comporta como si esperara una sentencia demoledora.

Clay se durmió con el auricular del teléfono pegado al oído. Una enfermera se lo retiró una hora más tarde.

El consejero delegado de Goffman llegó a Flagstaff el miércoles por la noche y fue rápidamente acompañado a un alto edificio donde los abogados se habían reunido. Allí, Roger Redding y el resto del equipo de abogados defensores lo pusieron al corriente de la situación, y la gente del departamento financiero le expuso los números. Todas las discusiones se centraron en el supuesto de que iban a perder.

Dado los varapalos que había recibido, Redding se mostraba empeñado en ceñirse al plan previsto y llamar a su último testigo. Tarde o temprano, la marea cambiaría; tarde o temprano daría con el tono adecuado y conseguiría anotarse un tanto ante el jurado. Pero Bob Mitchell, el vicepresidente, y Sterling Gibb, el abogado de la casa y su amigo de partidos de golf, ya habían tenido suficiente. Otro testigo hecho trizas en manos de Mooneyham podía bastar para que algún miembro del jurado saltara del estrado y agrediera personalmente al ejecutivo de la empresa que tuviera más cerca. Redding estaba herido en lo más profundo de su amor propio y por eso pretendía seguir adelante en busca de un milagro. Seguir su consejo era un mal consejo.

A las tres de la madrugada, entre café y rosquillas, Mitchell y Gibb se reunieron con el consejero delegado en privado. A pesar de lo mal que pintaba para la empresa, había algunos secretos sobre el Maxatil que nunca podrían ser revelados. Si esa información llegaba a manos de Mooneyham, o si podía arrancársela a un testigo, entonces sí que la cosa se pondría fea para Goffman. En esa fase del juicio, sabían de sobra que Mooneyham era capaz de cualquier cosa. Al final, el consejero delegado tomó la decisión de cortar la sangría.

Cuando el tribunal abrió la sesión a las nueve de la mañana, Roger Redding anunció que la defensa había terminado.

—¿No tiene más testigos? —preguntó el juez. Un juicio que estaba previsto que durara quince días terminaba antes de la mitad. Le esperaba una semana jugando al golf.

—Así es, señoría —contestó Redding, sonriendo al jurado.

—¿Algún inconveniente, señor Mooneyham?

El abogado de la parte demandante se puso en pie lentamente, lanzó una mirada burlona a Redding y dijo:

—No, señoría. Si él ha terminado, nosotros también.

El juez explicó al jurado que decretaba un receso de una hora para despachar algunos asuntos con los letrados. Después escucharían los alegatos finales de las partes y a la hora de comer podrían empezar a deliberar.

Oscar, como casi todo el mundo, salió apresuradamente de la sala con el móvil en la mano; pero no obtuvo respuesta en la habitación del hospital de Clay.

Estuvo esperando tres horas en rayos-X, tres horas en una camilla aparcada en un pasillo por donde las enfermeras y los ayudantes iban y venían mientras charlaban de nimiedades. Había dejado el móvil en la habitación, de modo que durante tres horas estuvo aislado del mundo mientras esperaba en las entrañas del Hospital Universitario George Washington.

La sesión de radiología duró casi una hora, pero habría

podido durar menos si el paciente no se hubiera mostrado tan poco dispuesto a colaborar, tan agresivo e incluso grosero. El ayudante lo devolvió en silla de ruedas a su habitación y lo dejó allí gustoso.

Clay daba cabezadas cuando Oscar volvió a llamar. Eran las cinco y veinte, las tres y veinte en Fénix.

—¿Dónde te habías metido? —preguntó Mulrooney.

—No me lo preguntes.

—Bueno, escucha: lo primero que Goffman hizo esta mañana fue tirar la toalla. Luego intentó negociar con Mooneyham, pero este no quiso saber nada. Después de eso, todo ocurrió muy deprisa. A las diez empezaron las exposiciones finales. El jurado recibió el caso al mediodía y ya está resuelto.

—¡Cómo que ya está resuelto!

—Lo que oyes, ya está resuelto. Se ha acabado. Han deliberado durante tres horas y han acabado fallando a favor de Goffman. Lo siento, Clay. Todo el mundo aquí se encuentra en estado de shock.

—No puede ser.

—Me temo que sí.

—Dime que es mentira, Oscar.

—Ojalá pudiera. No sé qué ha pasado. Nadie lo sabe. Redding hizo una exposición final espectacular, es verdad; pero yo estuve observando al jurado y me pareció que Mooneyham los tenía en el bolsillo.

—¿Me estás diciendo que Dale Mooneyham ha perdido su caso?

—Y no solo el suyo, el nuestro también.

—Pero ¿cómo puede ser?

—No lo sé. Me habría jugado todo lo que tengo a que Goffman perdería.

—Bueno, eso es lo que hemos hecho todos.

—Lo siento.

—Mira, Oscar, estoy solo y tumbado en la cama. Ahora

voy a cerrar los ojos y solo quiero que me hables, que sigas hablándome. No me dejes. No hay nadie más por aquí. Cuéntame algo, lo que sea.

—Está bien. Después del veredicto, Bob Mitchell y ese otro tipo, Sterling Gibb, me acorralaron. Una gente encantadora. Estaban tan contentos que parecían a punto de reventar. Empezaron preguntándome si seguías con vida, ¿qué te parece? Me dijeron que iban a continuar con el espectáculo y a llevar a Cohete Roger a Washington contra Clay Carter, El Rey de los Pleitos, quien, como todo el mundo sabe, nunca había defendido una demanda por daños y perjuicios ante un tribunal. ¿Qué iba a decirles? Acababan de derrotar en su propio terreno a un letrado que llevaba veinte años sin perder un juicio.

—A partir de ahora, nuestros casos no valen nada, Oscar.

—Eso piensan ellos. Mitchell me dijo que no estaban dispuestos a ofrecer ni un céntimo por ningún caso que se presentara contra el Maxatil. Quieren ir a juicio donde sea. Quieren reivindicar públicamente su causa y limpiar su nombre. Ya sabes.

Clay tuvo a Oscar hablando por teléfono casi una hora, hasta que su soleada habitación quedó a oscuras. Oscar le relató la tensión vivida durante la exposición de los argumentos finales de las partes y la tensión acumulada mientras esperaban el veredicto. Describió la expresión de desconsuelo de la demandante al ver que su abogado no estaba dispuesto a aceptar los supuestos diez millones que Goffman ofrecía; y la actitud de Mooneyham, que se había olvidado de lo que era perder, y que insistió en ver las actas de la deliberación del jurado. Cuando consiguió levantarse con la ayuda de su bastón, su ridículo había sido completo. La sorpresa también afectó al bando de Goffman, donde una multitud de tipos con traje permanecían sentados con la cabeza gacha, como si estuvieran rezando, hasta que el portavoz del jurado comunicó el veredicto. Luego se produjo una estampida cuando los analistas de Wall Street salieron a toda prisa a comunicar la noticia.

Oscar concluyó su relato:

—Ahora me voy al bar —dijo.

Clay llamó a la enfermera y le pidió una píldora para poder dormir.

41

Clay fue finalmente liberado tras once días de confinamiento. Le habían aplicado un yeso más ligero en la pierna izquierda y, aunque todavía no podía caminar, al menos tenía un mínimo de movilidad. Paulette lo sacó del hospital en una silla de ruedas y lo metió en una furgoneta alquilada y conducida por Oscar.

Quince minutos después, lo dejaban en su casa de Georgetown y cerraban la puerta. Entre Paulette y la señorita Glick habían convertido la planta baja en un dormitorio provisional. También habían instalado el teléfono, el fax y el ordenador en una mesa plegable junto a la cama. La ropa se la habían dejado pulcramente colgada de unos percheros al lado de la chimenea.

Durante las dos primeras horas que pasó en casa, Clay se dedicó a leer el correo, los informes financieros y los recortes de periódico, pero solo lo que Paulette le había preparado, porque se había tomado la molestia de ahorrarle la mayoría de las cosas que se habían publicado sobre él.

Más tarde, sentado a la mesa de la cocina con Paulette y Oscar, les dijo que era hora de ponerse manos a la obra.

El primer asunto fue el bufete. Crittle había logrado recortar algunos costes, pero los gastos generales seguían galopando en torno al millón de dólares al mes. Sin ingresos en esos momentos y sin previsión de obtenerlos en un futuro inmediato, los despidos resultaban inevitables. Repasaron la lista de empleados, abogados, auxiliares jurídicos, secretarias, administrativos y ordenanzas, y empezaron con la desagradable tarea de recortar. A pesar de que habían decidido que los casos del Maxatil carecían de valor, todavía iba a costarles trabajo cerrar los expedientes. Clay conservó cuatro abogados y cuatro auxiliares para la tarea. Estaba decidido a cumplir con sus obligaciones hacia sus empleados, pero para ello necesitaba liquidez con urgencia.

Echó un vistazo a los nombres de los empleados que tenían que marcharse y lo que vio le hizo sentirse mal.

—Tengo que consultarlo con la almohada —dijo, incapaz de tomar la decisión definitiva.

—La mayoría de ellos ya lo están esperando —comentó Paulette.

Cerró los ojos e imaginó los rumores que habrían estado corriendo acerca de él por los pasillos del bufete.

Dos días antes, Oscar había accedido a pesar suyo a ir a Nueva York para reunirse con Helen Warshaw. Allí le había presentado a grandes rasgos la situación de los activos de Clay y de su pasivo. En definitiva, había suplicado clemencia. Su jefe no deseaba presentar un expediente de quiebra, pero lo haría si no le quedaba más remedio. Warshaw no se dejó impresionar. Clay formaba parte de un grupo de abogados, a los que ella había demandado, que, entre todos, acumulaban un total de 1.500 millones de dólares. Ella no podía permitir que Clay indemnizara a sus demandantes con, pongamos, un millón cuando los mismos casos de Patton French podían obtener tres veces más. Además, no estaba de humor para negociar acuerdos. El juicio sería un acontecimiento sonado, un intento de reformar el sistema para evitar abusos, y un espectáculo para los medios de comunicación del que pensaba disfrutar minuto a minuto.

Oscar regresó a Washington con el rabo entre las piernas, convencido de que Helen Warshaw, como abogada del principal grupo de acreedores de Clay, quería sangre.

«Quiebra», aquella temida palabra, había sido pronunciada por primera vez por Crittle en la habitación de Clay del hospital; y había surcado el aire igual que una bala. Luego fue usada nuevamente. Y Clay empezó a pronunciarla, pero solo para sus adentros. Oscar ya la había utilizado profusamente en Nueva York. No se trataba de la palabra adecuada, y a ellos no les gustaba; pero había entrado a formar parte del vocabulario cotidiano.

La quiebra permitiría cancelar el alquiler de las oficinas.

La quiebra permitiría renegociar los contratos de trabajo de los empleados.

La quiebra permitiría devolver el Gulfstream en condiciones ventajosas.

La quiebra permitiría llamar al orden a los airados clientes del Maxatil.

La quiebra permitiría convencer a los descontentos demandantes de Hanna para que aceptaran las indemnizaciones.

Y por último y lo más importante: la quiebra permitiría poner freno a Helen Warshaw.

Oscar se encontraba casi tan deprimido como Clay, y, tras unas horas de angustia, se fue al despacho.

Paulette sacó a Clay al jardín trasero en la silla de ruedas, donde se tomaron una taza de té verde con miel.

—Tengo dos cosas que decirte —aseguró, sentándose cerca de él y mirándolo a los ojos—. Primera, voy a darte parte de mi dinero.

—No. Ni hablar.

—Es lo que pienso hacer y lo haré. Me hiciste millonaria cuando no tenías por qué hacerlo. No puedo evitar que sigas siendo un joven blanco medio tonto que acaba de quedarse sin blanca, pero te quiero y pienso ayudarte.

—¿Puedes creer de verdad todo lo que está pasando, Paulette?

—La verdad es que me cuesta, pero es lo que hay. Ha ocurrido lo que ha ocurrido, y las cosas empeorarán mucho antes de que empiecen a mejorar. No leas los diarios, Clay. Prométeme que no lo harás.

—No te preocupes.

—Yo te ayudaré. Si lo pierdes todo, ahí estaré para asegurarme de que no pasa nada malo.

—No sé qué decirte.

—Pues no digas nada.

Se estrecharon la mano, y Clay tuvo que hacer un esfuerzo para contener las lágrimas. Pasó un momento de contenida emoción.

—Y ahora lo segundo que quería decirte —prosiguió Paulette—. He estado hablando con Rebecca. Tiene miedo de verte por si la descubren, y también un móvil nuevo del que su marido no sabe el número. Me lo ha dado y me ha dicho que quiere que la llames.

—¿Y cuál es tu consejo como mujer?

—Ya sabes qué opino de esa zorra rusa. Rebecca es una buena chica, pero carga con su propia mochila, para decirlo suavemente. Tendrás que decidir tú.

—Gracias por nada.

—A mandar. Rebecca me dijo que la llamaras esta tarde. Su marido está fuera de la ciudad, por negocios o algo así. Yo me marcharé enseguida.

Rebecca aparcó en una esquina y caminó furtivamente por la calle Dumbarton hasta la puerta de casa de Clay. No le gustaba que se vieran de tapadillo, y a él tampoco. Lo primero que decidieron fue que no seguirían de aquel modo.

Ella y Myers habían decidido disolver amistosamente su matrimonio. Inicialmente, su marido había querido buscar el apoyo de un consejero matrimonial y aplazar el divorcio; pero al mismo tiempo quería seguir trabajando dieciséis horas al día, ya fuera en Washington, Nueva York, Palo Alto o Hong Kong. Su influyente bufete contaba con sucursales repartidas en treinta y dos ciudades y con clientes en todo el mundo. Para él, el trabajo era lo más importante, de modo que se separó de Rebecca sin la menor disculpa y sin la menor intención de cambiar de costumbres. Los papeles del divorcio se presentarían en un par de días. Rebecca ya estaba haciendo las maletas. Jason se quedaría con el piso, y ella se mostró evasiva con respecto a dónde iría. En menos de un año de matrimonio habían acumulado pocas cosas. Desde su posición de socio del bufete, Jason ganaba 800.000 dólares anuales; pero Rebecca no quería su dinero.

Según ella, sus padres no se habían inmiscuido. Aunque tampoco habían tenido oportunidad. A Myers no le gustaban, lo cual no constituía ninguna sorpresa. Clay imaginó que una de las razones por las que Myers prefería estar en su sucursal de Hong Kong era para hallarse lo más lejos posible de los Van Horn.

Tanto Rebecca como Clay tenían sobradas razones para marcharse. Él no estaba dispuesto bajo ningún concepto a quedarse en Washington. La humillación sufrida era demasiado profunda y reciente; además, ahí fuera había un mundo entero lleno de gente que no lo conocía. Lo que más deseaba era pasar inadvertido. Por su parte, Rebecca solo deseaba alejarse, alejarse de un mal matrimonio, de su familia, del club de golf y de la insufrible gente con la que se encontraba allí; alejarse de las presiones para ganar dinero y acumular cosas, alejarse de MacLean y de los únicos amigos que había conocido.

Clay tardó una hora en llevarla a la cama, pero con las escayolas y lo demás, el sexo tuvo que esperar. Al fin y al cabo, lo único que de verdad le apetecía era abrazarla y besarla, compensar el tiempo que habían perdido.

Ella se quedó a pasar la noche y decidió que ya no se marcharía. A la mañana siguiente, mientras se tomaban un café, Clay empezó a explicarle lo del Tarvan y siguió a partir de ahí.

Paulette y Oscar regresaron con más noticias desagradables de la oficina. Cierto agitador del condado de Howard estaba animando a los propietarios de las viviendas afectadas a que demandaran a Clay por violación de los principios éticos al haber impedido un acuerdo satisfactorio con la empresa cementera. Varias docenas habían llegado al Colegio de Abogados de Washington. Concretamente, se habían presentado seis demandas contra Clay; las había presentado un mismo abogado, que andaba buscando más como un loco. El bufete de Clay estaba ultimando un plan de acuerdo para presentarlo al juez que dirigía la suspensión de pagos de Hanna. Irónicamente, el bufete recibiría en compensación los debidos honorarios, pero menores que los que Clay había rechazado.

Por otra parte, Warshaw había iniciado una urgente recogida de los testimonios de muchos demandantes del Dyloft. La urgencia era necesaria porque muchos de ellos se estaban muriendo y sus deposiciones resultarían clave en el juicio que estaba previsto para al cabo de un año. Por parte de la defensa, emplear las habituales tácticas dilatorias habría sido tremendamente injusto con aquellos pacientes. Clay dio su conformidad al programa de declaraciones propuesto por Warshaw, aunque no tenía la menor intención de asistir.

Presionado por Oscar, al fin aceptó despedir a diez abogados y a la mayoría de los auxiliares, secretarias y administrativos del bufete. Firmó las cartas de despido de todos ellos, breves y llenas de disculpas, en las que se hacía plenamente responsable del resultado de los acontecimientos.

A decir verdad, no había a nadie más a quien se pudiera culpar.

También se redactó una elaborada carta dirigida a los pacientes del Maxatil. En ella, Clay resumió el resultado del juicio perdido por Mooneyham en Flagstaff. Seguía creyendo en la peligrosidad del medicamento; pero, a partir de ese momento, demostrar que existía una relación directa entre el Maxatil y determinadas dolencias iba a resultar muy difícil, si no imposible. La empresa farmacéutica no se mostraba dispuesta a negociar indemnizaciones, y dado el estado físico de Clay, él no se encontraba en condiciones de preparar y enfrentarse a un largo juicio.

No le gustaba utilizar como excusa la agresión sufrida, pero Oscar logró salirse con la suya. Por carta sonaba totalmente convincente. En ese momento tan difícil de su carrera, tenía que aprovechar todas las herramientas a su alcance.

En consecuencia, liberaba a todos y a cada uno de sus clientes, y lo hacía dándoles el tiempo suficiente para que pudieran contratar otro abogado y perseguir a Goffman.

Aquellas cartas sin duda levantarían una gran controversia, pero Oscar insistió en que podrían hacerle frente.

—Al menos nos habremos quitado de encima a toda esa gente.

Clay no pudo evitar pensar en Max Pace, su viejo colega que lo había metido en el asunto del Maxatil. Pace, que respondía al menos a cinco alias, había sido condenado por fraude bursátil; pero nadie había logrado localizarlo. La acusación aseguraba que había utilizado información privilegiada para vender casi un millón de acciones de Goffman antes de que Clay presentara la demanda. Más tarde había cubierto la venta y se había largado del país con unos quince millones de dólares en el bolsillo.

Corre, Max, corre, se dijo Clay.

Si las autoridades llegaban a atraparlo y lo devolvían para ser juzgado, cabía la posibilidad de que acabara revelando los secretos que ambos compartían.

En la agenda de Oscar había cientos de cuestiones más, pero Clay no tardó en cansarse.

—¿Esta noche me toca hacerte de enfermera? —preguntó Paulette.

—No, Rebecca está aquí.

—Te gustan los problemas, ¿verdad?

—Mañana presentará los papeles del divorcio. Un divorcio amistoso, por cierto.

—¿Y que hay de tu zorrón ruso?

—Es historia, eso suponiendo que algún día se le ocurra volver de San Bartolomé.

Durante la semana siguiente, Clay no salió de su casa de la ciudad. Rebecca metió todas las cosas de Ridley en grandes bolsas de basura y las arrojó al sótano. Después llevó algunos de sus efectos personales, a pesar de que Clay le advirtió que no tardaría en quedarse sin la casa. Ella le preparó suculentas comidas y cuidó de él siempre que lo necesitó. Vieron películas hasta bien entrada la noche y se levantaron tarde por la mañana. También lo acompañó a ver a su médico.

Ridley siguió llamando de vez en cuando desde la isla, pero Clay no le dijo que había perdido el puesto. Prefería hacerlo personalmente cuando volviera, si es que lo hacía. La renovación de la casa iba sobre ruedas a pesar de que él había restringido drásticamente el presupuesto. Ella parecía ajena a sus problemas económicos.

El último abogado que entró en la vida de Clay fue Mark Munson, un experto en quiebras y suspensiones de pagos especializado en casos de particulares. Crittle había dado con él y, después de que Clay decidiera contratarlo, le enseñó los libros y le mostró la contabilidad, los contratos, los alquileres, las demandas, los activos, el pasivo, todo. Cuando Crittle y Munson fueron a verlo a su casa, Clay pidió a Rebecca que saliera porque quería ahorrarle los detalles más desagradables.

En los diecisiete meses transcurridos desde que había salido de la OTO, Clay había ganado 121 millones en concepto de honorarios. 30 habían sido pagados a Rodney, Paulette y Jonah en forma de gratificaciones extraordinarias. 20 habían ido a parar al Gulfstream y a gastos de oficina; 16 se habían ido por el retrete en forma de análisis y campañas de publicidad contra el Dyloft, el Maxatil y las Skinny Ben; 34 en forma de impuestos pagados o debidos; 4 por la mansión de San Bartolomé; y 3 por el catamarán, a los que había que sumar un millón por aquí y otro por allá —la casa de Georgetown, el adelanto a Max Pace, por ejemplo— como gastos típicos de un nuevo rico.

El nuevo y reluciente catamarán de Jarrett constituía un caso interesante. Clay había pagado por él, pero la empresa de las Bahamas que tenía la titularidad era propiedad por entero de su padre. Munson opinó que el tribunal que se haría cargo de la quiebra podría optar entre dos posturas: o bien se trataba de un regalo, en cuyo caso Clay tendría que pagar los impuestos correspondientes; o bien era propiedad de un tercero y no se podía incluir en su activo patrimonial. En cualquiera de los dos casos, la embarcación quedaría en propiedad de Jarrett Carter.

Clay también había ganado más de un millón y medio de dólares comprando y vendiendo acciones y aunque parte de esa cantidad se hallaba escondida en paraísos fiscales, no tendría más remedio que sacarlos de allí.

El balance mostraba un activo neto de unos 19 millones, con muy pocos acreedores. Sin embargo, el pasivo exigible resultaba catastrófico. En aquellos momentos, 26 de sus antiguos clientes del Dyloft lo habían demandado por el fiasco de las indemnizaciones. Además, se esperaba que el número de demandantes aumentara. Dado que no cabía hacer conjeturas respecto al costo de cada caso, la responsabilidad de Clay sería sin duda muy superior a su activo. Por si fuera poco, los demandantes de la acción conjunta contra Hanna se estaban organizando, y la reacción de los clientes del Maxatil sería dura y prolongada. No había forma de realizar una previsión del coste del caso.

—Dejemos que se encargue de ello el síndico de la quiebra —dijo Munson—. Se quedará usted más pelado que un rábano, pero al menos no tendrá deudas.

—No sabe cuánto se lo agradezco —contestó Clay, que seguía pensando en el catamarán.

Si tenían suerte y conseguían mantenerlo al margen de la quiebra, su padre podría conservarlo para venderlo y cambiarlo por algo más pequeño, y de paso, él conseguiría un poco de dinero para ir tirando.

Después de pasar un par de horas con Munson y Crittle, la mesa de la cocina se hallaba cubierta de hojas de impresora, notas de cálculo y listados; el testigo de los últimos diecisiete meses de la vida de Clay. Se sentía avergonzado de su codicia y estupidez. Lo que el dinero había conseguido hacer con él y de él era algo que le revolvía las tripas.

La idea de largarse lo ayudó a sobrevivir día tras día.

Ridley lo llamó desde San Bartolomé con la alarmante noticia de que un cartel de SE VENDE había aparecido en la puerta de la mansión «de ambos».

—Eso es porque ahora está en venta —le dijo Clay.

—No lo entiendo, la verdad.

—Vuelve y te lo explicaré.

—¿Hay algún problema?

—Yo diría que sí.

Tras una larga pausa, Ridley contestó:

—Creo que prefiero quedarme aquí.

—No puedo obligarte a regresar, Ridley.

—En efecto. No puedes.

—Está bien. Quédate en la casa hasta que se venda. Me da igual.

—¿Cuánto tiempo será eso?

Clay se la imaginó haciendo todo lo posible por sabotear cualquier posible venta, pero le importaba muy poco.

—No lo sé. Puede que un mes, puede que un año.

—Pues me quedo.

—Bien.

Rodney encontró a su viejo amigo sentado en los peldaños de la entrada de su pintoresca casa, con las muletas a un lado y una manta sobre los hombros para ahuyentar el frío del otoño. El viento formaba remolinos con las hojas y las arrastraba por la calle Dumbarton.

—Necesito un poco de aire fresco —le dijo Clay—. Llevo tres semanas encerrado ahí dentro.

—¿Cómo están esos huesos? —le preguntó Rodney, sentándose junto a él y contemplando la calle.

—Se están soldando muy bien.

Rodney se había marchado de la ciudad y convertido en un verdadero habitante de barrio residencial: pantalón caqui, zapatillas deportivas y un bonito todoterreno para llevar a los chicos a todas partes.

—¿Y la cabeza?

—Según parece, no hay daños cerebrales.

—¿Y el alma?

—Torturada, sería lo menos que puedo decir. Pero saldré de esta.

—Paulette me ha dicho que te marchas.

—Sí, al menos durante un tiempo. La semana que viene presentaré la solicitud de quiebra y no pienso estar por aquí cuando se produzca. Paulette tiene un piso en Londres que me puede prestar durante unos meses. Nos esconderemos allí.

—¿No hay manera de que puedas evitar la quiebra?

—Imposible. Hay demasiadas demandas, y de las gordas. ¿Te acuerdas de nuestro primer cliente del Dyloft, un tal Ted Worley?

—Claro.

—Murió ayer. No se puede decir que yo apretara el gatillo, pero sí que no me preocupé de sus intereses como era debido. Su caso ante un jurado vale al menos cinco millones de dólares. Hay veintiséis más, así que me largo a Londres.

—Clay, quiero ayudarte.

—No tengo intención de aceptar tu dinero. Sé que estás aquí por eso y mi respuesta es no. He tenido esta misma conversación dos veces con Paulette y una con Jonah. Vosotros os ganasteis vuestro dinero y fuisteis lo bastante listos para conservarlo. Yo no.

—Escucha, hombre, no vamos a permitir que te mueras de hambre por ahí. No tenías ninguna razón para darnos los diez millones que nos diste, pero lo hiciste. Ahora te devolveremos parte.

—Ni hablar.

—Sí. Ya lo hemos hablado entre los tres. Esperaremos hasta que la quiebra se haya resuelto. Luego cada uno hará una transferencia. Será un pequeño regalo.

—Tú te ganaste ese dinero, Rodney, guárdatelo.

—Nadie gana diez millones en seis meses, Clay. Puedes robarlo, o que te caiga del cielo en una lotería, pero nadie lo gana trabajando. Es ridículo y obsceno. Yo pienso devolverte una parte, y también Paulette. No estoy tan seguro de Jonah, pero creo que al final lo hará.

—¿Cómo están tus chicos?

—Has cambiado de tema.

—Sí, he cambiado de tema.

Así pues, hablaron de los chicos y de los viejos amigos de la OTO y de los antiguos clientes de los casos que habían llevado en aquella época. Estuvieron sentados hasta que oscureció, cuando llegó Rebecca y fue la hora de la cena.

42

El periodista del *Post* se llamaba Art Mariani y era un joven que conocía bien a Clay Carter porque había informado de su espectacular ascenso y de su no menos llamativa caída prestando gran atención a los detalles y con una aceptable dosis de ecuanimidad. Cuando Mariani llegó a la casa de Georgetown, fue recibido por Paulette y acompañado a la cocina, donde lo esperaban los demás. Clay se puso trabajosamente en pie, se presentó e hizo lo propio con quienes se hallaban sentados a la mesa: Zack Battle, su abogado; Rebecca van Horn, su pareja; y Oscar Mulrooney, su socio. Las grabadoras empezaron a funcionar, y Rebecca fue sirviendo rondas de café.

—Se trata de una historia muy larga —dijo Clay—, pero tenemos tiempo de sobra.

—Yo no tengo ninguna prisa —convino Mariani.

Clay tomó un largo sorbo de café, respiró hondo y se lanzó. Empezó con el asesinato de Ramón «Pumpkin» Pumphrey a manos de su cliente, Tequila Watson. Fechas, horas, lugares, Clay lo tenía todo anotado y tenía también los archivos correspondientes. Luego Washad Porter y sus dos asesinatos; y los otros cuatro. Deliverance Camp, Clean Streets y los sorprendentes resultados de un medicamento llamado Tarvan. Aunque en ningún momento mencionó a Max Pace, describió con todo lujo de detalle la historia del Tarvan que este le había relatado —las clínicas secretas de Belgrado, Singapur y México capital—, y el deseo del fabricante de ponerlo a prueba en los descendientes de africanos, especialmente en Estados Unidos, y la llegada del medicamento a Washington.

—¿Qué compañía fabricaba ese medicamento? —quiso saber Mariani, visiblemente alterado.

Tras una larga pausa, en la que tuvo la sensación de haberse quedado sin habla, Clay respondió:

—No estoy seguro, pero creo que fue Philo.

—¿Philo Products?

—Sí.

Clay echó mano a un grueso fajo de papeles y se lo entregó a Mariani.

—Este es uno de los acuerdos de indemnización. Como verá, se menciona a dos empresas de paraísos fiscales. Si puede localizarlas y seguirles el rastro, este seguramente le conducirá a una empresa tapadera de Luxemburgo y después a Philo.

—De acuerdo, pero ¿por qué sospecha usted de Philo?

—Tengo una fuente. No puedo decirle más.

La misteriosa fuente era la que lo había seleccionado entre todos los abogados de Washington y había logrado convencerlo para que vendiera su alma a cambio de quince millones de dólares para, a continuación, abandonar la OTO y abrir su propio bufete. Mariani ya sabía todo eso. Clay había hecho firmar a las familias de las seis víctimas para que aceptaran cinco millones y mantuvieran la boca cerrada. Al cabo de un mes, tenía el caso enterrado. Los detalles fueron saliendo a la luz, lo mismo que los documentos de los acuerdos de indemnización.

—Cuando publique esta historia, ¿qué pasará con sus clientes y las familias de las víctimas? —preguntó Mariani.

—He pasado noches en vela haciéndome esa misma pregunta, pero creo que estarán bien —dijo Clay—. Primero, hace más de un año que tienen el dinero, de manera que no es descabellado suponer que se habrán gastado una buena parte; y segundo, el fabricante de ese medicamento tendría que estar loco para intentar invalidar los acuerdos.

—En tal caso —terció Zack—, las familias podrían optar por demandar directamente al fabricante, y de ahí podría salir un veredicto capaz de hundir a la compañía más poderosa. Nunca he visto unos hechos más potencialmente letales que esos.

—La empresa no se atreverá a tocar los acuerdos de indemnización —aseguró Clay—. Ya pueden estar contentos por haberse librado de un asunto así solo con cincuenta millones de dólares.

—¿Y las familias podrán rechazar los acuerdos cuando esto salga a la luz?

—Me parece difícil.

—¿Y usted? Usted firmó un acuerdo de confidencialidad.

—Yo ya no cuento. Estoy a punto de declararme en quiebra y me dispongo a renunciar al ejercicio de la abogacía. No pueden tocarme.

Era una aseveración que le dolía reconocer, y a sus amigos aun más.

Mariani tomó algunas notas y cambió de asunto.

—¿Qué va a pasar con Tequila Watson, Washad Porter y los demás desgraciados que fueron condenados por los asesinatos?

—Primero, seguramente podrán demandar al fabricante del Tarvan, lo cual no les ayudará especialmente estando en la cárcel. Segundo, hay probabilidades de que sus casos se reabran y revisen, al menos en cuanto a las sentencias se refiere.

Zack Battle carraspeó y todos guardaron silencio.

—Esto que le diré es extraoficial. Después de que usted haya publicado lo que decida publicar, y una vez haya pasado la tormenta, tengo intención de hacerme cargo de esos casos y conseguir que sean revisados. Entonces, si la compañía ha sido identificada, la demandaré en nombre de los siete inculpados. También pediré a los tribunales que revisen sus sentencias.

—Todo esto es realmente explosivo —declaró Mariani, subrayando lo obvio. Estudió sus notas un momento—. ¿Qué fue lo que le llevó plantear la demanda contra el Dyloft?

—Esa es otra historia para otro día —contestó Clay—. Además, ya la tiene documentada ampliamente. No voy a hablar de eso.

—Me parece bien. ¿Damos esto por finalizado?

—Por mí, desde luego —contestó Clay.

Paulette y Zack acompañaron a Rebecca y a Clay al aeropuerto, al Reagan National, donde el otrora amado Gulfstream de Clay descansaba muy cerca del lugar donde este lo había visto por primera vez. Puesto que se marchaban para una larga temporada, llevaban mucho equipaje, en especial Rebecca. Clay se había desprendido de tantas cosas en el último mes que viajaba ligero. Se las apañaba con las muletas, pero no podía cargar con nada. Zack le hizo de porteador.

Clay les mostró orgullosamente el avión. Todos sabían que aquel iba a ser su último viaje. Clay dio un fuerte abrazo y las gracias a Paulette y a Zack, y les prometió llamarlos pasados unos días. Cuando el copiloto cerró la puerta, Clay corrió las cortinas de las ventanillas para no ver Washington durante el despegue.

Para Rebecca, aquel avión era el odioso símbolo del destructivo poder de la codicia. Anhelaba llegar al pequeño apartamento de Londres, donde nadie los conocería ni a nadie importaría cómo vistieran, lo que condujeran, compraran, comieran, en qué trabajaran o adónde fueran de vacaciones. Tampoco ella tenía intención de regresar. Se había peleado con sus padres por última vez.

Clay estaba deseando tener un par de piernas en condiciones y la oportunidad de empezar desde cero. Había sobrevivido a uno de los peores desastres de la historia de la abogacía de Estados Unidos y, poco a poco, lo estaba dejando atrás. Tenía a Rebecca junto a él, y nada más le importaba.

En algún lugar del cielo sobre Terranova, desplegaron la cama y se quedaron dormidos bajo las sábanas.

Nota del autor

Es aquí donde los autores suelen presentar sus excusas y disculpas en un esfuerzo por cubrirse las espaldas y evitar responsabilidades de cualquier tipo. Siempre existe la tentación de crear sin más un lugar o un ente de ficción en lugar de investigar los verdaderos, y yo reconozco que estoy dispuesto casi a cualquier cosa antes que a comprobar todos los detalles. La ficción constituye un formidable escudo tras el que resulta muy fácil refugiarse; sin embargo, cuando uno se aventura cerca de la verdad, tiene que ser exacto. De lo contrario, el autor se ve obligado a dedicar numerosas líneas a este espacio.

La Oficina del Turno de Oficio de Washington, en Washington, es una orgullosa y activa organización que lleva años protegiendo los derechos de los indigentes y de los menos favorecidos. También es sumamente discreta, hasta el punto que su funcionamiento interno está sumido en el más absoluto secreto. En consecuencia, decidí crear mi propia versión. Cualquier parecido entre las dos es pura coincidencia.

Mark Twain decía que a menudo cambiaba de sitio lugares, ciudades e incluso estados enteros si eso le ayudaba a desarrollar el argumento. Nada se interpone tampoco en mi camino. Si no puedo hallar el edificio que me interesa, lo construyo en el acto. Si una calle no me cuadra en el mapa, la desplazo o la sustituyo por otra. Tampoco vacilo a la hora de trazar un mapa distinto. Calculo que la mitad de los lugares que aparecen en esta novela han sido descritos más o menos exactamente. La otra mitad no existen o han sido reubicados y modificados hasta el punto de hacerlos irreconocibles. Cualquiera que ande buscando exactitud pierde el tiempo.

Pero lo anterior no significa que no lo intente. La idea que tengo de investigar supone trabajar frenéticamente por teléfono a medida que se acerca la fecha de entrega prevista. Recurrí a un montón de personas, y aquí es donde me corresponde dar las gracias a: Fritz Chockley, Bruce Brown, Gaines Talbott, Bobby Moak, Penny Pynkala y Jerome Davis.

Renee leyó el manuscrito y no me lo arrojó a la cara, lo cual siempre es buena señal. David Gernett lo redujo a pedacitos y después me ayudó a rehacerlo. Will Denton y Pamela Creel Jenner lo leyeron y me ofrecieron su atinado consejo. Cuando lo había reescrito unas cuatro veces y todo era correcto, Estelle Laurence lo repasó y encontró un montón de equivocaciones.

Todos ellos se mostraron dispuestos a ayudarme. Los errores, como siempre, son solo míos.

Este libro
se terminó de imprimir
en Prodigitalk, S. L.